KB197921

오픈 이노베이션

혁신을 추구하는 기업의 선택

OPEN INNOVATION RESULTS

Going Beyond the Hype and Getting Down to Business

Open Innovation Results:
Going Beyond the Hype and Getting Down to Business

OPEN

HENRY CHESBROUGH

INNOVATION

오픈 이노베이션

혁신을 추구하는 기업의 선택

헨리 체스브로 지음 | **이예지** 기획

RESULTS

mysc

한 사람이 할 수 있는 수준을 뛰어넘어

오픈 이노베이션의 이론과 실천을 함께 발전시키고 있는

학자와 경영자의 공동체를 위해

이 책에 쏟아진 찬사

매일매일 놀라울 정도의 혁신 기술과 아이디어가 세상에 소개되지만, 정작 우리는 세계 경제의 생산성 둔화나 소득 정체 등의 문제로부터 크게 벗어나지 못하고 있습니다. 헨리 체스브로는 기업들이 혁신 기술의 창출에만 신경쓸 뿐, 조직내 흡수 및 업무프로세스에 내재화시키지 못한 것을 그 원인으로 보고, 이의 해결수단으로 오픈 이노베이션을 주목하면서, 각 기업이 오픈 이노베이션 추진 과정에서 검토해야 할 세부사항들을 짚어주고 있습니다. 이런 점에서, 이 책은 최고의 기업으로부터 혁신을 더 많이, 더 빨리 배워 생산성을 높이고 더 좋은 기업으로 성장하길 꿈꾸는 모든 기업과 직원들에게 좋은 배움이 될 것으로 확신합니다.

- KOTRA 중소중견기업본부장 김태호

이 책은 오늘날 광풍처럼 휘몰아치고 있는 오픈 이노베이션이 한순간의 유행이나 한때의 구호가 아닌 4차 산업혁명 시대의 새로운 경쟁전략임을 구체적인 사례들을 통해 입증하고 있습니다. 지금까지와는 차원이 다른 수많은 기술과 아이디어들이 원자폭탄처럼 융복합을 거듭하면서 폭발적으로 생성되는 이때 이들을 효과적으로 활용하여 지속적인 경쟁우위의 원천으로 만드는 방법에 대해 체계적으로 설명합니다. 오픈 이노베이션에 관한 저자의 전작들을 읽지 않은 사람들도 쉽게 그 개념을 이해할 수 있으며 특히 스타트업과의 연계를 통해 기술혁신을 꾀하고자 하는 대기업, 스타트업 활성화를 위해 대기업과의 연계를 촉진하는 정책 입안자들에게 일독을 권합니다.

- 서울창조경제혁신센터장 황윤경

헨리 체스브로의 오픈 이노베이션 책이 발간 된지 18년이 되었습니다. 하지만 오픈 이노베이션이 한국 기업들과 공공조직에서 지금처럼 많은 주목을 받은 적은 없었습니다. 대부분의 조직에서 오픈 이노베이션을 고민하고 시도하지만 성공한 사례를 찾기는 쉽지 않습니다. 그런 의미에서 체스브로의 새로운 책이 발간된 것은 실로 반가운 소식이 아닐 수 없습니다. 한국의 오픈 이노베이션을 선도하는 단체로서, 한국무역협회는 오픈 이노베이션의 성공적 추진전략과 성과를 고민하는 기업들에게 이 책을 주저 없이 추천할 것입니다. 그리고 이렇게 말할 것입니다. "예전에는 실험실이 기업 안에 있었지만 이제는 오픈 이노베이션으로 세계가 기업의 실험실이 되었습니다. 이 책으로 당신 회사는 경쟁을 뚫고 앞서나갈 수 있습니다."

- 한국무역협회혁신성장본부장 이동기

신한금융은 신한 스퀘어브릿지를 통해 혁신적 스타트업 육성에 노력하고 있으며, 헨리 체스브로의 '오픈 이노베이션'을 중요한 툴로 사용하고 있습니다. <오픈 이노베이션 : 혁신을 추구하는 기업의 선택>은 스타트업에게는 도전의 방향성을, 레거시 기업들에게는 시대를 관통하고 있는 '혁신'이라는 키워드의 실용적 접근법을 알려주고 있습니다. 기업의 경계를 초월한 지식에 접근하고 내외부의 유기적인 협력을 통해 혁신적 인프라 구축을 꿈꾸는 혁신가들에게 필독서로 추천 드립니다.

- 신한금융희망재단사무국장 안준식 (스퀘어브릿지 스타트업 육성총괄)

오픈 이노베이션은 단지 '성문을 여는 것'이 아닙니다. 그러할 때 성안과 성밖은 여전히 존재합니다. 혁신의 기본은 경계에서의 활발한 교류입니다. 이를 위해서는 분산된 사고방식, 안팎의 경계 없는 자산과 지식의 활용이 필요합니다. 이러할 때 헨리 체스브로가 말하는 내향형-외향형 프로세스가 활발히 일어날 것입니다. CSV(공유가치창출)를 오픈 이노베이션 관점에서 접근하는 시각도 많은 시사점을 던져 주었습니다. 대기업, 스타트업만이 아니라 소셜섹터에서도 헨리 체스브로가 제시하는 오픈 이노베이션 방법론을 눈여겨볼 필요가 있습니다.

- SK텔레콤 Open Collabo 팀장 서진석

헨리 체스브로의 오픈 이노베이션은 이미 사회 전반에 개방형 혁신에 대한 인사이트를 안겨주었습니다. 이 개념이 등장한 2000년대 초반만 해도, 오픈 이노베이션은 일부 특별한 기업에서만 가능한 이야기 같았지만 이제는 사회 전반적으로 널리 활용되는 혁신의 주요 전략이 되었습니다. 최근 급속한 기술의 개방성 확장과 오픈 이노베이션의 보편화로 혁신 솔루션의 창출단계에서부터 생태계 내의 확산과 지속적인 내재화에 대한 고민이 요구되는 요즘, 이 책은 기업뿐만 아니라 사회적 변화를 만들어 가는 모든 혁신가들에게 큰 인사이트를 줄 것입니다.

- 한국에자이 기업사회혁신 이사 서정주

2015년 '오픈 이노베이션'이라는 주제로 일하기 시작한 이후 무엇인가 중요한 것을 빠뜨리고 있는 것 아닌가 하는 습관적 우려에 대한 답을 얻었습니다. 혁신의 '창출(Generation)'에만 집중한 나머지 '보급(Dissemination)'과 '흡수(Absorption)'의 가치를 잊고 나 자신 또한 종종 증오해 온 혁신극장(Innovation Theater)의 늪에 빠져있지 않았던가 하는 반성을 해봅니다. 과학적 결과와 상업적 활용, 혁신 부서와 사업 부서 사이에 존재하는 '죽음의 계곡'을 건너 '영향력의 논리'를 활용하여 더 많은 스타트업들과의 혁신을 꿈꿔봅니다. 마지막으로 '혁신의 결과는 무엇을 시작하느냐가 아니라 무엇을 끝내느냐에 달려 있다'라는 체스브로의 이야기가 내내 머리속을 맴돕니다.

- CJ 상생혁신팀 팀장 이재훈

비즈니스 세계의 역사는 다윗이 골리앗을 이기는 사례들로 진보해왔습니다. 그 무기는 '오픈 이노베이션'이었습니다. 그러나 사실 '오픈 이노베이션'은 다윗과 골리앗에게 공평한 기회를 제공합니다. 그리고 이제는 다윗과 골리앗이 '오픈 이노베이션'을 통해 힘을 합쳐야 하는 시대가 되었습니다. 대기업이 글로벌 시장을 공략하기 위해서는 다윗과 같은 스타트업이나 소셜벤쳐와의 협력이 필요합니다. 그리고 정부가 사회문제를 해결하고 더 나은 세상을 만들기 위해서도 비영리 단체와의 협력이 필요합니다. 헨리 체스브로가 이야기하는 '오픈 이노베이션'을 주의 깊게 들어본다면 우리가 그토록 바라던 의미 있는 성과와 가치를 만들어갈 수 있을 것입니다.

- 한국표준협회 ESG경영센터 센터장 유훈

헨리 체스브로는 복잡한 개념을 모든 사람이 공감할 수 있는 메시지로 표현하는 특별한 능력을 갖추고 있습니다. 그는 이 책을 통해 처음으로 금융 위기가 혁신의 방법에 미치는 영향과 이것이 어떻게 장기적인 생산성에 영향을 미칠 수 있는지 연결하였습니다. 이 책은 단순히 새로운 아이디어를 내는 것을 넘어 올바른 정책을 설계하여 광범위한 사회적 확산 및 적용을 통해 변화를 만들어내고 싶어 하는 모든 정치인, 그리고 비즈니스 리더들이 반드시 읽어야 하는 책입니다.

- Carlos Moedas, EU Commissioner for Research, Science and Innovation

Enel에서 오픈 이노베이션은, 지속가능성의 개념과 결합되어 우리가 "Innovability"라고 부르는 새로운 개념이 되었으며, 이는 Enel의 비즈니스 모델과 기업 운영에 적용되고 있습니다. "Innovability"는 회사뿐만 아니라 모든 이해관계자들을 위한 공유 가치를 창출하는 결과를 가져왔습니다. <오픈 이노베이션: 혁신을 추구하는 기업의 선택>은 변화하는 환경에 적합한 책이며, 특히 오픈 이노베이션을 단순히 언급하는 것을 넘어 이론을 실행하고 가시적인 결과를 달성함으로써 회사를 운영하고자 하는 기업들에게 도움을 줄 것입니다.

- Francesco Starace, CEO and General Manager, Enel

<오픈 이노베이션: 혁신을 추구하는 기업의 선택>은 다양한 영역의 경계를 넘나드는 매우 효과적이고 실용적인 혁신 방법을 보여줌으로써 오늘날의 조직이 어떻게 최고의 혁신을 이룰 수 있는지에 대한 광범위한 통찰을 담고 있습니다. 체스브로는 오늘날 그리고 미래에 혁신을 현명하게 수행하는 방법을 보여줍니다.

- Ikujiro Nonaka, Professor Emeritus at Hitotsubashi University Business School

<오픈 이노베이션: 혁신을 추구하는 기업의 선택>에서 체스브로는 경계를 넘나드는 혁신의 놀라운 힘을 활용하는 대담하면서도 실용적인 가이드를 제시합니다. 혁신에 대한 체계적인 접근을 통해 체스브로는 여러 방면에 개방의 정신을 활용한 강력하고 설득력 있는 사례를 제시합니다. 이 책은 혁신 혹은 도태라는 두 가지 선택만이 존재한다는 것을 이해하는 모든 사람에게 필독서입니다.

- Gary Hamel, Gary Hamel, director of Management Innovation eXchange, ranked by the Wall Street Journal as the worlds most influential business thinker

<오픈 이노베이션: 혁신을 추구하는 기업의 선택>은 오픈 이노베이션이라는 중요한 개념에 대한 광범위하며 확신에 찬 체스브로의 관점을 담아냈습니다. 이 책은 오픈 이노베이션이라는 개념을 기업 결과뿐만 아니라 국가 경제 성장에도 연결하는 새로운 지평을 열었습니다. 책에서는 오픈 이노베이션과 프리(free) 이노베이션의 차이점, 중국의 오픈 이노베이션 사례와 정책 등이 잘 설명되어 있으며 독자들은 이를 통해

중요한 인사이트를 발견할 수 있을 것입니다.

- David Teece, Thomas Tusher Professor in Global Business, UC Berkeley

잘 연구한 이 강력한 책에서 체스브로는 조직의 리더에게 오픈 이노베이션의 힘을 진정으로 실현할 수 있는 방법을 소개합니다. 이 책을 통해 리더들은 오픈 이노베이션의 보급과 흡수라는 프로세스를 활용하여 신기술의 시대를 넘어서는 새로운 패러다임을 구축할 수 있을 것입니다.

- Rita McGrath, Professor at Columbia Business School, and author of Seeing Around Corners: How to Spot Inflection Points in Business Before They Happen

감사의 말

이 책은 수년 간 업계와 학계, 교실에서 만난 다양한 사람들에게 듣고, 배우고, 고찰한 것의 결정판입니다. 필자는 전작이 좋은 평을 받은 덕분에 흥미로운 논의의 장에 자주 초대받아 참석했습니다. 혁신에 관한 아이디어와 접근방식, 특히 실질적인 비즈니스 성과를 얻기 위해 효과적으로 혁신을 다룰 방법을 개발하고 테스트하는 아주 좋은 기회였습니다. 필자는 이 질문에 대한 최종적인 해답은 결코 찾을 수 없으리라는 사실을 깨닫게 되었습니다. 이것은 필자가 계속 할 수만 있다면 평생 직업을 가질 것이라는 의미였습니다. 따라서 이 책의 탄생과 그 기초가 되는 연구에는 감사해야 할 사람들이 많습니다.

먼저 UC 버클리에 있는 동료들에게 감사를 전합니다. 필자는 UC버클리 하스 경영대학원에서 데이비드 티스, 솔로몬 다윈,

로버트 콜, 스티브 블랭크, 안드레 마르퀴스, 리처드 라이언스, 마리아 카코비치의 생각에서 큰 도움을 얻었습니다. 특히 솔로몬은 버클리를 넘어 오픈 이노베이션을 보급하는 데 대단히 중요한 역할을 해왔으며 고국 인도에서 오픈 이노베이션으로 실질적인 비즈니스 성과를 거두고 있습니다. 김소형, 앤 크리스틴 조벨, 시마틸다 베즈, 치아라 데마르코, 안나 바란스카야, 나디아 칼스텐, 엘렌 챈, 카밀로 오사, 장 루, 니실 발리, 빌 후즈, 알리아 알카시미, 타니아 두타를 포함한 여러 버클리 학생들이 훌륭하게 연구보조를 해주었습니다. 버클리에는 방문 연구원도 많았는데 메이량, 마르쿠스 홀거슨, 프레데릭 르로이, 닐 케이, 토마스 쾰러, 토미 램피코스키, 안시 스메들룬드, 안니카 로렌츠, 볼프강 삭센호퍼, 토비아스 바이블렌, 앤디 주, 동예 멩, 보웬 장을 포함한 많은 이들이 필자의 연구에 도움을 주었습니다.

하스 바깥에서 필자는 운 좋게도 매년 바르셀로나 에사데(ESADE)를 방문했고, 2016년 안식년까지도 이곳에서 보냈습니다. 그곳에서 필자는 조나단 웨어햄, 에스테브 알미랄, 이방카 비스닉, 켄 모스, 누리아 에겔, 이반 보파럴, 마르셀 플라넬라스, 자비에르 페라스, 라이아 푸홀스, 루이자 알레마니, 로라 카스텔루치, 엘레나 부우, 코니 루토프-캐롤, 셰릴 프레이시아다키스, 투바 바키치, 메흐디 바게르자데니리, 헨리 로페즈 베가와 멋진 논의를 많이 했습니다. 에사데 주변 업계에서는 자비에 마셋, 파코 솔레 파렐라다, 파블로 로드리게스, 세실리아 탐, 록 페이즈와 논의를 나눴습니다.

학계의 다른 동료 역시 필자의 생각에 큰 도움을 주었습니다. 옥스퍼드 대학 출판부에서 함께 작업했던 공동 저자들에게도 감사를 전합니다. 빔 반하버베케, 조엘 웨스트, 마르셀 보거스, 안드레아 프린치페, 알베르토 디미닌, 멜리사 애플야드, 자넷 베르코비츠, 사빈 브런스위커, 샤오란 푸, 올리버 가스만, 아나벨 가워, 켈드 라우센, 힐라 리프시츠-아세프, 광휘 림, 이쿠지로 노나카, 지나 오코너, 프란체스코 산둘리, 멜리사 실링, 스캇 스턴, 크리스 투치, 막스 폰 제트위츠에게 감사를 보냅니다.

오픈 이노베이션에서 성과를 얻기 위해 고군분투하고 있는 기업의 경영자들도 이 책을 쓰는데 도움을 주었습니다. 이들 중 여럿이 이미 본문에 등장하기 때문에 다시 언급해서 감사의 글을 길게 쓰지는 않겠습니다. 다만 너무 큰 도움과 조언을 받았기 때문에 여기에서 특별히 언급해야 할 분들이 있습니다. 에넬의 에르네스토 시오라, 에넬 재단의 카를로 파파, 후지쯔의 모히 아흐메드, IBM의 짐 스포러, 유니레버의 그레이엄 크로스, 굿이어의 피에르 오를레우스키, Tlab의 하버드 벨보, 바이엘의 모니카 레슬, 멜라니 헤룰트, 사우스 서밋(구 BBVA)의 마리솔 멘데즈, 누리언(구 악조 노벨)의 마르코 와스, 르노 닛산의 안나 바란스카야, 다이킨의 춘청 피아오, CERN의 마르쿠스 노드베르크에게 감사함을 전합니다.

최근에는 혁신정책에서 오픈 이노베이션 활용하는 경우가 늘어나고 있습니다. EU 연구과학혁신 위원 카를로스 모에다스는 오픈 사이언스(Open Science), 오픈 이노베이션(Open Innovation), 오픈 투 더 월드(Open to the World)라는 세 가지 오픈을 중심으로 정책을 수립했습니다. 오바마 행정부 과학기술정책실의 톰 칼릴 부국장 역시 미국의 혁신정책 입안에 오픈 이노베이션을 적용했습니다. DARPA의 수장이었던 아라티 프라바카르는 필자에게 국방성 내부에서는 60년 넘게 개방적이고 분산된 혁신 프로세스가 시행되어 왔고, 에너지 등 다른 부서로도 서서히 확산되고 있음을 알려주었습니다. 이런 발전이 이루어지는 것을 보는 일은 엄청나게 흥미로웠습니다.

이렇게 많은 도움과 피드백을 받았음에도 이 책은 여전히 실수투성입니다. 다만 필자에게 도움을 준 분들과 소통하지 않았다면 저질렀을 실수보다는 새롭고 더 발전된 실수들입니다. 이것은 혁신에 있어서도 마찬가지입니다. 혁신은 본디 협력적인 활동으로 지식을 자유롭게 교환한 결과로 향상됩니다. 그래서 필자는 이 책을 한 사람이 할 수 있는 수준을 넘어 오픈 이노베이션의 이론과 실천을 함께 발전시키고 있는 학자들과 경영자들의 공동체에게 바칩니다. 우리 모두가 계속 나아가고, 경험을 공유하고, 실수로부터 배우고, 더 나은 결과를 실현할 수 있도록 이 책이 힘이 되길 바랍니다.

필자는 이 책을 창출·보급·흡수시키는 데 전력 증강자로 활약해 준 뛰어난 행정직원들에게도 엄청난 도움을 받았습니다. 10년 넘게 필자를 도와준 UC 버클리 하스 경영대학원의 아니타 스티븐스에게 특별한 감사를 드립니다. 아니타는 필자에게 행정직원이 아니라 파트너에 가깝습니다. 하스 경영대학원의 아드리아나 마시아스는 발길질하고 소리 지르는 필자를 디지털 세계로 이끄느라 고생했습니다. 트리스탄 가스피는 우리 센터의 숫자를 면밀히 살펴주었습니다. 필자가 바르셀로나에 머무는 동안에는 에사데의 안나 보넷, 올가 플라자, 로사 빌라노바가 많은 도움을 주었습니다.

원고를 발전시키고 편집하는 과정에서 사려 깊은 코멘트와 지원, 안내를 해준 옥스퍼드 대학교 출판부의 편집자 아담 스왈로우와 제니 킹에게도 감사를 전합니다. 아내 캐서린은 원고의 많은 부분을 읽고 초안의 공백과 오류, 불완전한 생각들을 부드럽게 짚어주었습니다. 이 책으로 아내의 인내심이 길러졌을 것입니다. 그녀는 여러모로 필자에게 힘을 주는 강력한 촉진제였고 어떤 말로도 고마움을 표현하기 어렵습니다. 이 책을 쓰는 동안 딸 에밀리와 사라는 큰 인내심과 지지를 보여주었습니다. 아이들이 이 책을 자랑스러워했으면 좋겠습니다. 만약 읽게 된다면 말입니다.

헨리 체스브로
UC 버클리
chesbrou@haas.berkeley.edu

《◇》

한국 독자에게 전하는 인사

2003년 처음 저의 책을 출간하였을 때 아주 생소한 개념이었던 오픈 이노베이션은, 이제는 모든 곳에 적용이 되고 있습니다. 최근에는 한국에서도 오픈 이노베이션의 개념이 잘 정착되기 시작하였죠. 한국에 대한 저의 지식이 충분치 않기에 완벽한 설명은 어려울 수 있지만, 한국에서 오픈 이노베이션이 성행하는 데에는 몇 가지 이유가 있다고 생각합니다.

첫째로, 한국의 대기업들은 이미 여러 산업의 분야에서 기술의 선두주자로 자리매김하였습니다. 예를 들어 삼성과 현대와 같은 회사들은 전자기기와 자동차 산업의 세계리더라고 할 수준에 올랐습니다. GS와 같은 회사들 또한 친환경 에너지 기술의 미래를 선도하고 있습니다. K-POP은 전 세계 젊은이들에게 사랑받는 장르가 되었고, 한국식 고깃집은 이제 한국에서 멀리 떨어진 여러 국가에서도 쉽게 찾아볼 수 있습니다. 이렇게 한 번 기업들이 선두주자의 자리에 오르게 되면, 단순히 앞선 이들의 방법을 그대로 답습하는 것만으로는 발전하기가 어렵게 되죠. 이들은 반드시 혁신을 통해 리더의 자리를 유지해야 합니다. 오픈 이노베이션은 이런 리더십을 획득하고, 또 키워나가는 데에 매우 강력한 방법입니다.

두 번째로, 오픈 이노베이션의 원천은 사회와 세계 전반에 걸쳐 넓게 흩어져있습니다. 실리콘밸리와 같은 하나의 지역이 글로벌 혁신의 원천이 되는 시대는 지나고, 이제는 중국 선전부터심천 부터 이스라엘, 핀란드까지 여러 혁신의 '핫스팟'이 존재하는 세상이 되었습니다.

한국은 여러 새로운 기술의 원천 지역이며, 동시에 한국의 기업들은 이미 세계 여러 곳의 혁신의 핫스팟에서 공동연구소, 인큐베이팅센터, 합동 연구 이니셔티브를 만들어내고 있습니다. 또한 기존에는 몇몇 대기업 내부에만 갇혀 있던 강력한 지식이 대학, 스타트업, 중소기업, 그리고 개인에게도 방출되기 시작하였습니다. 오픈 이노베이션은 이렇게 방출된 많은 아이디어와 원천기술들에 관심을 두게 하는 프레임워크입니다. 동시에 오픈 이노베이션은 기업이 가지고 있는 지식을 정의하고, 인지하며, 이를 흡수하고 또 여러 형태로 변형시키기 위한 기업 내부 연구·개발(R&D)에 대한 투자를 지속해야 하는 강력한 이유를 제공하기도 합니다. 오픈 이노베이션은 단순히 누군가의 연구를 외부의 다른 누군가에게 아웃소싱하는 것이 아니기 때문입니다.

책에서 볼 수 있듯이, 오픈 이노베이션은 단순히 좋은 기술을 추구하는 것 그 이상의 개념입니다. 오픈 이노베이션을 훈련하고, 시간이 지남에도 지속하기 위해서는 조직 내부의 문화가 반드시 바뀌고, 개방되어야 합니다. 복잡하고 빠르게 변화하는 외부 환경에 개방적 내부 조직 문화를 연결해 나가기 위해서 새로운 책임과 권한이 조직 내부에서 반드시 만들어져야 합니다. 한국 회사들이 오픈 이노베이션을 받아들임에 따라, 그들은 오픈 이노베이션의 사용과 활용 방법을 매우 중요한 방향으로 발전시켜 나갈 것입니다. 동시에 기업들은 이러한 과정에서 변화할 것입니다.

이 책을 통해 오픈 이노베이션에 대해 더 많이 배우면서 행운과 열린 마음, 그리고 강한 결단력을 갖게 되길 기원합니다.

《◇》

감수의 글

불확실성의 시대,
기업이 '벤처 캐피털'이 되어야 하는 이유

김정태 사회혁신 컨설팅·임팩트투자 MYSC 대표이사

"배를 타고 오는 모든 이들은 우리의 적이다" - **흥선대원군**

국립중앙박물관에 가면 구한말 대한제국이 외부로의 문을 굳게 닫으며 내부 관리들에게 보낸 저 문구를 볼 수가 있다. 외부의 모든 파트너들은 잠재적인 경쟁사이고, 외부에서 가져온 아이디어보다 내부의 아이디어가 항상 탁월할 것이라는 신념은 기업에겐 '쇄국경영'이라 볼 수 있다. 이러한 '닫힌 혁신'(closed innovation)의 결과는 어떠할까?

세계적인 혁신 기업들의 명단이라 볼 수 있는 S&P 500 기업 리스트, 여기에 올라간 1950년대 기업들의 평균 수명은 60년 이상이었다. 시대가 흐르고 리스트에 포함된 기업들은 대부분 바뀌었지만 2020년 기준으로 S&P 500 기업의 평균 수명은 19년에

불과하다. 과거보다 더 탁월하고 기술 진보를 이룬 기업들이 현재 턱없이 부족한 걸까? 인류의 최고의 발명품 중 하나로 칭송받는 주식회사는 자연인의 수명을 뛰어넘어 영속적인 가치창출을 할 수 있는 '사회적 조직'으로 기대를 받았다. 조선시대 평균수명이 35세에서 현재 한국인의 평균수명이 82세로 증가하는 것과 거꾸로 기업의 수명은 대폭 축소되고 있다. 그 이유 중 하나를 저자는 '열린 혁신'(open innovation)에서 '닫힌 혁신'(closed innovation)을 선택한 기업들의 잘못된 의사결정이라고 지목한다.

저자 헨리 체스브로 교수가 2003년 최초로 소개한 '오픈 이노베이션'은 '올해 최고의 혁신 전략도서(strategy+business)로도 선정되며 혁신을 갈망하는 기업에게 새로운 접근법을 제시한 것으로 평가된다. 기업의 빗장을 여는 수준이 아니라, 외부의 아이디어를 가로막는 문턱이나 관문 자체를 없애 기업 내부의 아이디어와 외부의 아이디어가 융합되는 '열린 기술혁신'을 어떻게 이룰지에 대해 저자는 흥미롭게도 '벤처 캐피털'(venture capital)을 주목하라고 권한다.

"벤처 캐피털 과정은 사실상 혁신하는 새로운 방법이다. 벤처 투자자들은 새로운 아이디어와 지식이 회사 외부로부터 발생할 것이라 예상했다"고 말하는 저자는 "모든 회사는 새로운 시장에서 새로운 기술을 시험하는 그들의 능력을 개발할 필요가 있다"(오픈 이노베이션, 2009)고 권장한다. 실험적인 아이디어와 가설을 바탕으로 기존에 존재하던 상품과 서비스가 제공하지 않았던 가치를 제공하거나, 아예 시장에서 존재하지 않았던 가치를 창출하는 임시

조직을 스타트업이라고 하는데, 벤처캐피털은 이들에 집중하고 투자와 다양한 성장 지원을 제공한다.

기업은 어떤 아이디어가 성공할지, 어떤 아이디어가 파괴적인 혁신을 이룰지 분석에 집중한다. 하지만 분석을 하면 할수록 과감하고 도전적인 아이디어를 피해야 할 위험요인(risk)의 확인으로 흐를 확률이 높다. 이를 경영학에서는 '과도한 분석을 통한 마비'(paralysis by analysis)라고 부른다. 추구할 혁신을 분석하지만 결국 혁신을 하지 않는 것이 정당하다는 결론으로 이어진다는 이런 아이러니를 어떻게 해결해야 할까? 기업이 그 어느 때보다도 '벤처 캐피털'과 같아져야 할 이유가 많아졌다.

> "불확실성은 우리에게 질문을 하게 하고 새로운 아이디어를 받아들이게 한다" - **애덤 그랜트**

기업이 경험하는 전대미문의 불확실성은 기업이 새로운 아이디어를 받아드릴 절호의 환경이기도 하다. 세계적인 이론 물리학자인 제프리 웨스트는 <스케일: 생물, 도시, 기업의 성장과 죽음에 관한 보편 법칙>에서 생물과 도시, 기업 모두 공통적으로 "성장을 계속하고 붕괴를 피하려면 변화, 즉 혁신이 일어나야 한다"고 설명한다. 물리학자답게 그는 기업이 붕괴하는 이유를 열역학 제2법칙으로 설명한다. '닫힌 계' 내에서 성장 동력이 활성화되면서 일정한 성과를 이루지만, 그 성과를 이루는 방식과 성공의 열매로

'쓸모없는 에너지' 즉 엔트로피도 증가한다.

"기업들은 대부분 현재 잘 나가는 크게 성공한 제품이 단기적 보상을 '보장'하므로, 거기에 안주하려는 근시안적이고 보수적인 태도를 취하고, 혁신적이거나 위험성이 있는 착상을 외면하는 경향이 있다." 과거의 혁신으로 이룬 지금의 성공은 과거의 혁신을 잊어버리고 현재의 달콤한 현실에 만족하게 된다. 그는 기업의 퇴보란 결국 '다양성 감소'와 '탄력성 감소'가 원인이며 이에 맞서 싸우기 위해서는 "성장, 혁신, 유지, 수선에 필요한 에너지를 (외부에서) 계속 공급받아야 한다."고 설명한다.

'닫힌 계'가 되어 퇴보하는 기업과 달리 '열린 계'가 되어 지속적으로 성장하는 도시의 비밀은 결국 '외부에서 끊임없이 유입되는 새로운 아이디어와 상호작용'이었다. 누군가 완벽한 통제와 계획을 하는 것은 아니지만 도시는 하나의 유기체로 기능한다. 지금도 도시의 경계는 행정상의 경계 표식일 뿐 24시간 수없이 많은 다른 도시의 사람들과 물류, 생각과 문화가 '경계'를 넘나든다. 도시와 같이 기업 역시 '열린 계'가 된다는 것은 어떤 의미일까?

저자의 '오픈 이노베이션' 관련 최신작인 <오픈 이노베이션: 혁신을 추구하는 기업의 선택>은 불확실성의 시대로 그 어느 때보다 지속가능성의 위기를 경험하는 기업들에게 새로운 아이디어를 받아들이고, 이를 구체적인 성과로 연결할 수 있는 구체적인 방법론과 사례를 설명한다. 짧지 않은 기간 동안 유수의 국내 대기업 및 다국적기업의 오픈 이노베이션을 컨설팅하며 간직했던 궁금함과 고민의 많은 부분을 이 책을 통해 먼저 해결할 수 있었다. 소셜벤처를 선행지표로 삼아 기업이 탐색하고자 하는 영역의 인사이트를 파트너십으로 풀고자 하는 기업, 비시장·비고객을 블루오션 관점에서 탐험해야 하는 기업, 최근에 더욱 비즈니스의 필수 문법이 되어버린 ESG(환경, 사회, 거버넌스) 영역의 난제를 해결하고자 하는 기업 모두에게 이 책은 결과를 도출하는 오픈 이노베이션이란 무엇인가를 소개한다.

기업이 '도시'처럼 되어야 할 이유, 그리고 '벤처 캐피털'처럼 행동해야 할 이유를 이 책에서 발견할 모든 독자분들을 미리 환영한다.

《◇》

서문

2008년 금융위기가 서구 여러 나라에 엄청난 충격을 안긴 지 어언 10년이 넘었다. 이 사건으로 여러 분야가 충격을 받았는데, 위기가 혁신 그 자체에 미친 영향에 대해서는 크게 주목한 사람이 없었다. 대부분의 기업은 위기가 닥치면 혁신에 할당된 예산을 대폭 삭감했다. 그러다 서서히 회복이 진행되자 기업들은 '혁신 지출을 위기 이전 수준으로 재개할 것인가'에 대한 어려운 질문을 던졌다.

기업이 던진 질문은 기본적으로 혁신의 결과에 초점을 맞춘다. 확실히 많은 사람이 혁신을 사치재로 여긴다. 상황이 좋을 때는 혁신을 추구하다가도, 상황이 나쁠 때는 가장 먼저 삭감시킨다. 이런 자세는 사업의 성공으로 이어지지 못한다. 홍보성이 있어도 새로운 수익과 이익을 이끌어내지 못하는 혁신활동은 혁신 투자를 지속하기 위해 필요한 결과를 내놓지 못한다. 혁신이 긍정적인 사업성과를 낼 수 있다는 강력한 증거가 없다면 금융위기 이후 시장 상황이 개선되어도 혁신을 위한 추가 자금 지출은 정당화하기 어렵다. 그러면 분명히 향후 또 다른 위기가 발생할 것이고, 이 위기는 혁신을 통해 사업성과를 얻어야 할 필요성을 시급하게 만들 것이다.

오픈 이노베이션에 대해서도 비슷한 시각이 필요하다. 금융위기가 닥쳤을 당시 오픈 이노베이션은 대부분의 조직에서 막 정착되고 있었다. 사실 실제 사업성과를 달성한 기업들도 있기는 했지만, 오픈 이노베이션은 너무 새로운 개념이라서 많은 기업이 그 이점을 완전히 파악하지 못했다. (게다가 많은 조직이 학습 곡선을 따랐기 때문에 오픈 이노베이션을 처음 시도해서 늘 기대했던 결과를 내는 것도 아니었다.) 금융위기 이후 오픈 이노베이션은 훨씬 널리 퍼졌다. 구글에서 '오픈 이노베이션'으로 검색하면 6억 개가 넘는 페이지 링크가 나온다. 필자가 <오픈 이노베이션(Open Innovation)>을 처음 출간한 2003년 이후 엄청난 증가폭이다. 2003년 당시에는 구글에서 '오픈 이노베이션'으로 검색해보면 약 200개 정도의 페이지 링크가 나왔다. 2003년에는 링크드인(Linked in)에서 '오픈 이노베이션'이라는 직함을 가진 자리가 거의 전무했지만 지금은 수만 개가 있다.

오픈 이노베이션에 대한 이런 변화는 대부분 금융위기 이후 이루어졌다. 금융위기는 많은 기업이 오픈 이노베이션을 실행하는 방식에 영향을 미쳤다. 초기에 오픈 이노베이션은 현재 사업(과 비즈니스 모델)을 가속화하고 향상시키기 위해 더 많은 외부 지식을 가져와 내부 연구개발(R&D)을 활용하고, 사용하지 않는 내부 R&D는 외부로 내보내 다른 사람들이 사업(과 비즈니스 모델)에 활용할 수 있게 하는 프레임워크였다. 하지만 금융위기 이후 일부 기업들이 오픈 이노베이션의 언어를 도입해 내부 R&D를 축소하거나 없앴고, 내부 R&D 대신 아웃소싱에 의존하기 시작했다. 오픈 이노베이션은 혁신 투자를 줄이기 위한 전략이 아니었지만 때로 이렇게 이용되기도 했다. 그러나 이런 방식은 단기적으로는 어느 정도 개선을 가져올 수 있지만 기업에 장기적인 쇠퇴를 초래할 수 있다.

우리는 오픈 이노베이션과 오픈 이노베이션을 이용해 더 나은 사업성과를 얻을 수 있는 방법에 대해 새롭게 이해해야 한다. 이 책은 그것을 돕기 위한 시도다.

먼저 서구 여러 나라에서 나타나는 현상, 기술은 기하급수적으로 발전하지만 경제 생산성은 감소하는 역설에 대해 이야기할 것이다. 이것을 기하급수적 발전의 역설(Exponential Paradox)이라고 한다. 사회가 창출(generation), 보급(dissemination), 흡수(absorption)라는 3가지 중요한 측면에서 혁신을 이해해야 하는 필요성을 제시하고 지수 역설에 대해 논할 것이다. 유사한 상황은 기업 내에서도 일어난다. 많은 기업이 우수한 혁신 성과를 달성하는 데 매우 중요한 자체 혁신 인프라에 투자하지 않고 있으며 기존의 혁신 인프라를 유지하지도 않고 있다. 조직은 혁신을 창출해야 할뿐만 아니라 그것을 혁신부서에서 사업부서로 전파하고 비즈니스 프로세스와 비즈니스 모델 안에 흡수시켜야 한다.

혁신의 다음 세 가지 측면은 이 책 전반에 걸쳐 개념적 기초를 형성한다.

1) 창출(Innovation Generation) - 조직이 새로운 제품, 서비스, 프로세스를 발견하고 개발하는 측면
2) 보급(Innovation Dissemination) - 위 발견이 실험실에서 시장으로, 프론트 엔드의 혁신 그룹에서 백 엔드의 사업부로 더 큰 조직(또는 사회) 전체로 이동하는 측면
3) 흡수(Innovation Absorption) - 조직(또는 사회)에서 창출 및 보급된 지식을 업무에 투입하여 혁신을 전달·확장·유지할 수 있는 조직 단위 및 비즈니스 모델에 내재시키는 측면

이 책은 일반적인 혁신에서 시작해 각론적인 오픈 이노베이션으로 이야기를 진행한다.

- 1장에서는 미국에서 나타나는 기하급수적 발전의 역설에 대해 살펴보고 그 밖의 서구 선진국에서 발견되는 역설의 증거들을 모아볼 것이다. 나중에 살펴보겠지만 기하급수적 발전의 역설은 혁신을 창출하는 데는 지나치게 많은 관심을 쏟으면서 보급과 흡수에는 주의를 기울이지 않는대서 비롯된다.
- 2장에서는 오픈 이노베이션 자체를 새로운 과정으로서 검토한다. 여기에서도 새로운 혁신 가능성을 창출하는 것만으로는 부족하다. 혁신을 조직 전체에 보급하고, 사업부서로 흡수시키기 위해 똑같은 주의가 필요하다.
- 3장에서는 오픈 이노베이션을 맥락 속에 넣어 새로운 지식을 만들고 그 지식을 시장으로 전달하는데 있어 오픈 사이언스와 오픈 이노베이션의 역할을 살펴볼 것이다. 오픈 사이언스의 규범은 새로운 지식을 창출하는 데는

큰 역할을 하지만 창출된 지식을 시장으로 가지고 가는 데는 부족하다. 이를 위해서는 오픈 이노베이션과 관련된 다른 규범이 필요하다.

- 4장에서는 혁신 프로세스의 프론트 엔드와 혁신 프로세스의 산출물을 전달받는 백 엔드 사업 부서를 연결하려는 혁신조직의 실천사례를 검토하면서 오픈 이노베이션 규범을 발전시켜본다.
- 제5장에서는 연구와 실천이 미미한 외향형 오픈 이노베이션에 초점을 맞춘다. 미사용되거나 활용도가 낮은 내부 아이디어와 기술에서 새로운 비즈니스와 비즈니스 모델을 탐색하기 위해 외향형 사고방식을 적용하는 새롭고 유효한 방법론으로 린 스타트업 경영을 소개한다.
- 6장에서는 아웃사이드 인 관점과 인사이드 아웃 관점에서 기업이 스타트업과 보다 효과적으로 협력할 수 있는 방법을 고찰한다. 여기에서 문제는 기업이 특히 여러 스타트업과 동시에 협력하려고 할 때 최고의 방법은 무엇인가 하는 것이다.
- 7장에서는 스마트 시티에서의 오픈 이노베이션 활용에 대해 논의하고 인도 농촌 마을이라는 오픈 이노베이션의 새로운 상황을 소개한다. 놀랍게도 오픈 이노베이션은 다른 마을들로 결과를 확장하는 시장 기반 메커니즘으로 농촌 지역에서 새로운 경제적 활력을 촉진할 수 있음을 보여주었다.
- 8장에서는 선진국으로 다시 돌아가 오픈 이노베이션으로 사업성과를 내는 기업들의 모범사례들을 살펴본다. 하지만 결국 오픈 이노베이션의 시연장이었던 초기 모범 기업들 중에는 현재 그 결과를 유지하기 위해 어려운 시간을 보내는 기업도 있다. 여기에서는 오픈 이노베이션의 한계나 의도한 결과를 달성하기 위해 오픈 이노베이션에 필요한 경계조건을 보여주는

실패사례도 살펴보겠다.

- 9장은 현대 중국의 오픈 이노베이션에 대한 고찰로 끝을 맺는다. 시진핑 체제 하에서 중국은 서구 경제와도 다르고 구 소련과도 다른 길을 걸었다. 이것은 혁신에 심오한 함의를 담고 있어서 이 장에서는 특히 시진핑 사상에서 시장의 결정적인 역할과 당의 주도적 역할 사이의 긴장관계에 초점을 맞춘다. 그리고 고속철도, 자동차, 반도체 세 가지 산업을 통해 확인할 수 있는 창출, 보급, 흡수라는 혁신의 세 가지 측면으로 돌아간다.

이 책을 마치면서 필자는 독자들이 이 책을 읽을 수 있는 방법은 여러 가지라는 사실을 깨달았다. 물론 제시된 순서에 따라 모든 장을 부지런히 읽고 수용하는 용기 있는 독자를 환영한다. 하지만 바쁜 경영자들과 공부할 것 많은 학생들, 그리고 이것저것 할 일 많은 우리 아이들과의 경험을 비춰봤을 때 독자들을 위해 더 짧은 독서 방법을 제시해주는 것이 현명할지도 모른다는 생각을 하게 되었다.

- 오픈 사이언스의 최신 발전에 집중하고 싶은 바쁜 경영자에게는 2장, 4장, 5장, 6장이 가장 '책값을 할 것'이다.
- 혁신정책에 관심이 있는 사람들은 1장, 3장, 7장, 9장을 추천한다. 오픈 이노베이션의 정책적 의미에 대해 다루고 있으며, 7장에서는 인도의 농촌지역을 살펴보고 9장은 현대 중국에 대해 논의한다.
- 대부분의 경영자들처럼 시간에 굶주리는 경우가 많은 학계 동료들에게는 1장, 3장, 5장, 7장, 8장이 집중할만한 챕터일 것이다. (중국에 관심이 없다면

말이다. 만약 중국에 관심이 있다면 9장을 추가한다.)

- 결론만 읽고 싶은 독자들은 각 장 별로 그 장의 중요한 부분만 요약해 놓은 짧은 내용 정리를 읽어라. 내용 정리를 읽고 나서 장 전체를 읽을지 말지 결정할 수 있다.

이 책이 출판된 것은 오픈 이노베이션에 대한 일련의 새로운 지식이 창출된 것과 같다. 그러나 이런 지식을 보급하려면 많은 노력이 필요하고 지식을 흡수하고 적용하려면 훨씬 많은 노력이 필요하다. 운 좋게도 필자는 UC 버클리 대학에서 해마다 수십 명의 영리한 학생들을 가르칠 기회가 있었고, 그들의 머릿속에 오픈 이노베이션을 심어 사회로 내보낼 수 있었다. 매년 두 차례씩 40여 개 기업이 직접 만나 오픈 이노베이션을 포함한 경영 혁신 실천과 경험을 공유하는 버클리 혁신 포럼도 설립했다. 로마 LUISS 대학이 함께 하는 유럽 혁신 포럼(European Innovation Forum)이라는 단체도 있다. 해마다 오픈 이노베이션에서 우수한 새 연구들과 업계의 도전 과제를 모으는 세계 오픈 이노베이션 컨퍼런스(World Open Innovation Conference)도 개최한다. 우리는 이런 과제를 발표하고 논의하기 위해 가장 활동적인 연구자들과 오픈 이노베이션의 가장 능숙한 실무자들이 나란히 참석하는 워크숍을 열기도 한다. <리서치 폴리시(Research Policy)>, <인더스트리얼 앤 코포릿 체인지(Industrial and Corporate Change)>, <캘리포니아 매니지먼트 리뷰(California Management Review)> <인더스트리 앤 이노베이션(Industry and Innovation)>, <롱 레인지 플래닝(Long Range Planning)>, <저널 오브 프로덕트 이노베이션 매니지먼트(Journal of Product Innovation Management)>, <R&D 매니지먼트(Management)>, <테크노베이션(Technovation)>과 같은 학술지에서 오픈 이노베이션에 관한 최신 연구를 다루는 특별호가 자주 발행된다. 또한 corporateinnovation.berkeley.edu와 openinnovation.net에서 혁신경영에 대한 더 많은 자료를 이용할 수 있다. 페이스북과 링크드인에도 오픈 이노베이션 그룹이 있다.

그러나 '흡수' 작업의 많은 부분은 독자들의 몫이다. 일단 이 책을 폈다면 여러분의 조직 안에서 아이디어를 효과적으로 시행하기 위해 무엇이 더 필요한지 필자에게 알려주기 바란다.

다음의 이메일로 말이다. chesbrou@berkeley.edu

《◇》 **차례**

이 책에 쏟아진 찬사 006

감사의 말 014

한국 독자에게 전하는 인사 020

감수의 글 (MYSC 김정태 대표) 024

서문 030

1장
기하급수적 발전의 역설(Exponential Paradox) 041

우리는 이미 IT 역설을 경험했다 / 오픈 이노베이션, 혁신의 비즈니스 프로세스를 바꾼다 / 혁신 프로세스 개방의 가치 / 오픈 이노베이션에 대한 지원 : 혁신 인프라에 대한 사회적 필요성 / 1940~1970년대의 생산성 증가 / 역설의 재논의 / 혁신 인프라의 세 가지 측면 - 창출·보급·흡수 / 사회의 혁신 인프라 투자 / 공유 가치는 사회의 혁신 흡수를 돕는다

2장
21세기의 오픈 이노베이션 079

오픈 이노베이션의 정의 / 내향형 오픈 이노베이션과 외향형 오픈 이노베이션 / 오픈 이노베이션이 아닌 것 / 오픈 이노베이션은 어떻게 작동하는가 / 오픈 이노베이션의 변칙 / 혁신 흡수에 중요한 비즈니스 모델 / 서비스업으로 이동한 오픈 이노베이션 / 오픈 이노베이션의 문제는 무엇인가? 언제 실패하는가? / 오늘날의 오픈 이노베이션 : 네트워크, 생태계, 플랫폼

3장
오픈 사이언스에서 오픈 이노베이션으로 123

오픈 사이언스 / 오픈 사이언스가 바로 혁신을 낳지는 않는다 / 다른 동기와 상황 / 죽음의 계곡(Valley of Death) / 지적 재산 / 오픈 이노베이션 제도 / 폐쇄형 혁신 제도 / 오픈 이노베이션으로의 전환 / 오픈 이노베이션 모델 / 오픈 이노베이션의 제도적 규칙 / 새로운 오픈 이노베이션 제도의 실험 / 결론

4장
오픈 이노베이션의 백 엔드 153

미국항공우주국(NASA)의 오픈 이노베이션에 대한 인간적 한계 / 그렇다면 현재 기업은 오픈 이노베이션을 어떻게 실천하는가? / 오픈 이노베이션의 백 엔드 탐구 / 오픈 이노베이션의 백 엔드에서 나타나는 공통적인 문제 / 완전히 새로운 비즈니스는 어떤가? / 별첨 : 대기업의 오픈 이노베이션 실태에 관한 조사 결과

5장
린 스타트업과 오픈 이노베이션 189
대기업에서 린 스타트업은 어떻게 적용되는가? / 기업의 맥락에서 다시 생각해본 린 스타트업 / 오픈 이노베이션이 린 스타트업 프로세스에 미친 영향 / 린 스타트업 프로세스에서의 외향형 오픈 이노베이션 / 텔레포니카(Telefonica)의 린 엘리펀트(Lean Elephants) / 기업을 위한 린 스타트업의 적용 / 린 엘리펀트의 확장 / 결론

6장
기업 혁신 강화를 위한 스타트업과의 협력 223
기업에 기회를 가져다주는 스타트업 / 전통적인 스타트업 협력모델 / 스타트업과 협력하는 가벼운 모델 : 확장성(built to scale) / 스타트업의 관점 / 지분 소유에 따른 분류

7장
스마트 시티와 스마트 빌리지에서의 오픈 이노베이션의 결과 249
스마트 시티에서의 오픈 이노베이션의 가능성 / 스마트 시티의 미미한 성과 / 스마트 빌리지, 마을 수준으로 축소된 오픈 이노베이션 / 스마트 빌리지 실험 / 주민들의 니즈 / 과거의 농촌 개발 사업 / 스마트 빌리지 프로젝트 / 오픈 이노베이션의 역할 / 스마트 빌리지의 보급 / 농촌 지역의 스마트 빌리지 흡수 / 공유 가치가 미치는 영향

8장
오픈 이노베이션의 우수사례 281
P&G: 연계개발(Connect and Develop) / GE: 에코매지네이션(Ecomagination) / 에넬(Enel): 오픈 이노배빌리티(Open Innovability) / 바이엘(Bayer) : 제약회사의 종합적인 접근방법 / 쿼키(Quirky) : 크라우드에서 발전시키기 / CERN: 어트랙트(ATTRACT) 이니셔티브 / 별첨: P&G의 특이 사례와 오픈 이노베이션 / 오픈 이노베이션을 실천하기 위한 효과적인 원칙

9장
중국적 특성을 가진 오픈 이노베이션 315
시진핑의 사상과 오픈 이노베이션 / 중국의 산업별 혁신 성과의 차이 / 중국은 두 마리 토끼를 다 잡을 수 있을까?

1장

기하급수적 발전의 역설

Exponential Paradox

《◇》

1장

기하급수적 발전의 역설

(Exponential Paradox)

실리콘밸리에는 매일 새롭고 흥미진진한 발전이 있다. 그리고 실리콘밸리에는 새로운 기술과 아이디어가 더 나은 미래를 가져온다는 멋진 낙관론이 있다.(스타트렉을 좋아하는 사람이라면 금방 이해할 것이다.)

실리콘밸리에는 '혁신적 기술(exponential technology)'이 우리를 풍요로운 미래로 이끈다는 의견이 널리 퍼져있다. 반도체 집적도가 24개월마다 두 배로 늘어난다는 무어의 법칙(Moore's Law)이나 통신 네트워크의 가치가 이용자 수의 제곱에 비례한다는 메트칼프의 법칙(Metcalfe's Law), 게놈 데이터 염기서열 결정(염기서열 결정에 드는 비용은 시간이 지날수록 기하급수적으로 낮아지고 있다)으로 건강 증진의 가능성이 무수히 열렸다는 사실 등 그 어떤 것을 봐도 기술은 진보하고 있다. 이것은 중요한 기술이 놀랄 만큼 짧은 시간에 훨씬 저렴하고 강력해질 뿐만 아니라 더 널리 보급될 것임을 시사한다.[1]

기술의 진보는 우리 삶에 직접적인 영향을 미친다. 오늘날 스마트폰은 1980년대 TV나 VCR 가격이지만 1980년대 슈퍼컴퓨터 정도의 성능을 가지고 있다. 클릭 한 번이면 세계 어디에서든 웹상의 정보에 접근할 수 있다. 사람들을 더 낮은 비용으로 더 단단하고 빠르게 연결해 엄청난 성공을 거둔 기업도 생겨났다. 유전자 염기서열 분석과 같은 의학 기술은 엄청나게 발전해 이제는 크리스퍼(CRISPR, [유전자의 특정 부위를 절단하는 제한효소로 유전자가위라고도 한다. - 옮긴이]) 기술을 이용해 사실상 유전자 염기서열을 편집하는 능력까지도 갖게 됐다. 실제로 오픈소스 소프트웨어를 빌딩 블록(몇 종류의 기본적인 회로, 처리능력의 증강이 필요할 때 내부 기억장치의 용량, 입출력장치의 수, 보고 기억장치의 용량 등을 간단히 증설할 수 있는 방식 - 편집자 주)으로 사용하고, 이용한 만큼만 지불하는 클라우드에 스토리지를 저장할 수 있게 되면서 새로운 사업을 시작하는 비용 자체가 상당히 낮아졌다.

이곳 실리콘밸리에서는 늘 더욱 흥미로운 기술이 시장에 나오기 때문에 기하급수적으로 커지는 가능성의 퍼레이드에서 벗어날 수 없다. 더 많은 예가 있지만 필자의 의도를 분명히 이해했을 것이다.

하지만 실리콘밸리에서 벗어나 더 넓은 세계로 눈을 돌려보면, 기하급수적으로 기술이 발전하는 이 세계에 걱정스러운 징후들이 빠르게 나타나고 있다. 우리 경제의 생산성은 매우 느리게 성장하고

1. 혁신적 기술이 사회에 미치는 영향을 옹호하는 가장 저명한 학자로는 싱귤래리티 대학교(Singularity University)의 피터 다이어맨디스(Peter Diamondis)가 있다. 스티븐 코틀러(Steven Kotler)와 공저한 2012년 저서 <어번던스(Abundance: The Future is Better Than You Think)> (New York: Simon and Schuster)는 이런 생각을 잘 소개하고 있다.

있으며, 최근 수 년 사이에는 심지어 성장세가 감소했다. 그림 1.1은 미국의 역대 생산성 증가율을 보여준다. 지난 30년 동안 생산성이 얼마나 많이 둔화했는지 주목하라. 생산성 둔화는 미국만의 현상이 아니며 서구 주요 7개국을 비롯한 다른 선진국에서도 나타난다. (그림 1.2 참고)

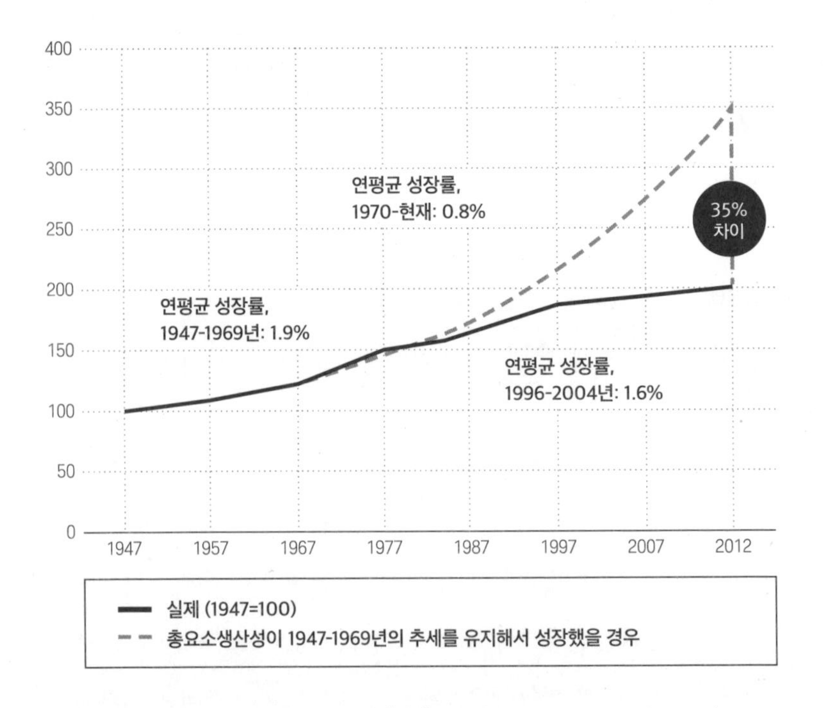

그림 1.1 - 1947~2012년, 미국 총 요소 산업생산성(total factor business productivity)
출처: 샌프란시스코 연방준비은행, 소득 및 생산성 연구 센터(Center for the Study of Income and Productivity)

이런 현상은 한 가지 질문을 던진다.

환상적인 기술이 엄청난 속도로 발전하고 있는데 왜 생산성 증가율은 둔화되는가? 기하급수적으로 발전하는 세계에서 생산성 둔화 현상은 사람들이 흔히 예상하는 것과는 반대다. 기술 낙관론자들의 생각이 옳다면 생산성 증가는 가속화되어야 한다. 그러나 추세가 빨라지기는커녕 느려지고 있다. 필자는 이런 현상을 기하급수적 발전의 역설(Exponential Paradox)이라고 부른다. 실리콘밸리에서 신기술에 열광하는 필자의 친구들은 이런 현상을 거의 눈치 채지 못한다.

생산성은 장기적인 경제 성장을 견인한다. 하지만 사람들은 생산성이 아니라 소득에 따라 먹고 산다. 여기에 문제가 있다. 소득은 빨리 증가하지 않는다. 사실 소득은 성장하지 않고 정체되어 있다. 소득의 증가속도는 생산성의 증가속도보다 낮으며 점점 느려지고 있다(그림 1.3 참고). 많은 요소가 이러한 과정에 관여하는데, 이는 풍요로운 미래를 기대하는 기술 낙관론자의 견해와 정면으로 배치되는 것이다.

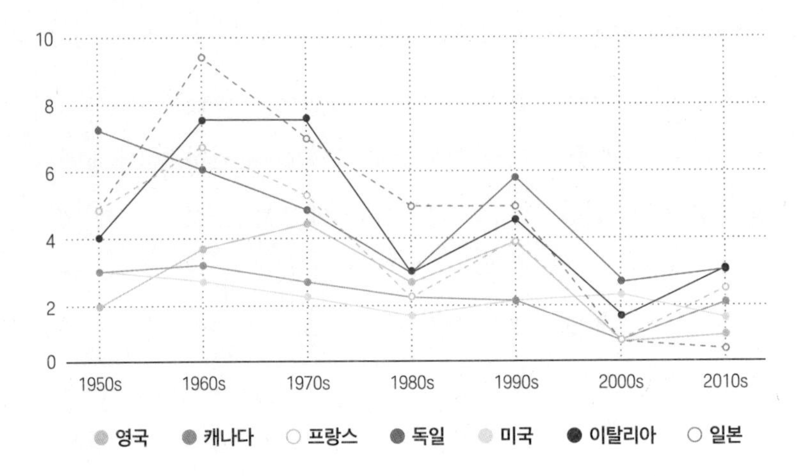

그림 1.2 - 1950~2015년, G7 국가의 생산성 증가 동향
출처: OECD 'G7 국가의 생산성 동향(Productivity Trends in G7 Countries)', 2017 (그래프 x축) 10년

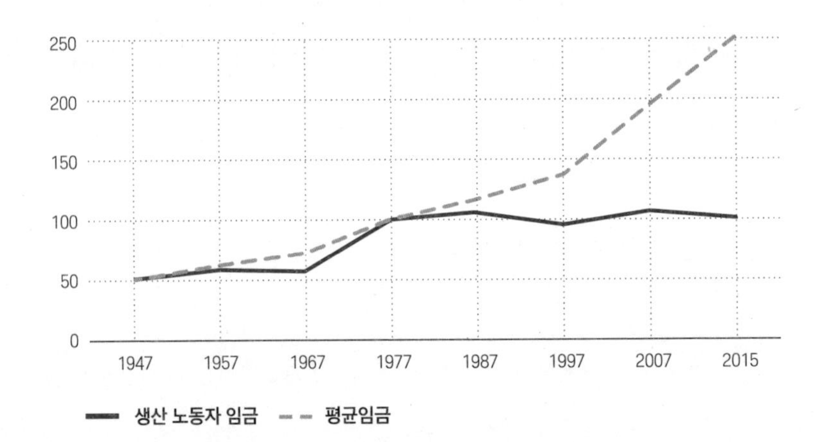

그림 1.3 - 1945~2015년, 생산성과 평균 임금 동향, 1975년 기준 지수
출처: 노동통계국(Bureau of Labor Statistics), '노동생산성과 보수격차의 이해(Understanding the Labor Productivity and Compensation Gap)', 2017년 6월, 제6권.

실제로 대부분의 미국인들은 자녀들이 부모만큼 잘 살지 못할 것이라고 예상한다. '생산성 둔화'라는 문제적 추세를 드러내는 안타까운 결과이다.[2] 미국의 이전 세대들은 경험하지 못한 아주 큰 변화다. 아메리칸 드림은 열린 개척지, 스스로의 운명을 개척할 수 있는 기회, 자녀들은 부모보다 더 나은 삶을 영위할 것이란 위안을 토대로 만들어졌다. 하지만 그림 1.4는 정반대의 결과를 보여준다. 1960년 이전에 태어난 베이비붐 세대는 2.5% 이상의 연간 누적 경제성장률을 경험했다. 하지만 이후 세대의 경제성장률은 꾸준히 감소했으며, 2000년대 생은 연간 누적 1.6%의 경제성장 밖에 누리지 못한다. 이런 자료를 보면 혁신적 기술이 가져오는 이익을 확인하기가 어렵다.

2. 퓨 연구소의 연구를 참고해라. (Pew Center for Research, https://www.pewresearch.org/politics/2011/01/20/section-2-views-of-long-term-future-past/, 혹은 http://www.pewsocialtrends.org/2010/12/20/baby-boomers-approach-65-glumly/) 이것은 혁신적 기술의 축복을 받은 사회에서 쉽게 기대하기 어려운 태도이다.

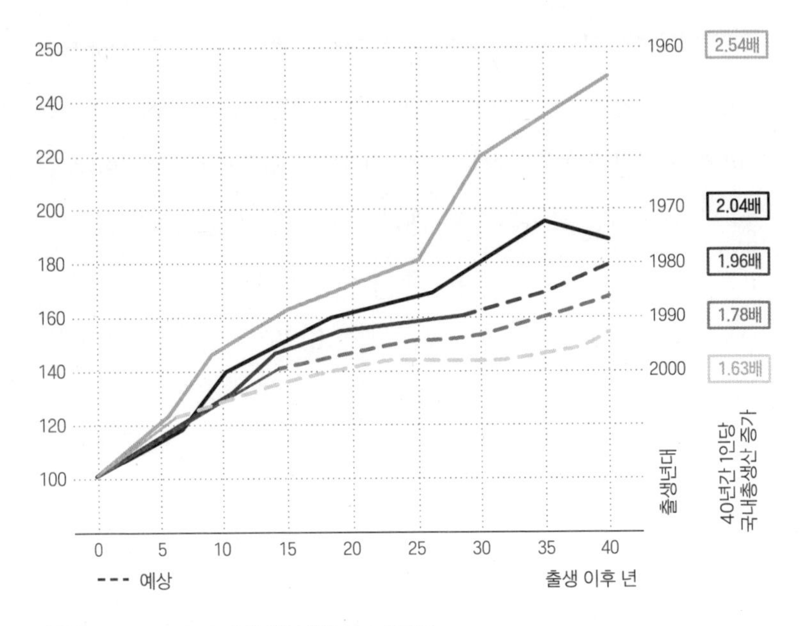

그림 1.4 - 1960~2000년, 출생연대별 GDP 성장률

출처: 미국 경제분석국(US Bureau of Economic Analysis), 맥킨지 글로벌 연구 보고서(McKinsey Global Institute Report) '부모보다 가난한 세대? 소득불평등에 대한 새로운 관점(Poorer Than Their Parents? A New Perspective on Income Inequality)', 2016년 7월

국가마다 차이는 있지만 유럽에서도 매우 흡사한 패턴이 나타난다. 2008~2009년 경제위기 이후 스페인이나 이탈리아 등에서 청년 실업률이 매우 높아졌다. 경제위기 이후 약 10년이 지난 지금도 18세~24세 청년 인구 중 20%를 웃도는 사람들이 일자리를 찾지 못하고 있으며, 상당수가 경제적 가능성을 개선하고자 다른 나라로 떠나고 있다. 상대적으로 경제 상황이 좋은 독일 등에서는 이와 다른 문제가 있다. 독일은 인구고령화가 빠르게 진행되어 경제 수요가 감소하고 이로 인해 경제성장 또한 둔화되고 있다.

일본에서도 마찬가지다.

다시 한 번 말하지만 생산성과 소득의 둔화 현상은 혁신적 기술과 풍요로운 미래의 가능성을 바라는 사람들의 기대와는 완전히 반대다. 1인당 국민소득은 한 세대에서 다음 세대로 감소하지 않고 증가해야 한다.

1인당 국민소득의 둔화 현상을 제한하는 조건이 몇 가지 있기는 하다. 중국, 인도 등에서는 1인당 국민소득이 상당히 빠르게 증가하고 있다. 지난 30년 동안 수억 명의 사람들이 빈곤에서 벗어났고 엄청난 인간적 승리를 쟁취했으며, 모두의 미래를 위한 희망찬 신호가 되었다. 그 결과 세계 전체 소득은 여전히 증가하고 있다. 선진국처럼 성장이 둔화된 지역이 있는 반면 선진국을 따라잡고 있는 지역들도 있는 것이다.

그러나 중국과 인도의 빠른 소득 성장 역시 난관에 부딪혔다. 그 중 가장 두드러진 문제는 일정 수준까지 성장한 개발도상국이 고소득 국가에 도달하지 못하는 이른바 중진국 함정(Middle Income trap)에 빠지는 것이다. 일단 중진국에 진입하면 이후 소득을 높이기가 더 어려워진다. 중진국의 경우, 제조기업은 임금 상승으로 더 이상 값싼 노동력에 기댈 수 없게 되는 반면 실력과 기술은 세계적인 수준(따라서 고임금 고용을 뒷받침할 수 있는 상황)에 이르지 못하는 경우가 많기 때문이다. 게다가 중국은 지난 수십 년 간 한 자녀 정책을 펼쳐왔다. 이 때문에 고소득 국가가 되기도 전에 고령화 될 수 있다. 인도는 인구통계학적 가능성은 중국보다 높지만 인도만의 엄청난 사회적 문제에 직면해 있으며 중국보다 인프라도 훨씬 발달하지 못했다.

바로 이런 것이 기하급수적 발전의 역설이다. 기술 발전은 가속화되지만 생산성과 소득은 감소하거나 정체된다. 뭔가 잘못됐다. 이것이 이 책을 쓰게 된 이유이다. 기하급수적 발전의 역설을 살펴보기에 앞서 여러분이 미리 방향을 잡을 수 있게 돕겠다. 근본원인은 개별 조직 내부에서, 그리고 보다 큰 사회에서 혁신에 투자하고 다루는 방법에 있다. 새로운 기술로 번영하려면 신기술을 창조하는 것을 넘어 널리 보급하고 깊이 흡수시켜야 한다.

이는 조직 내부뿐 아니라 여러 조직이 모여 작동하는 큰 사회에도 영향을 미친다. 대부분의 기업들이 혁신을 사치재로 취급한다. 상황이 좋을 때는 모두 더 많은 혁신을 추구하다가도, 상황이 나쁠 때는 가장 먼저 삭감한다. 우리는 기술 진보가 만드는 '새롭고 반짝이는 것'에 주의를 빼앗긴다. 그러나 혁신 프로세스의 앞단(front end)이 신기술의 상업화와 연결되지 않을 때가 너무 많다.

보다 큰 사회에서도 유사한 일들이 일어난다. 우리는 엘론 머스크(Elon Musk)나 제프 베조스(Jeff bezos), 마윈(Jack Ma)의 성공을 찬양하면서도, 이들이 이룬 발전을 사회에 보급하고 활용하는 데는 관심을 기울이지 않는다. 예를 들면, 인공지능이나 데이터 사이언스 등 최근 높은 관심을 받는 기술을 제대로 이용하고 있는 조직이 얼마나 있을까? 이 글을 쓰는 현재, 그 대답은 극소수라는 것이다. 새로운 능력으로 개별 기업들은 번창하고 있지만, 그들이 전체 사회에 미치는 영향은 아직까지는 미미하다. 혁신적 기술의 잠재력을 실현하려면 혁신 이후의 과정을 태평하게 무시하고 또 다른 혁신을 시작하는 대신 혁신에서 정말 중요한 것에 재집중해야만 한다. 조직 내부와 사회 전체에서 혁신에 대해 다시 생각해봐야 하는 것이다.

이 글의 논지를 밝혔으니 이제 기하급수적 발전의 역설에 대한 다른 주장을 살펴보자. 일부 사려 깊은 기술 낙관론자는 우리가 바라는 풍요로운 미래가 오지 않을 수 있다는 우려스러운 징후를 포착했다. 기술은 발전하지만 생산성은 둔화되는 기하급수적 발전의 명백한 역설에 대해 이들은 '새로운 기술이 우리 삶에 미치는 영향은 경제학자들이 측정하기 어려운 방식'이라는 희망 섞인 설명을 내놓았다. 실제로 혁신적인 기술이 이익을 가져다주고 있음에도 경제데이터에는 아직 나타나지 않고 있다는 것이다.

이 말의 의미를 확인하려면 스마트폰을 생각해보자. 스마트폰은 별개의 장치였던 전화기, 컴퓨터, 게임기, CD플레이어, 카메라, 비디오 레코더와 재생 장치, 시계, 달력, 계산기 등 매우 다양한 기술을 담고 있다. 게다가 스마트폰에 다운로드해서 사용할 수 있는 수백만 가지 앱의 가치는 고려하지도 않은 것이다. 이러한 별개 장치들의 가격을 더해보면 1천만 원은 쉽게 넘을 것이다. 그러나 쓸 만한 스마트폰은 10만 원이면 살 수 있고, 최신 스마트폰은 50만 원에서 100만 원이면 살 수 있다.

경제적으로 따져봤을 때 1,000만원이 넘는 여러 개의 전자기기를 고작 몇십만 원짜리 기계 하나로 줄이면 경제 생산량은 현저히 감소한다. 하지만 실제로 스마트폰은 그 모든 기능을 한 곳에, 그것도 바로 우리 손 안에 모아 생산성을 엄청나게 향상시켰다. 이와 같은 사례만 봐도 스마트폰이 가져온 수많은 혁신의 효과를 경제적으로 제대로 측정하지 못한다.

이런 이유로 기술 낙관론자들은 측정의 문제가 혁신의 역설보다 심각하다고 확신한다. 일단 기술의 놀라운 발전이 만든 경제적 산출물을 측정할 더 나은 방법을 개발한다면 역설은 없어질 것이고, 모든 혁신적 기술의 진짜 가치는 명백해진다는 것이다.

노스웨스턴(Northwestern) 대학교의 로버트 고든(Robert Gordon) 교수를 비롯한 다른 학자들은 이 논리에 수긍하지 않는다. 고든은 1, 2차 산업혁명 이후의 다양한 혁신을 연구해왔다.[3] 고든 교수는 1, 2차 산업혁명이 인간의 육체적 노동을 기계로 대체해 노동력을 절감함으로써 인간 활동과 생산성을 진정 변화시켰다고 주장한다. 산업혁명은 중하층 계급에 라이프 스타일을 만들어냈으며, 2세기 전 부유층 이외의 사람들은 몰라볼 변화였다. 수명이 엄청나게 늘어났고, 영양상태도 훨씬 좋아졌으며(평균 신장도 커졌다), 각계각층의 사람들이 더 많이 교육 받게 됐고, 사회 대부분에서 아동노동은 과거의 역사로 남게 됐다.

이에 반해 고든 교수는 디지털 에 의한 소위 3차 산업혁명은 1, 2차 산업혁명에 버금가는 어떠한 이익도 창출하지 못했다고 말한다. 그는 즉각적으로 데이터를 처리하고, 전 세계와 소통하며,

3. Robert Gordon, The Rise and Fall of American Growth (Princeton University Press,2016).

어디서든 단 한 번의 클릭으로 정보에 접속하는 이 모든 능력이 삶을 개선하고 편리하게 만든다고는 생각한다. 하지만 이런 능력은 이전의 혁신과는 다르다. 그 자체로 우리를 힘든 노동에서 해방하는 것도 아니고, 이전 시대처럼 노동력을 절감하지도 않는다. 건강을 증진하거나 신장을 높이지도 않는다.

고든 교수의 연구는 사회가 기술 발전으로 실제적인 이익을 얻기 위해서는 그에 앞서 광범위한 기술 보급이 필요하다는 사실을 일깨워준다. 노동력을 절감하는 기계는 사회의 모든 가정, 적어도 대부분의 가정에서 이용할 수 있을 때에만 효과를 발휘한다. 인간의 영양 개선과 수명 연장은 사회의 대부분 또는 모든 사람들이 안전한 음식과 적절한 건강관리를 받을 수 있을 때 비로소 가능해진다.

최근 경제협력기구 OECD(Organization for Economic Cooperation and Development)는 '최고의 기업 vs. 나머지 기업'을 조사하고 기하급수적 발전의 역설에 대한 또 다른 설명을 제시했다.[4] 조사 결과, OECD는 2001-2013년 제조업과 서비스업 부문에서 최고의 기업들은 역사적 수준으로 생산성을 꾸준히 높여왔다는 사실을 발견했다. 하지만 '나머지' 기업들은 이에 크게 뒤쳐졌다. OECD의 연구는 평균적으로 볼 때 고든 교수의 분석이 맞을지라도 최고의 기업들은 과거의 성장 추세를 유지해왔다고 주장한다. 사실 오늘날 '최고의 기업'은

4. https://oecdecoscope.wordpress.com/2017/01/25/the-best-vs-the-rest-the-global-productivity-slowdown-hides-an-increasing-performance-gap-across-firms/ . OECD는 시장 경합성이 감소하거나 일류 기업의 시장 지배력이 높아져 뒤처진 기업들이 일류 기업을 따라잡을 동기를 더욱 적게 가질 수 있다고 덧붙였다. 그러나 OECD는 고든이 분석한 1·2차 산업 혁명에서 '모범사례(best practices)'의 분포에 대해서는 아무 자료도 제공하지 않았다. 그 당시에도 일류 기업과 나머지 기업 사이에 상당한 차이가 있었을 것으로 보인다.

혁신을 통해 계속해서 상당한 비용을 절감하고 있다. 나머지 기업들 대부분은 이러한 기술을 쓰지 못해 혜택을 누리지 못하지만 말이다.

OECD의 분석은 기술이 경제·통계적으로 영향을 미치려면 그 전에 기술을 흡수해 업무에 적용해야 한다는 사실을 보여준다. 문제는 어떻게 하면 나머지 기업들이 최고의 기업으로부터 더 많이 배워 모두가 더 빨리 생산성을 높일 수 있느냐는 것이다. 근본원인은 기업의 잠재력을 이끌어낼 만큼 혁신이 충분한 영향을 미치지 않을 수 있다는 점이다. 예를 들어, 맥킨지(McKinsey)가 최근 기업들을 대상으로 실시한 조사에 따르면 조사대상 기업 중 인공지능(AI)을 시험적으로라도 사용하는 경우는 고작 47%였고, 기업의 여러 부문에 걸쳐 AI 기술을 사용하고 있는 경우는 조사대상 기업의 21%뿐이었다.[5]

5. <월스트리트 저널>에 올린 어빙 블라다브스키-베르거의 글을 참조해라. https://blogs.wsj.com/cio/2019/02/08/the-current-state-of-ai-adoption/?guid=BL-CIOB-14751&mod=hp_minor_pos4&dsk=y (최종접속일 2019년 2월 7일). 맥킨지 조사는 표본에 대기업을 많이 포함하고 중소기업은 제외했다. 따라서 기업의 AI 사용 실태에 대한 21%라는 수치는 부풀려진 추정치이다.

그림 1.5 - 혁신의 3가지 측면

이런 격차는 인도에서 뚜렷하게 확인할 수 있다. 인도의 모디(Modi) 총리 정부는 정부 서비스에 모든 시민들이 보다 쉽게 접근할 수 있도록 최신 블록체인 기술을 채택했다. 그러나 인도에서 전기 설비가 부족한 가구는 3천만이 넘고, 깨끗한 물을 공급받지 못하는 가구 역시 이와 비슷하다. 인도에서 상위 그룹과 나머지 그룹 사이의 격차는 쉽게 찾아볼 수 있으며, 하위 3천만 가구까지 블록체인 기술에 의한 생산성 증대의 혜택이 도달하는데는 오랜 시간이 걸릴 것이다.

이런 사실이 혁신(그림 1.5)의 세 꼭짓점을 자극한다. 새로운 기술을 찾으면 사람들은 경제 생산성을 높이는 과정을 시작한다. 하지만 극히 일부분만이 새로운 기술에서 이익을 얻을 수 있다. 사회의 대다수가 신기술에 접근하는 광범위한 보급을 나타내는 것이 그림

1.5의 두 번째 꼭짓점이다. 두 번째 꼭짓점에서 신기술의 영향이 더 확장된다. 그러나 사회 구성원 대다수가 새로운 기술을 업무에 적용하는 마지막 꼭짓점이 관찰될 때 실제 성과가 비로소 얻어진다.

우리는 이미 IT 역설을 경험했다

예리한 관찰자들은 멀지 않은 과거에도 있었던 비슷한 논쟁을 알 것이다. 1990년대 초반, 최근의 기하급수적 발전의 역설을 떠올리게 하는 'IT 역설'이 있었다. 당시 로버트 솔로(Robert Solow) 교수는 "도처에서 컴퓨터를 볼 수 있지만 통계적으로는 나타나지 않는다."는 유명한 말을 했다. 많은 기업과 정부가 컴퓨터에 수십억 달러를 쏟아붓고 있지만 당시 경제 통계에는 이러한 투자 이익이 거의 나타나지 않았다는 의미였다. 이것은 컴퓨터의 추정 이익이 엄청나게 과장됐거나, 어떤 이유에서든 그 영향을 제대로 기록하지 못하고 있는 것이었다.[6]

많은 학자들이 이 문제를 연구했지만, MIT 대학교의 에릭 브리놀프슨(Eric Brynolffson) 교수의 연구가 가장 통찰력 있는 연구 중 하나이다. 그는 연이은 논문[7]에서 솔로 교수가 지적한 IT 역설을

6. Robert. M. Solow, 'We'd Better Watch Out', New York Times, July 12, 1987, Book Review, No. 36.

7. IT 역설에 대한 브리놀프슨의 연구로 1990년대에 수많은 논문이 나왔다. 이 중에서 가장 접근하기 쉬운 것은 로렌 히트(Loren Hitt)와 함께 쓴 "Paradox Lost? Firm-level evidence on the returns to information systems spending", <Management Science>, 1996와 "Beyond the Productivity Paradox", <Communications of the ACM>, 1998이다.

조심스럽게 풀었다. 연구를 지나치게 단순화할 위험이 있지만 브리놀프슨 교수는 다음과 같이 결론 내렸다.

1) 경제 지표는 IT 투자의 영향을 잘못 측정하고 있다.
2) 그러나 단순히 IT에만 자금을 지출한 기업들은 거의 이익을 얻지 못했다. (따라서 이 지점에서 측정은 크게 잘못된 것이 아니다.)
3) 투자로 상당한 이익을 얻은 기업은 IT 투자를 통해 개선된 새 비즈니스 프로세스를 개발한 기업이었다. 새 비즈니스 프로세스는 경제 지표에 늘 정확히 반영되는 것은 아니었고, 측정 문제가 이 부분에서 가장 심각했다.

브리놀프슨 교수의 연구처럼 기업들이 IT 투자에서 이익을 얻으려면 프로세스를 바꿔야만 했다. 그래야만 IT 기술에 쏟은 상당한 투자에서 이익을 얻을 수 있었다. 이것이 그림 1.5의 세 꼭짓점에 어떻게 반영되는지 확인해보자. 기업들이 투자로 경제적 이익을 얻으려면 새로운 기술을 배우고 조직 안에서 이 기술을 이용해 새로운 비즈니스 프로세스를 만들기 위해 애써야 한다. 최근 한 기사에서 팀 오라일리(Tim O'Reilly)는 새로운 기술은 기존에 조직이 했던 일을 단순히 개선하는 것이 아니라 새로운 일을 할 수 있게 한다고 말했다.[8]

브리놀프슨 교수의 연구가 갖는 논리적 함의는 비즈니스 프로세스를 바꾸고 한 번 더 새로운 일을 하지 않는 한 기하급수적 발전의 역설을

8. O'Reilly's post on Medium: https://medium.com/the-wtf-economy/do-morewhat-amazon-teaches-us-about-ai-and-the-jobless-future-8051b19a66af

해결할 수 없다는 것이다. 혁신적 기술을 최대한 창출·보급·활용할 수 있는 비즈니스 프로세스를 개발해야만 생산성 증가율과 임금을 높일 수 있다. '최고의 기업 vs. 나머지 기업'을 조사한 OECD의 연구 결과를 생각하면 이러한 프로세스 개선은 상위 1~2% 기업뿐만 아니라 일반 기업에서도 이루어져야 한다.

오픈 이노베이션,
비즈니스 혁신 프로세스를 바꾼다

혁신기술이 가진 경제적·사회적 가능성을 실현하기 위해 반드시 바꿔야 할 가장 중요한 비즈니스 프로세스 중 하나는 혁신 프로세스다. 이 주제는 다음 장에서 다룰 것이기 때문에 여기서는 몇 가지 요점만 다루겠다.

전통적으로 대부분의 비즈니스 혁신 프로세스는 폐쇄적이었다. 기업들은 종종 혁신을 위한 투자를 기업 내부 연구소로 제한하고 기업이 소유하거나 통제하지 않은 외부 지식원과는 협력하지 않았다. 또한 종료하는 프로젝트보다 시작하는 프로젝트가 더 많았다. 그 결과 갈 곳도, 앞으로 나아갈 길도 없이 좌초된 프로젝트들이 수없이 생긴다. 이런 일이 생산성을 저해하는 것은 놀랄 일도 아니다.

기존의 프로세스를 바꾸는 방법은 개방이다. 조직에 더 많은 외부 지식을 유입하려면 외부에 있는 것을 내부로 끌어오는 내향형(outside-in) 프로세스가 필요하다. 내향형 프로세스에는 기술 협력(technology scouting), 크라우드소싱, 대학 협력, 인 라이센싱(in-licensing), 스타트업과의 협력 등 다양한 메커니즘이 있다. 좌초된 내부 기술을 구제하기 위해서는 이것과는 다른 종류의 개방 전략이 필요하다. 외향형(inside-out) 프로세스다. 아웃 라이센싱(out-licensing), 공동 개발 계약, 스핀아웃(spin-out), 사내 벤처 , 대기업 안에서 새로운 비즈니스 모델을 발견하기 위한 린 스타트업 방법 등이 있다.

그러나 이런 변화는 매우 불완전하다. 다른 연구 개발(R&D) 프로젝트들처럼 오픈 이노베이션 프로세스 실험 역시 끝내는 것보다 시작하는 것이 더 많다. 실제 비즈니스 결과가 나오는 마지막까지 추적하지 않은 채 크라우드소싱 등 프로세스의 실험 결과를 검토해버리는 경우도 많다. 나중에 살펴보겠지만 우리는 혁신 프로세스에서 혁신이 비즈니스 단계로 넘어가서 상업화되고 확장되는 후반부보다 프로세스를 시작하는 전반부에 대해 훨씬 많은 것을 알고 있다.

혁신 프로세스 개방의 가치

혁신 프로세스를 바꾸면 사업성과가 향상된다는 증거가 점점 늘어나고 있다. 그래서 변화는 도모할 가치가 있다. 그 중에서도 오픈 이노베이션을 도입한 개별 기업들의 사례에서 몇몇 증거를 찾을 수 있다. 소비재기업 제너럴 밀스(General Mills)는 12개월 동안 60개의 신제품 도입 프로세스를 분석했다. 그 결과 실제 오픈 이노베이션 요소가 있는 제품이 없는 제품보다 100% 이상 많이 팔렸다는 사실을 알아냈다.[9] P&G는 오픈 이노베이션을 도입해 매출이 수십억 달러 증가했다.[10] 최근 산업섹터에서 유럽 대규모 제조업체의 489개 프로젝트를 조사해보니 오픈 이노베이션과 융합한 프로젝트가 그렇지 않은 프로젝트보다 기업에 더 많은 재정적 수익을 가져다줬다.[11] 또한 프로젝트의 시장 대응 시간(time-to-market)이 오픈 이노베이션을 통해 향상됐다.

업종별 기업이나 전체 기업을 대상으로 진행한 대규모 조사에서도 또 다른 증거를 찾아볼 수 있다. 다른 요인을 통제했다는 전제로, 기술 혁신 설문(Community Innovation Survey)을 이용한 여러 연구 결과, 외부 지식원을 많이 보유한 조직이 그렇지 않은 조직보다 더욱 뛰어난 혁신 성과를 달성한 것으로 나타났다.[12] 대기업 125개를 대상으로 한 최근 조사에서도 오픈 이노베이션을 채택한 기업의 혁신 성과가 더 좋은 것으로 나타났다.[13] 비즈니스 프로세스로서 오픈 이노베이션에 대해서는 다음 장에서 자세히 검토하겠다.

9. 2014년 10월 15일, 마이크 헬셀과 저자의 개인적인 대화
10. http://news.pg.com/press-release/pg-corporate-announcements/pg-sets-two-newgoals-open-innovation-partnerships (최종접속일 2017년 11월 2일)
11. J. Du. B. Leten and W. Vanhaverbeke, 'Managing open innovation projects with science-based and market-based partners', Research Policy, 2014.
12. 사례를 참고하자. K. Laursen and A. Salter, 'Open for innovation: the role of openness in explaining innovation performance among UK manufacturing firms', Strategic Management Journal, 2006.
13. Brunswicker and Chesbrough, 'A Fad or a Phenomenon: Results from a Survey on Open Innovation', 2013.

그러나 이 장에서는 사회가 오픈 이노베이션의 실효성을 뒷받침하기 위해 꼭 해야 할 투자에 대해 논의한다.

오픈 이노베이션에 대한 지원 : 혁신 인프라에 대한 사회적 필요성

일부 '최고'의 기업에서 오픈 이노베이션이 큰 성공을 거뒀다. 하지만 성공을 지속하고 대다수 기업의 프로세스 개선까지 이끌어내려면 공공의 투자가 필요하다. 그래야만 오픈 이노베이션 프로세스의 완전한 이점이 분명해진다. 기업과 조직 내에서 오픈 이노베이션 프로세스를 지원하려면 그림 1.5에 나타난 세 가지 영역 모두에 투자하는 혁신 인프라를 구축해야 한다. 기초연구부터 연구 결과를 시장으로 확장해 혁신을 만들 인프라가 있어야 한다. 과거 폐쇄형 혁신 프로세스를 넘어 혁신을 사회 전체로 보급하고 고객·사용자·파트너·시민들이 지식을 흡수하도록 하는 인프라 말이다. 그래야만 시작한 혁신을 끝낼 수 있다. 또 그것만이 혁신적 발전의 잠재적 이익을 실현하고, 나머지 기업도 최고의 기업을 따라잡을 수 있는 방안이다.

별로 어려운 일처럼 느껴지지 않을지도 모르겠다. 하지만 실제로 이러한 인프라를 구축하려면 과거 40년 동안 지속된 부정적인 트렌드를 뒤집어야만 한다. 40년의 부정적 트렌드는 제2차 세계대전

이후에 생긴 긍정적인 흐름을 뒤바꾸어 놓았다. 따라서 과거의 긍정적인 흐름을 다시 살펴보고 변화를 추적해 흐름을 정상으로 돌려놓을 방법을 강구해야 한다. 어떤 면에서 과거를 보고, 다시 미래로 돌아와야 하는 것이다.

1940~1970년대의 생산성 증가

기하급수적 발전의 역설 뒤에 숨은 질문을 뒤집어보면 어떨까? 최근 수십 년 동안 생산성 증가율이 둔화한 이유 대신 반대로 질문해보자. 1940년대부터 1970년대까지는 왜 생산성 증가율이 높았을까? 당시 사회는 어떤 점이 다를까?[14]

질문을 바꿔보는 것은 흥미로운 신기술의 행진에서 관심을 돌려 신기술을 보다 넓은 사회로 이끌기 때문에 연구에 도움이 된다. 브리놀프슨 교수의 연구는 **IT기술 활용법**이 경제적 이익을 얻는데 매우 중요했다는 점을 보여준다.

1940년대는 격동의 시대였다. 이 시대는 전 세계가 제2차 세계대전의 혼돈과 파괴에 휩싸이며 시작했다. 제2차 세계대전은 광범위한 영향을 끼쳤지만, 생산성 증대를 촉진한 직접적인 요인은 연합군과 추축국의 전력을 강화하기 위해 널리 과학을 동원한

14. 미국 인프라의 제도적 역사에 대해서는 스테판 코헨(Stephen Cohen)과 브래드 드롱(Brad DeLong)의 2016년 저서 <현실의 경제학(Concrete Economics)> (Harvard Business Review Press)을 참고해라. 이 책은 경제 인프라에 대한 중앙정부 지원의 시작점을 추적하기 위해 알렉산더 해밀턴 시대까지 거슬러 올라간다.

것이었다. 전쟁에 과학을 동원해 독일의 로켓공학과 탄도능력(예를 들어, V2 로켓)이 향상됐고, 레이더와 음파기술, 암호기술이 발전했으며, 핵무기도 제조할 수 있는 수많은 기술적 혁신이 일어났다. 이런 기술이 산업 생산성을 직접적으로 향상시킨 것은 아니다. 하지만 컴퓨터기술, 통신기술, 재료공학 등 목표에 필요했던 다양한 지원기술이 전후 산업계에 강한 활력을 불어넣었다.

전쟁 이후 정책 혁신 역시 생산성 향상에 중요했다. 전쟁 중 루즈벨트 대통령의 과학 고문이었던 바네바 부시(Vannevar Bush)는 장기적인 안목으로 평시에 공공 과학의 효과를 확대하는 방법에 관한 보고서를 작성했다. <과학, 끝없는 프론티어>[15]라는 제목의 보고서에서는 사회의 경제적 안녕을 위해 연방정부가 과학 분야의 자금 조달과 지원에 꾸준히 관여해야 한다고 주장했다. 정부가 앞장서서 기초과학 연구에 지속적으로 지원한다면 미래에도 계속 경제성장의 토대가 무한정 마련될 것이며, 보고서 제목처럼 '끝없는 프론티어'가 만들어질 것이란 내용이다. 이러한 시스템이 작동한 실질적인 예가 페니실린과 소아마비 백신의 등장이었다.

양당의 강력한 지지를 받은 부시의 접근법은 국립과학재단(National Science Foundation)과 미국국립보건원(National Institutes of Health)의 설립을 이끌었다. 국방부는 군사 분야 과학 연구에 강력하고 지속적으로 지원을 이끌어냈고, 국방성 고등연구계획국(Defense Advanced Research

15. Vannevar Bush, 'Science: The Endless Frontier: A Report to the President', US Office of Scientific Research and Development, 1945.

Projects Agency((DARPA)) 역시 양당의 강력한 지원과 대규모 자금 지원을 받게 됐다.

생산성이 증대된 데는 자금 조달만큼 자금 사용방식도 중요했다. 연방 정부는 정부 산하 연구소를 설립해 자금을 사용할 수도 있었다. 정부는 캘리포니아 대학교(로렌스 리버모어 국립 연구소(Lawrence Livermore National Labs))와 로렌스 버클리 연구소(Lawrence Berkeley Labs)나 주요 정부 계약자(샌디아 연구소(Sandia Labs)) 등 외부 주체가 국가의 무기연구소를 운영하는 것을 조심스러워했다. 하지만 핵무기도 정부 산하 연구소를 만들어 운영하지 않았다. 정부가 정부 연계 연구소를 직접 소유하고, 관리·운영하고, 공무원이 근무하는 시스템보다 외부 세계와 긴밀히 연결되어 더 많은 지식이 연구소로 드나들 수 있다는 의미였다.

핵무기뿐 아니라 과학 분야에 대한 자금 지원체계는 훨씬 더 분산되어 있었다. 연구자금 지원기관인 국립과학재단(National Science Foundation(NSF)), 국립보건원(National Institute of Health(NIH)), 국방고등연구계획국(Defense Advanced Research Projects Agency(DARPA)) 등은 전국의 대학 및 연구기관과 지속적인 관계를 발전시켰다. 전시에도 민간 기업연구소와 공장에서 다양한 연구와 개발을 진행해 유용한 산업지식을 창출했으며, 여러 산업부문으로 전수했다. 만약 전시 기술 연구와 생산이 정부시설에만 제한되어 있었다면, 전쟁이 끝난 후 이런 지식을 산업용으로 이전하는 데 큰 어려움을 겪었을 것이다.

1940년대의 또 다른 중요 사건은 1944년, 흔히 지아이 권리장전(GI Bill)이라고 알려진 제대군인원호법(Service-men's Readjustment Act)을 제정한 것이다. (제1차 세계대전 참전 군인들이 많은 문제를 경험했던 것과 달리) 전쟁터에서 돌아온 군인들이 사회에 재통합될 수 있도록 자금을 지원하는 법이었다. 생산성 측면에서 제대군인원호법이 갖는 중요한 의미는 군인들이 추가교육을 받도록 자금을 지원하여 고등교육이 필요한 경제 분야를 크게 자극했다. 그리고 많은 지식과 기술을 가진 노동자를 시장에 내보냈다. 법이 없었다면 참전군인들은 지식과 기술을 습득하지 못했을 것이다. 이로써 미국 노동자들은 생산성 향상 투자의 '흡수 능력(absorptive capacity)'이 높아져 새로운 기술로 일을 더 잘 하게 되었다. 또한 미국은 전쟁이 끝난 직후 추축국의 일류 과학자들에게 미국 이민을 장려하기도 했다.

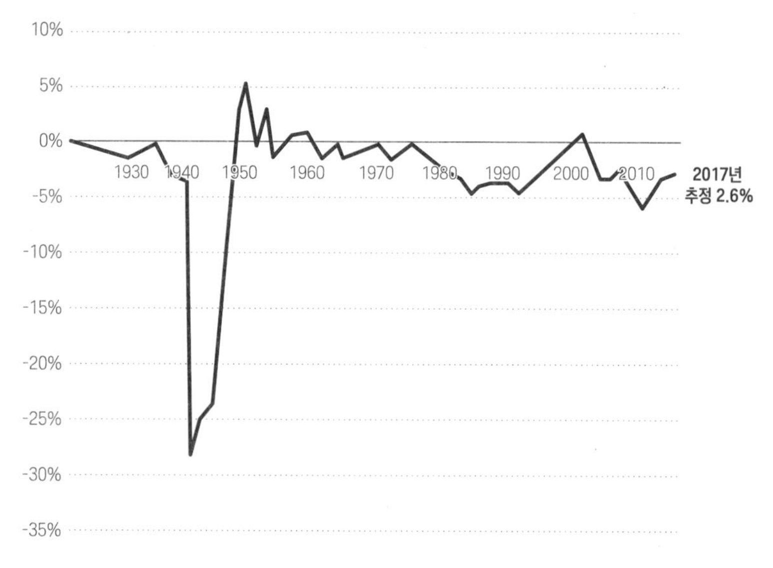

그림 1.6 - 1930~2017년, 미국 GDP 대비 연간 연방 예산 적자 또는 흑자(2017년 추정 2.6%)

출처 : 미국 예산관리국, Nationalpriorities.org

1950년대에도 정부 지원 투자는 계속 급증해 생산성 증가를 견인했다. 냉전은 제2차 세계대전의 잿더미 속에서 시작됐고 한국전쟁으로 심화됐다. 아이젠하워 대통령은 (소련의 갑작스런 선제공격에 대한 미국의 취약성을 줄이기 위해) 육상기지발사 미사일을 이동할 수 있는 네트워크를 만들어야 한다는 취지로 고속도로망(National Highway system)을 건설하기 시작했다. 주 간(inter-state) 고속도로의 수준을 크게 향상하고 자동차산업에 직접적인 도움을 주며, 운송과 물류 개선을 통해 다른 산업의 발전에도 영향을 미친 거대한 인프라 프로젝트였다.

미국은 이 시기에 경제적·군사적 경쟁자가 있었다. 1957년 소련의 스푸트니크 발사 사건은 미국인들에게 충격을 주었고 미국은 자체 위성을 발사해 대응하기로 했다. 미국 정부는 더 나아가 연구·과학·기술에 대한 자금 지원을 크게 늘렸고, 늘어난 자금 지원은 곧 사회과학 분야로도 확대됐다. 다시 한 번, 정부의 지원 확대 조치는 소수 산업이나 장소에 집중하는 대신 사회 전체에 광범위하게 퍼졌다.

연구·과학·기술에 대한 강력한 지원은 1960년대까지 계속됐다. 아폴로 달 탐사는 국가적 우선순위가 되었고 달 탐사 지식을 쌓기 위해 머큐리 계획과 제미니 계획을 선행했다. 존슨 시대의 그레이트 소사이어티 프로그램(The Great Society programs)은 사회 안전이 크게 확대되어 농촌 및 노인 인구의 빈곤을 획기적으로 감소시켰다. 동시에 베트남전쟁이 심각해져 '대포와 버터(guns and butter,[군비와 국민

경제 - 옮긴이)' 사이에 충돌이 일어났다. 이러한 갈등은 제2차 세계대전 이후 최초로 연방 예산을 대규모로 적자 운용해 해결했다. (그림 1.6 참고)

리처드 닉슨 행정부는 미국을 1970년대로 이끌었다. 공화당 정부였지만 존슨 정부가 시작한 사회안전망 강화 정책처럼 연구·과학·기술에 대한 대규모 연방기금 정책은 계속 유지됐다. 실제로 닉슨은 환경보호국(Environmental Protection Agency)을 출범했고, 이 분야 연구에 자금을 지원하기 시작했다.

역설의 재논의

기하급수적 발전의 역설에 대한 질문을 뒤집어보면 1940년대에서 1970년대까지 생산성이 높아질 수 있었던 이유를 쉽게 이해하게 된다. 1940~1970년 사이의 40년을 돌아보면 다양한 정책과 계획이 산업 생산성을 향상시켜 온 것을 알 수 있다! 연구·과학·기술 분야의 연방기금이 증가해 지식 생산이 가속화되었다. 대학들이 성장하고 기업 내 연구 개발이 분산되었기 때문에 이 시기 지식 보급의 속도와 범위도 크게 증가했다. 제대군인원호법에 의한 대규모 교육 지원 등 유사한 계획 덕분에 미국 노동자들은 새로운 기술을 익히고, 업무에 적용하는 능력을 크게 향상할 수 있었다.

하지만 산업 생산성을 높이는데 많은 기여를 했던 이러한 정책들은 1980년대가 되면서 지속되지 않았다. 연구·과학·기술 분야에 대한 정부의 자금 지원이 계속되기는 했지만 전체 경제에서 차지하는 비중이 이전에 비해 떨어졌다. (그림 1.7 참고)

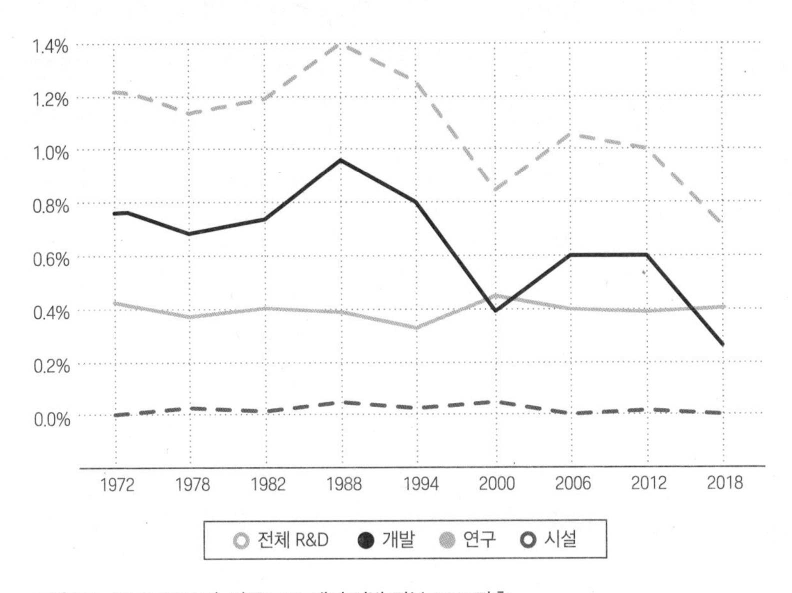

그림 1.7 - 1976~2018년, 미국 GDP 대비 연방 정부 R&D 지출

출처: 미국 과학진흥협회(American Academy for the Advancement of Science), '연방 정부 R&D 동향(Historical Trends in Federal R&D)', 2018년 4월

사회는 예전에 향상된 인프라를 만들었으며, 인프라가 가져온 이익을 누렸다. 하지만 그 이상의 인프라를 구축하기 위한 자금 지원은 줄이기 시작했다. 35년이 지난 현재, 인프라 구축과 이를 위한 자금 지원은 당파적인 정치문제가 됐을 정도로 상황이 악화됐다. (이전 시대에는 그렇지 않았다.) 게다가 제대군인원호법으로 혜택을 받던 대학에게 주던 주정부와 연방정부의 공공 지원도 줄어들기 시작했다. 그 결과 그림 1.8에서 보듯이 1960년대의 대학 등록금은

무료였거나 부담이 적었다. 하지만 현재는 4년제 공립대학의 경우 거주민 학비, 기숙사비, 식비를 합해 10만 달러를 거뜬히 넘을 정도로 가파르게 인상됐다. 사립대학 등록금은 공립대학의 두 배 이상인 경우가 많아 대부분이 대학교육에 접근하기가 어려워졌고, 사회생활을 시작하자마자 무거운 빚더미에 앉게 됐다.

동시에 사회 전반에 걸쳐 향상된 산업 생산성을 크게 손상하는 현상들이 나타났다. 미국 초·중등교육은 교실의 학업 성취도 악화와 지출 증가가 맞물려 실제 위기에 처했다. 스푸트니크 발사에 대응하기 위해 시작한 과학, 기술, 공학, 수학(STEM) 교육에 대한 강력한 지원은 자금 조달 및 지원 측면에서 중대 국면에 빠졌다. 특히 기초과학 장비에 접근하기 어려운 저소득층 학생들이나 STEM 분야에서 일자리를 구하기가 어려운 여학생들을 고려하면 더욱 그렇다.

사실 우리는 70여 년 전 전후시기부터 구축한 혁신 인프라의 결실을 취하며 살아왔다. 그러나 지난 40년 동안은 인프라를 유지하는데 소홀했고, 이제 생산성과 관련한 데이터가 그 결과를 보여준다. 최고의 기업들은 여전히 번창하고 있지만, 고용 대부분을 제공하고 전체적인 생산성 효과(productivity effect)가 나타나는 나머지 기업들은 형편없이 뒤처지고 있는 것이다.

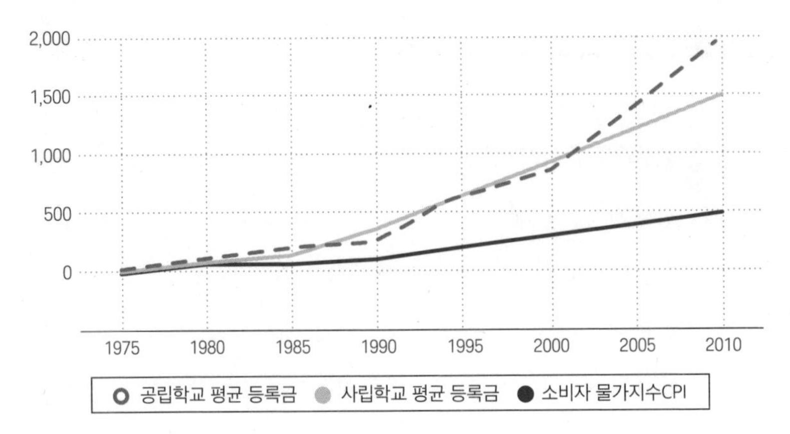

그림 1.8 - 1975~2010년, 인플레이션 대비 대학 등록금

출처: 미국 과학진흥협회(American Academy for the Advancement of Science), '연방 정부 R&D 동향(Historical Trends in Federal R&D)', 2018년 4월

혁신 인프라의 세 가지 측면 - 창출·보급·흡수

혁신 인프라의 세 가지 측면은 혁신적 기술과 기술이 사회에 미치는 영향을 이해하는 또 다른 맥락을 제시한다. 혁신적 기술은 진공상태에서 가치(또는 생산성)를 창출하지 않는다. 대신 창출된 지식은 사회 전반에 널리 보급되어 대다수 노동자가 흡수해 작업에 적용할 수 있어야 한다. 지난 35년을 지나오며 어느샌가 사회와 정부의 강력한 지원이 무너졌다. 혁신적 기술을 둘러싼 사회의 혁신 인프라는 혁신기술이 발전하는 속도에 보조를 맞추지 못하고 오히려 악화되고 있다.

하지만 필자의 생각과 달리 비평가들은 높은 수준으로 정부 지출이 지속되고 있다고 합리적 주장을 할지도 모른다. 역사적 기준에서 연방정부 차원의 정부 지출이 상당히 높은 수준을 유지하고 있는 것은 사실이다. 다만 지출의 본질이 지식의 창출·보급·흡수에 대한 투자에서 사회안전망에 대한 지출로 급격히 바뀌었다. (이미 그림 1.7에서 국방 및 비국방 목적의 GDP 대비 연방 정부 R&D 지출 감소를 확인했다.) 사회안전망을 만들고 유지해야 할 이유는 분명하다. 그러나 혁신 인프라의 유·무형 요소로 향해야 할 공공 투자를 희생한 결과여서는 안 된다. 오히려 혁신 인프라에 대한 투자 감소는 생산성 증가를 둔화시키고 임금 정체로 이어져, 추가적으로 혁신 인프라에 투자할 능력과 의지를 모두 감소시키고 있다.

사회의 혁신 인프라 투자

20세기 중반, 상당한 공적 자금이 다양한 인프라 자산에 투자됐다. 일부는 미국국립과학재단(NSF)이나 미국국립보건원(NIH), 급성장하는 대학 부문으로 투입되어 새로운 지식을 창출하기 위해 사용했다. 유용한 지식을 보급하는데 투자된 자금도 있었다. 대학은 이런 측면에서 중요했다. 출판, 컨퍼런스, 강의, 특히 매년 사회로 나가는 졸업생은 지식을 전파하는데 큰 도움을 줬기 때문이다. 그리고 인터넷은 다양한 방법과 채널로 사실상 실시간으로 소통할 수 있는 능력을 엄청나게 향상시켰다.

유용한 지식을 창출하는 것도 중요하지만, 사회 전반에 널리 퍼뜨리는 것도 중요하다. 고속도로는 경제적 목적의 새로운 지평을 열어 유용한 새 지식을 퍼뜨리는데 기여했다. 어떤 면에서는 에어컨도 20세기 후반 미국 남부에서 고속도로와 비슷한 역할을 했다(에어컨 그 자체는 공공투자가 아니었지만, 20세기 전반기 농촌의 초기 전기 인프라를 크게 증대시켰다).

지식 확산을 뒷받침하는 무형의 요소도 있었다. 연금을 통산해 노동자들이 고용주에게 얽매이지 않아도 되도록 한 것이 그 하나였다. 통산연금(portable pensions) 제도로 노동자들은 재직하는 것보다 이직이 더 매력적일 경우 유용한 지식을 가지고 이직할 수 있게 됐다. 사업가에게 새로운 사업을 시작할 기회를 주고, 사업이 실패할 경우 사업가가 부채를 떠안지 않고 기존 사업에 남기는 상대적으로 자유로운 파산법 역시 또 다른 무형의 요소였다.

벤처캐피털 부문의 성장도 유용한 지식을 널리 보급한 또 다른 힘이었다. 벤처캐피털은 기초지식을 창출하는데 직접 투자하지는 않지만, 유용한 지식을 중요한 경제 문제에 적용하도록 강력한 인센티브를 제공한다. 벤처캐피털은 과학적 연구에서 상업적 결과물을 발견하고 이를 확장하는 데 필요한 실험을 하고, 위험을 감수하도록 장려한다.

반독점 정책도 유용한 지식을 널리 보급하는 요소이다. 흔히 반독점법을 정당화하는 이유는 독점이 깨지면 가격이 낮아져 소비자들이 이익을 얻는다는 것이다. 그러나 유용한 지식을 독점에서 해방했을 때 얻는 중요한 이점은 또 있다. 1950년대 AT&T의 특허권을 다른 기업에게 라이선스를 주었던 결정은 초창기 전자산업에 큰 도움이 됐다. 트랜지스터 기반 기술은 벨 시스템을 통해 천천히 보급될 수 있었지만, 특허권 라이선스를 인가한 이후 수백 개 스타트업이 수천 가지 용도로 트랜지스터를 활용하기 위해 경쟁에 뛰어들었다. 1960년대 후반 정부가 반독점법 위반으로 IBM을 고소했던 사건은 소프트웨어와 하드웨어를 효과적으로 분리하여 독립적인 소프트웨어 산업이 출현하는 계기가 됐다. IBM은 그간 새로운 하드웨어 시스템을 발표하지 않기로 했을 때에도 소프트웨어를 업그레이드 해왔지만 이제 그것이 불가능해졌다. 그리고 이에 프로그램, 게임, 운영체제, 스마트폰 앱까지 만드는 스타트업 산업이 등장했다. 1980년대 AT&T의 독점금지 조치로 AT&T의 장거리 전화 독점이 깨지면서, 네트워크에서부터 휴대전화, 오늘날의 디지털 다채널 미디어와 엔터테인먼트 산업까지 아우르는 역동적인 통신산업의 발판이 마련되었다.

유용한 지식을 창출하고, 지식을 보급하는 것은 생산성을 높이는데 필수적이다. 그러나 생산성을 높이기 위해 마지막으로 필요한 조건이 있다. 유용한 지식을 흡수, 적용, 변형할 수 있도록 투자가 이루어져야 한다는 것이다. 마지막 조건이 제대로 이루어지지 않는다면 기술을 창출하고 나누는 이익은 멀리 날아가 버릴 수도 있다.

우리의 초·중등학교는 사회에서 필요한 과학, 기술, 공학, 수학 분야의 학생을 충분히 육성하지 못하고 있다. 양도 문제지만 질도 문제다. 양적인 측면에서 볼 때 학교에서 배출하는 과학기술 분야의 학생 수는 사회가 요구하는 수보다 수십만 명이 적다. 질적인 측면에서 볼 때는 미국 학생들이 수학과 과학 지식 분야에서 다른 상위 국가보다 훨씬 순위가 낮다. 그 결과 구인 일자리와 수행 지역 주민의 능력 사이에 불일치가 생겼다.

미국은 전 세계에서 특히 과학, 기술, 공학, 수학 분야의 외국인 출신 석·박사 과정 학생을 엄청나게 받아들이고 있다. 그리고 이렇게 유입된 외국인 학생 중 많은 수가 미국 내에서 창업과 고용 기회를 만들기 시작했다. 그럼에도 미국에서 과학자 및 기술자의 국내 공급은 사회적 필요에 크게 미치지 못하고 있다. 게다가 STEM 분야를 전공한 많은 외국인 졸업생이 미국에서 직장생활을 하지 않고 고향으로 돌아가고 있다. 미국에서 벌어지고 있는 이러한 문제는 국가가 새로운 지식을 자국민의 새로운 일자리로 전환하는데 어려움을 겪고 있음을 의미한다. 오히려 새로운 지식을 일자리로 전환하는 작업은 광범위한 글로벌 공급망을 통해 다른 나라에서 이루어지고 있다. 미국 시민들은 종종 새로운 지식을 이용한 제품의 소비자가 됐을 뿐이다.

우리는 혁신적 기술이 제공하는 새롭고 흥미진진한 가능성을 충분히 흡수하도록 투자해야 한다. 그리고 더 많은 시민들을 디지털에 정통한 과학자, 엔지니어, 기업체 임원, 노동자, 기업가로 키우는 교육 시스템이 필요하다.

공유 가치는 사회의 혁신 흡수를 돕는다

기업들은 혁신 인프라에 대한 지난 30년간의 저투자 추세가 쉽게 반전되지 않을 것이라고 판단할 수도 있다. 그러나 기업이 발전하기 위해 굳이 추세가 반전될 필요는 없다. 기업 스스로 사회 발전에 기여할 수 있고 그 과정에서 성장 가능성을 확대할 수 있다. 이것이 마이클 포터(Michael Porter)와 마크 크레이머(Mark Kramer) 교수가 제안한 공유 가치(Shared Value)의 핵심 아이디어다. 공유 가치는 자본주의 시스템에 단단히 기반을 두고 있지만 더 장기적이고, 활기차다. 지속가능한 자본주의는 기업이 단기적인 결과 이상을 추구해야 한다고 주장한다. 두 사람은 이렇게 설명한다.

공유 가치의 개념은 사회적 필요가 시장을 정의한다고 인식한다. 사회적 해악이나 약점은 종종 기업에 내부 비용을 발생시킨다. 그러나 사회적 필요를 해결하는 것이 반드시 기업의 비용을 높이는 것은 아니다. 기업은 새로운 기술과 운영방식, 경영방법을 도입해 혁신을 이루고 그 결과 생산성을 높이고 시장을 확대할 수 있기 때문이다.[16]

16.Michael Porter and Mark Kramer, 'Creating Shared Value: How to Reinvent Capitalism—and Unleash a Wave of Innovation and Growth' , Harvard Business Review, Jan.-Feb. 2011: pp. 63-70.

네슬레의 커피 사업은 이런 접근 방식을 보여주는 한 가지 사례이다. 전통적인 관행 속에서 많은 커피 재배업자들은 소규모 농장을 운영하며 낮은 생산성, 저품질, 환경 파괴 등 여러 가지 제약에 부딪혔다. 네슬레는 가격과 가용성을 고려해서 커피를 구매했고, 재배업자들은 입찰 경쟁으로 잉여이익의 대부분이 사라져 고된 삶을 사는 악순환에서 벗어나지 못했다. 이런 관행이 어떻게 바뀌었을까? 포터와 크레이머 교수는 이렇게 말했다.

"이런 문제를 해결하기 위해 네슬레는 조달방식을 재설계했다. 농사법을 조언하고, 은행대출을 보증해주며, 초목 재고와 살충제, 비료 등 재료 확보를 도우며 재배농가와 함께 일했다. 또한 네슬레는 구매시점에 생산된 커피의 품질을 측정하기 시작했는데, 이러한 변화로 재배농가에게 품질 프리미엄을 직접 지불할 수 있었다. 그 결과 농부들의 수입이 증가했을 뿐만 아니라 커피의 수확량과 품질도 상승했다."

변화된 관행이 확산되면서 커피 농가의 수입은 증대됐고, 커피의 품질이 향상됐으며, 커피 농장이 환경에 미치던 부정적인 영향은 줄어들게 됐다. 한편 네슬레는 고품질의 커피를 더욱 안정적으로 공급받게 됐다.

혁신적 기술의 가능성을 실현하려면 지지적인 혁신 인프라가 있어야 하고 기업이 공유 가치를 수용해야 한다. 유감스럽게도 지금까지는 제대로 이루어지지 않았다. 혁신을 창출하는 것만으로는 부족하다. 사회는 광범위하게 혁신을 보급하고, 잘 흡수해야 한다.

포터와 크레이머 교수는 기업이 스스로 사업을 성장시키고 지속하기 위해 이런 부족한 점을 바로잡을 수 있다고 이야기한다.

오픈 이노베이션은 새로운 지식에서 더 많은 가치를 얻는 중요하고 새로운 혁신과정이다. 다음 장에서는 오픈 이노베이션을 보다 자세히 살펴보고 더 나은 사업성과를 얻고 생산성을 향상시키기 위해 오픈 이노베이션을 다루는 법을 논의한다.

1장의 주요 내용이다.

1. 혁신적 기술은 증가하고 있지만 경제 생산성은 둔화되고 있다. 이것이 기하급수적 발전의 역설이다.
2. 생산성을 개선하려면 혁신을 창출하고, 보급하고, 사회 전체가 흡수해야 한다. 이것이 혁신 인프라의 세 가지 측면이다.
3. 최고의 기업은 나머지 기업과 다르다. 나머지 기업은 혁신을 효과적으로 흡수하지 못하고 생산성 감소를 겪는다는 의미이다.
4. 사회는 지속적으로 생산성을 높이고 나머지 기업이 최고의 기업을 따라잡을 수 있도록 지식 인프라에 투자해야 한다. 1940년대부터 1970년대까지는 지식 인프라에 대한 투자가 잘 이루어졌다. 기하급수적 발전의 역설을 해결하려면 새로운 지식 인프라에 대한 투자가 필요하다.
5. 기업은 혁신 인프라 투자가 불충분한 환경에서 성장을 지속하기 위해 공유 가치라는 접근방식을 채택해야 한다.

2장

21세기의 오픈 이노베이션

《◇》

2장

21세기의 오픈 이노베이션

현실의 뒤쳐진 경제적 성과와 혁신적 기술이 약속하는 미래 사이의 격차를 줄이려면 혁신 프로세스를 바꿔야 한다. 얼마 전까지만 해도 혁신은 대체로 내부적인 문제였다. 실험실에서 시작해 시장으로 가는 여정은 주로 기업 내부에서 일어났다. 벨 연구소(Bell Labs)나 IBM 리서치(IBM Research), 팰로앨토 연구소(Xerox PARC)를 생각해봐라. 이 연구소들은 각각 중요한 기술적 혁신을 만들어냈다. 그리고 각 사의 사업을 통해 혁신을 상업화했다.

그러나 최근 몇 년 사이 '모든 것을 스스로 하라'는 방식은 점점 지속하기 어려워졌다. 이런 방식은 시장에서 성공을 거두기 위해 많은 비용이 들뿐만 아니라, 점점 더 빠르게 변하는 세상에서 여정을 마치는데 소요되는 시간도 길기 때문이다. 게다가 모든 위험을 기업이 정면으로 짊어져야 한다. 이렇게 비용, 시간, 위험이 불리하게 조합되자 기업들은 혁신에 대한 접근방식을 다시 고민하게 되었다. 그러다 내부 비용은 낮추고 신제품 출시는 더 빨리 할 수 있으며 위험도 분산할 수 있는 대안이 나타났다. 바로 오픈 이노베이션이다.

오픈 이노베이션은 최근 나타난 현상이다. 2003년까지만 해도 구글에서 오픈 이노베이션을 검색하면 유용한 검색 결과를 얻지 못했다. 하지만 요즘에는 수억 개의 검색 결과가 나온다. 최근 북미와 유럽의 대기업을 대상으로 조사한 결과, 조사대상 기업 중 78%가 오픈 이노베이션 프로세스 요소를 실천하고 있었다.[1] 어디에서도 이용하지 않았던 오픈 이노베이션을 불과 10여 년 만에 대다수가 이용하게 된 것이다.

오픈 이노베이션은 사회 전반에 유용한 지식이 광범위하게 퍼져있다는 것을 기본 전제로 한다. 어떤 조직도 훌륭한 아이디어에 대한 독점권을 가지지 않으며, 내부적으로 효율적인 조직일지라도 외부 지식 네트워크나 외부 커뮤니티와 깊고 광범위하게 관계를 맺어야 한다는 것이다. 오픈 이노베이션을 도입한 조직은 외부 아이디어와 기술을 사업에 일반적으로 활용할 것이고(내향형 오픈 이노베이션(outside-in open Innovation)), 사용하지 않는 내부 아이디어와 기술은 다른 사람들이 활용할 수 있도록 기업 외부로 내보낼 것이다(외향형 오픈 이노베이션(inside-out open innovation)).

1. Brunswicker 와 Chesbrough, 'A Fad or a Phenomenon: Results from a Survey on Open Innovation', 2013, and Brunswicker and Chesbrough, 'The Adoption of Open Innovation in Large Firms' , Research-Technology Management, 2018

실제로 오픈 이노베이션이 효과가 있다는 증거는 무엇인가? 1장에서 제시했던 몇 가지 증거를 다시 정리해보자. P&G는 연계개발(Connect and Develop)이라는 그들만의 오픈 이노베이션으로 당당히 성공했다.[2] 소비재기업인 제너럴 밀스(General Mills)는 12개월 동안 60개의 신제품 도입 프로세스(new product introduction)를 분석했다. 그 결과 오픈 이노베이션을 이용한 제품들이 100% 이상 많이 팔린 것을 발견했다.[3] 최근 산업계는 유럽 대규모 제조업체가 진행한 489개 프로젝트를 조사했다. 그 결과 오픈 이노베이션과 융합한 프로젝트가 기업에 더 많은 재정적 수익을 가져다 준 것으로 드러났다.[4]

오픈 이노베이션이 가치 있다는 사실을 뒷받침하는 대규모 기업 연구도 있다. 기술 혁신 설문(Community Innovation Survey)을 이용한 여러 연구는 다른 요인을 통제했을 때 외부 지식 소스를 많이 보유한 조직이 더 뛰어난 혁신 성과를 달성한다는 사실을 발견했다.[5] 125개 대기업 대상의 최근 조사에서도 오픈 이노베이션을 채택한 기업의 혁신 성과가 더욱 좋은 것으로 나타났다.[6]

그러나 필자는 우리 대부분이 오픈 이노베이션을 잘 이해하고 있다고 생각하지 않는다. 오픈 이노베이션의 의미에 대한 합의도 이루어지지 않았고, 최선의 이용방법도 모른다. 또 오픈 이노베이션의

2. L. Huston and N. Sakkab, 'Inside Procter & Gamble's new model for innovation: Connect and develop', Harvard Business Review, 2006.
3. 제너럴 밀스의 마이크 헬셀(Mike Helsel)과 저자의 개인적인 대화, 2014년 10월 15일
4. Du. Leten and Vanhaverbeke, 2014.
5. 사례를 참고하자. Laursen and Salter, 2006.
6. Brunswicker 와 Chesbrough, 'A Fad or a Phenomenon: Results from a Survey on Open Innovation', 2013.

문제와 한계를 충분히 생각하지 않아 최대한 활용하지 못하고 있다. 이 책의 핵심 목표는 오픈 이노베이션을 완전히 이해하고 모두가 이 흥미진진한 개념을 최대한 활용할 수 있도록 하는 것이다.

2003년 이후 오픈 이노베이션에도 많은 변화가 일어났다. 우리는 가장 중요한 변화와 이 변화가 산업·혁신·정책에 갖는 의미를 살펴볼 것이다. 언급할 주제 중 하나는 두 조직 간의 협력과 파트너십(여전히 오픈 이노베이션을 실행하는 데 있어 중요한 부분이다)을 넘어 공급망, 네트워크, 생태계, 민관 합작 파트너십까지 오픈 이노베이션이 훨씬 넓은 영역으로 확장되었다는 점이다. 오픈 이노베이션은 더 이상 기업에만 국한된 것이 아니다. 혁신이 일어나는 주변 환경에 대한 것이기도 하다. 오픈 이노베이션이 성공하려면 혁신조직의 생태계를 구축해야 한다. 그리고 이런 생태계를 통해 생산성을 향상하려면 한 발 더 나아가 오픈 이노베이션 사회를 지원할 혁신 인프라를 구축해야 한다.

오픈 이노베이션의 정의

오픈 이노베이션의 정의부터 시작해보자. 에스키모인에게 '눈'을 뜻하는 수십 개의 단어가 있는 것처럼 '오픈 이노베이션'에도 여러 가지 의미가 있다. 필자의 견해로는 오픈 이노베이션이라는 패러다임은 기업 내부의 혁신 활동이 제품 및 서비스 개발로 이어지고, 기업이 이를 유통하는 전통적인 수직적 통합 모델(vertical integration model)의 반대라고 보면 가장 좋다. 필자는 수직적 통합 모델을 폐쇄형 혁신 모델(closed innovation model)이라고 부른다. 오픈 이노베이션을 한 문장으로 요약하면, 기업 안팎에서 의도적으로 관리되는 지식 흐름을 기반으로 하는 분산형 혁신 프로세스로, 조직의 비즈니스 모델에 맞는 금전적·비금전적 메커니즘을 사용하는 것이다.[7] 이것이 오픈 이노베이션의 공인된 학문적 정의이다. 이 말은 안에서 밖, 밖에서 안으로든 기업의 경계를 초월한 지식에 접근하고 이를 이용, 흡수하여 혁신을 창출한다는 의미이다. 그러나 나중에 다시 이야기하겠지만 이 정의를 누구나 받아들이는 것은 아니다.

오픈 이노베이션에 대한 위의 정의는 기업이 혁신을 촉진하려면 기업 내·외부의 아이디어와 시장 경로를 이용해야 한다고 가정한다. 오픈 이노베이션 프로세스는 기업 내외의 아이디어를 결합해 플랫폼, 아키텍처, 시스템으로 만들며, 아키텍처와 시스템의 요구조건을 정의하기 위해 비즈니스 모델을 활용한다. 비즈니스 모델은 가치 창출을 위해 내·외부의 아이디어를 모두 활용하는 한편 가치 일부에 대한 소유권을 확보하기 위해 내부 메커니즘을 규정한다.

7. H. Chesbrough and Marcel Bogers, in Chesbrough, Vanhaverbeke and West, New Frontiers in Open Innovation (Oxford University Press, 2014), p. 1.

내향형 오픈 이노베이션과 외향형 오픈 이노베이션

오픈 이노베이션에는 두 가지 중요한 유형이 있다. 내향형(outside-in) 오픈 이노베이션과 외향형(inside-out) 오픈 이노베이션이다. 내향형 오픈 이노베이션은 기업의 혁신 프로세스를 개방해 다양한 외부 지식의 투입과 기여를 허용하는 것이다. 학계와 업계가 큰 관심을 보이는 부분이 바로 내향형 오픈 이노베이션이다. 기술 협력, 크라우드소싱, 오픈 소스 기술, 기술 수입이나 획득에 대해 쓴 글은 많다. 많은 학자와 실무자가 내향형 오픈 이노베이션이 오픈 이노베이션의 전부라고 여긴다.

하지만 그렇지 않다. 오픈 이노베이션에는 내향형과 같이 중요한 두 번째 유형이 있다. 외향형 오픈 이노베이션은 사용하지 않거나 활용도가 낮은 지식을 다른 사업이나 비즈니스 모델에서 사용할 수 있도록 조직 밖으로 내보내는 것이다. 기술 수출이나 새로운 벤처 사업의 분사, 오픈 커먼스(open commons)에 프로젝트를 공개하거나, 외부 당사자와 새로운 합작사업을 시작하는 것이 이 유형이다(상자 2.1). 내향형 오픈 이노베이션과는 대조적으로 학계와 업계는 외향형 오픈 이노베이션에 대한 이해가 부족하다. 후에 보겠지만 미사용되거나 활용도가 낮은 내부 아이디어와 기술이 새로운 비즈니스 모델을 찾는 길을 만들어 주는 것이 바로 오픈 이노베이션의 두 번째 유형이다.

상자 2.1

오픈 이노베이션의 정의에서 지식 확산(knowledge spillover)의 역할

오픈 이노베이션의 정의에는 어떤 배경이 있을까? 오픈 이노베이션의 정의는 '목적이 분명한 지식의 유입과 유출'을 기본 바탕으로 한다. 기업의 연구개발 투자로 발생하는 지식 확산에 대한 경제 석학들의 글이 떠오르는 지점이다. 기업은 사전에 연구개발의 투자 결과를 완전히 특정할 수 없다. 따라서 연구개발은 필연적으로 사전에 예상하지 못한 산출물을 만든다. 예측불허의 산출물은 결과를 이용할 수 있는 투자회사의 능력을 넘어 확산된다. 이것이 '확산(spillovers)'이다.

1959년 경제학자 리처드 넬슨(Richard Nelson)은 기초 연구의 발전으로 여러 가지 확산이 일어났지만, 연구자금을 투자한 기업들은 이러한 확산을 제대로 이용할 능력이 부족하다고 말했다. 노벨상 수상자인 케네스 애로우(Kenneth Arrow) 역시 확산은 연구개발 투자로 인한 사회적 수익이 투자회사가 얻는 사적인 투자 수익보다 크다는 뜻으로 이해하면서 이 문제에 주목했다. 따라서 애로우는 사회적 관점에서 봤을 때 민간기업이 연구개발에 과소 투자할 것이라고 생각했다. 이런 상황에서는 사회적으로 연구개발이 이상적인 수준에 이르도록 공공부문이 연구개발 투자에 보조금을 지급하는 것이 합리적이다. 경제학자 웨스 코헨(Wes Cohen)과

댄 레빈탈(Dan Levinthal)은 '흡수 능력(absorptive capacity)'이라 부르는 외부 기술 활용능력을 획득하고자 내부 연구에 투자하는 것이 중요하다고 적었다. 네이선 로젠버그(Nathan Rosenberg)는 '왜 기업은 자기 자본으로 기초연구를 하는가'라는 질문을 던지고 기초연구가 외부 지식을 이용하는 기업의 능력을 향상한다고 대답했다.

하지만 이 학자들은 기업이 외부 지식을 흡수하는 구체적인 메커니즘을 발견하지 못했다. 또한 사용하지 못한 내부 지식을 더 넓은 세상으로 내보내기로 결정한 기업도 고려하지 않았다. 내부 지식을 내보내면 기업은 추가 수익을 얻거나, 기술 유지비용을 낮출 수 있다.

이 글을 보면 연구개발 사업을 하는 초점 기업에서는 확산을 비용으로 간주하며 본질적으로 관리하기가 어렵다고 여긴다. 확산은 오픈 이노베이션에서 매우 중요한 개념이다. 연구개발 분야에서 적용하는 오픈 이노베이션 모델은 목적을 가지고 관리할 수 있고, 그렇게 해야 하는 지식의 유입과 유출이다. 기업은 외부 지식을 탐색하고 혁신활동에 적용하기 위한 프로세스를 개발할 수 있다. 또한 활용하지 않은 내부 지식을 다른 주변 조직으로 유출하기 위한 채널을 만들 수도 있다. 이러한 지식의 유입과 유출을 관리하기 위해 특별한 메커니즘을 설계할 수도 있다. 따라서 이전에는 비용으로 간주되며 특정되지도 관리할 수도 없던 것이 오픈 이노베이션 모델에서는 체계적으로 관리할 수 있게 되어 새로운 기회와 비용 절감, 위험 분산, 신제품 개발의 원천이 된 것이다.

오픈 이노베이션이 아닌 것

오픈 이노베이션이 아닌 것을 확인해보자. 오픈 이노베이션은 혁신적인 개념이나 솔루션을 찾아서 문제를 제출하면 집단이나 대중이 그 문제를 해결하는 크라우드소싱이 아니다. 공급업체를 더욱 잘 관리하는 것도 아니다. 오픈 소스 소프트웨어도 아니고, 오픈 소스 소프트웨어에서 영감을 얻은 오픈 소스 개발방법도 아니다.

특히 오픈 소스 개발방법은 흔하게 혼동하므로 더 논의해야 한다. 오픈 이노베이션의 오픈 소스 접근법은 비즈니스 모델을 무시하며 오픈 이노베이션 모델의 반쪽인 외향형 오픈 이노베이션을 도외시한다. 또한 지적 재산권(IP)을 혁신의 걸림돌, 이상적으로는 없어져야 한다고 여긴다. 예를 들어, 에릭 폰 히펠(Eric von Hippel) 교수는 오픈 소스 소프트웨어가 연구에 동기를 부여한 사례라고 하면서 '개방되고 분산된 혁신(open and distributed innovation)'을 분석했다.[8,9] 비단 히펠 교수만이 아니다.

여기에 아이러니가 있다. 오픈 소스 소프트웨어 진영도 분열했기 때문이다. 오픈 소스 소프트웨어 진영 내에는 '자유 소프트웨어(free

8. 에릭 폰 히펠(Eric von Hippel) <소셜 이노베이션(Democratizing Innovation)>, MIT Press, 2005. 이 책은 오픈 이노베이션에 대해 상당히 자세히 다루고 있지만 필자의 2003년 저서는 전혀 언급하지 않는다. 비즈니스 모델에 대해서도 전혀 논의하지 않는다.
9. IRI의 짐 오히너(Jim Euchner)는 오픈 이노베이션을 그가 '오픈 소스 이노베이션'이라고 지칭하는 것과 유효하게 구별한다. 오픈 소스 이노베이션은 폰 히펠 교수의 개념에 해당한다. Euchner, "Two Flavors of Open Innovation", RTM July-August 2010, pp. 7-8.

software)'와 '오픈 소프트웨어(open software)'를 각기 주장하며 강한 의견 충돌이 있었다. 자유 소프트웨어 진영은 리처드 스톨만(Richard Stallman)처럼 '소프트웨어는 자유로워야 한다'고 생각하는 사람들이었다. GNU 같은 프로젝트는 카피레프트(copy-left) 방식을 사용하는데, 이 방식에서는 GNU 코드를 사용하면 변경사항을 GNU 개발 공동체와 공유해야 한다. 지적 재산권은 혁신에 불필요할 뿐더러 실제로 도움이 되지 않는다고 여긴다. GNU 사용자들은 혁신이 진전되면 혁신의 사용자로서 직접 이익을 얻으므로 공동체 안에서 자신의 지식을 자유롭게 드러낼 것이다. 스톨만의 콘셉트에서는 비즈니스 모델이 어떠한 역할도 할 수 없다. 자본조직이 혁신을 확장하기 위해 필요한 것이나 일단 자본금을 사용한 후 수익을 얻는 방법에 대해서는 철저히 무시한다.

반면에 '오픈 소프트웨어'라는 용어를 사용하는 오픈 소스 소프트웨어의 또 다른 분파는 공동체와 변경사항을 다시 공유할 필요 없이 코드를 바꿀 수 있다. 리눅스(Linux)는 이러한 노선에 따라 만들어진 소프트웨어 프로젝트다. 리눅스를 광범위하게 이용하는 구글이나 아마존 등은 다양한 확장판을 개발했는데 계획에 따라 결과물을 비밀로 유지하며 리눅스 공동체와 공유하지 않았다. 오픈 소프트웨어는 기업이 공개·공유한 코드를 이용할 수 있게 허용하며 사용자가 원할 경우 소유권을 주장할 수 있는 확장판을 만들 수도 있다.

리눅스를 만든 리누스 토발즈(Linus Torvalds)는 정확히 '오픈' 진영에서있다. 사실 토발즈는 리처드 스톨만의 '자유 소프트웨어'에 대한 복음을 다소 거부하는 편이다.

"스톨만은 너무 융통성이 없고, 종교적이다. … 나는 오픈 소스가 자유소프트웨어재단(Free Software Foundation)의 정책과 가치에서 벗어난 이후 훨씬 잘 작동했고, 많은 사람이 오픈 소스를 종교보다는 도구로 여기기 시작했다고 생각한다. 나는 확실히 실용주의자다."[10]

토발즈의 실용주의는 프로젝트 투자를 뒷받침하기 위해 비즈니스 모델을 활용하고 지속적으로 프로젝트를 확장하게 한다는 필자의 오픈 이노베이션 정의와 유사하다. 오픈 이노베이션에 대한 필자의 견해로는 지적 재산권이 허용될 뿐만 아니라 기업이 공동체 내에서의 직접적인 모방으로부터 보호받는 다는 확신을 갖고, 함께 협업하고 협력할 수 있도록 하는 요소이다. 혁신에 성공해서 투자금 회수와 수익을 확보할 수 있다고 드러나면, 지적 재산권은 기업이 혁신을 위한 투자를 하도록 할 것이다.[11]

오픈 이노베이션의 자유 진영과 오픈 진영이라는 두 가지

10. 토발즈의 솔직한 발언은 스티브 로어(Steve Lohr)의 저서 <Go To>(2001) 215페이지에 인용되어 있다.
11. 앤 크리스틴 조벨(Ann Kristin Zobel), 벤 발스마이어(Ben Balsmaier)와 공저한 논문(2016년)에서 우리는 지적 재산 보호가 혁신을 위한 협업을 손상하는지 혹은 강화하는지 알아보기 위해 테스트를 진행했다. 태양광 패널 데이터를 활용해 업계 내 수백 개 스타트업의 행태를 조사하고 첫 특허를 받기 전후의 협업 활동을 비교했다. '자유 소프트웨어' 진영은 스타트업이 특허의 형태로 자신의 지적 재산권을 주장하기 전에 협업이 더 쉽다고 주장할 것이다. '오픈 소프트웨어' 진영은 이에 반대하면서 어느 정도의 지적 재산권 보호는 기업이 보유 기술에 대해 최소한의 보호를 받을 수 있다는 사실을 인지하여 안심할 수 있어 더 많이 협력하게 한다고 주장할 것이다. 이 경우 경험적 분석은 자유 진영보다는 오픈 진영을 지지한다.

관점 모두 개방은 혁신을 자극하는 강력한 생성 메커니즘이라고 생각한다. 히펠 교수도 신제품의 초기 단계에서는 사용자가 강력한 혁신의 원천이라고 지적한다. '자유'와 '오픈'의 차이는 일단 신제품의 초기 단계가 끝나고 시장에서 혁신이 반응을 얻기 시작하면 분명해진다. 초기 단계가 끝나면 취미로 혁신을 시작했던 사람들은 혁신의 상업화를 위해 시장에 진입한 기업에게 자리를 내어주고, 비즈니스 모델이 만들어지며, 사회 전체로 혁신이 확산되도록 규모를 키우는 자본 투자가 이루어져야 한다. 1장에서 본 것처럼 혁신에서 진정한 사회적 이익을 얻으려면 혁신을 창출하는 것을 넘어 광범위한 보급과 흡수가 이루어져야 한다. 초기에 리눅스를 만든 것은 리누스 토발즈와 지원자들의 작은 공동체였지만, 현재 리눅스를 유지하는 것은 리눅스를 중심으로 비즈니스 모델을 만들고 기업 내에서 리눅스의 사용을 이끌어온 IBM, 구글, 레드햇(Red Hat), 아마존 등이다.[12] 필자처럼 오픈 이노베이션을 주장하는 사람들은 이러한 과정을 가능하게 하는 법적인 제도나 비즈니스 모델이 있어야 한다고 생각하는 반면, 자유(또는 '개방되고 분산된 혁신(open and distributed innovation)')주의자들은 필요하다고 생각하지 않는다.

이제 여러분은 오픈 이노베이션이 무엇인지 혹은 아닌지, 그리고

12. 예를 들어, 현재 리눅스 커널을 운영하는 리눅스 재단은 IBM, 인텔, 오라클, 델, 노키아 등 기업으로 구성되어 있다는 점에 주목할 필요가 있다. 이사회 멤버십을 얻으려면 50만 달러를 내야 하는데 이는 '취미로 하는 사람들'의 주머니 사정을 훨씬 넘어선 금액이다. 오픈 이노베이션 중 '개방되고 분산된' 혁신을 지지하는 사람들은 이런 불편한 사실들을 무시한다.

오픈 이노베이션이 왜 오픈 소스 소프트웨어의 미화된 버전이 아닌지를 알았을 것이다. 다음은 오픈 이노베이션이 작동하는 법과 2003년 소개된 이후의 발달과정을 살펴보자.

오픈 이노베이션은 어떻게 작동하는가

2003년에 출간된 <오픈 이노베이션>[13]은 위키피디아[14]와 논평가로부터 최초로 혁신에 대한 새로운 접근방식을 일관성 있게 분석한 책이라고 인정받고 있다. 이 책에서는 혁신을 실행한 몇몇 기업을 면밀히 관찰했다. 그 결과 이 기업들의 혁신 실행방식은 당시 혁신에 대한 통념을 벗어나는 경우가 많다는 것을 발견했다. 당시의 통념은 하버드 경영대학원의 저명한 교수 마이클 포터(Michael Porter)와 알프레드 챈들러(Alfred Chandler)의 연구에서 비롯된 것이었다.

포터 교수는 업계에서 다른 기업을 배제하기 위해 진입장벽을 만들거나 높이면 혁신이 더욱 효과적으로 일어날 것이라고 주장했다.[15] 챈들러 교수는 내부 R&D를 관리해 규모와 범위의 경제를 창출함으로써 R&D 관리가 가장 잘 이루어진다고 주장했다.

13. H. Chesbrough, Open Innovation: The New Imperative for Creating and Profiting from Technology (Harvard Business School Press, 2003).
14. http://en.wikipedia.org/wiki/Open_innovation (최종접속일 2019년 3월 21일).
15. Michael Porter, Competitive Strategy (New York: Free Press), 1980; Michael Porter, Competitive Advantage (New York: Free Press), 1985.

두 사람 모두 실제 혁신활동은 기업 내부에서 일어나는 것이며 외부 세계는 기본적으로 혁신 프로세스의 일부가 아니라고 보았다.[16]

<오픈 이노베이션>은 포터 교수와 챈들러 교수의 개념이 더 이상 업계 선두 기업의 혁신활동을 타당하게 설명하지 않는다는 사실을 보여줬다. 이 기업들의 혁신활동을 이해하려면 포터 교수와 챈들러 교수의 이론 대신 새로운 접근법이 필요하다. 혁신 프로세스를 보여주는 '이전'과 '이후' 다이어그램으로 변화를 시각화해보자. (그림 2.1과 그림 2.2 참조)

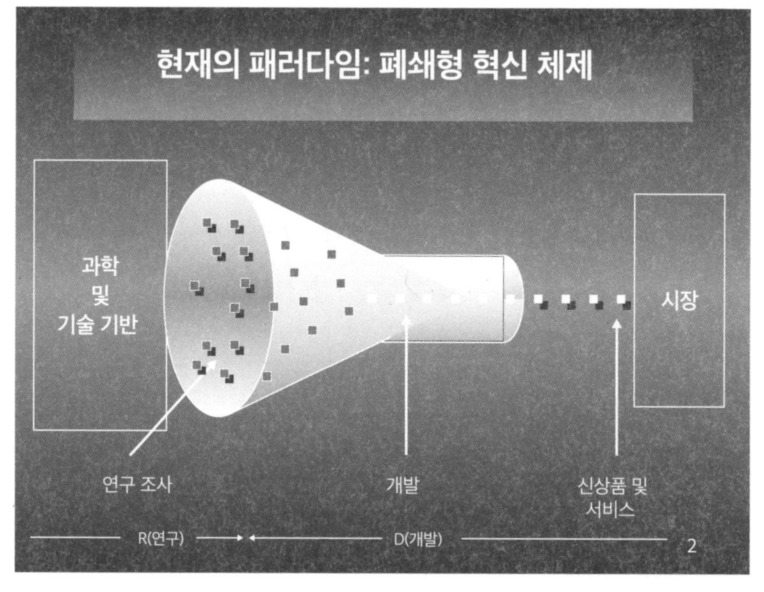

그림 2.1 - 현재의 패러다임 : 폐쇄형 혁신 체제

16. Alfred Chandler, Scale and Scope: The Dynamics of Industrial Capitalism (Harvard University Press, 1990).

그림 2.1는 이전 폐쇄형 혁신모델의 혁신 프로세스를 보여준다. 연구 프로젝트는 기업의 과학 및 기술 기반에서 시작된다. 프로젝트는 프로세스를 따르며, 일부는 중단되고 일부는 계속 진행된다. 여기에서 또 일부가 시장에 출시된다. 이러한 프로세스는 시작할 때도 하나의 길로만 진입할 수 있고, 출구 역시 시장 출시라는 한 가지 방법만 있기 때문에 '폐쇄형'이라고 부른다. AT&T의 벨 연구소(Bell Laboratories)는 이 모델의 대표적인 예로 주목할 만한 연구 성과를 많이 내놓았지만 내부에 집중된 문화로도 악명이 높다. 폐쇄형 모델을 보여주는 20세기의 또 다른 유명 사례로는 IBM의 왓슨 리서치 센터(TJ Watson Research Center), 팰로앨토 연구소(Xerox PARC), GE의 스케넥터디 연구소(Schnectady laboratories), 머크(Merck) 연구소, 마이크로소프트 연구소가 있다. (필자의 저서가 출간된 이후 이 기관들은 혁신모델을 크게 바꾸었고, 더 이상 폐쇄형 혁신모델로만 혁신 프로세스를 제한하지 않는다.) 그러나 일본 등에서는 지금까지도 선두 기업 사이에서 폐쇄형 모델이 상당한 인기를 누리고 있다.

그림 2.2는 오픈 이노베이션 모델을 보여준다. 최초의 진원지는 기업 내부에 있으며 기업의 R&D 활동을 검토한다. 이 모델에도 초기 아이디어화 단계에서 시장 진출까지 프로젝트를 수행하는 혁신 '깔때기(funnel)'가 존재한다. 하지만 폐쇄형 혁신 모델과는 다른 중요한 차이점이 있다. 오픈 이노베이션 모델에서는 내부는 물론 외부 기술 출처에서도 프로젝트를 시작할 수 있으며 새로운 기술이 다양한 단계에서 프로세스에 진입할 수 있다. 이것이 오픈

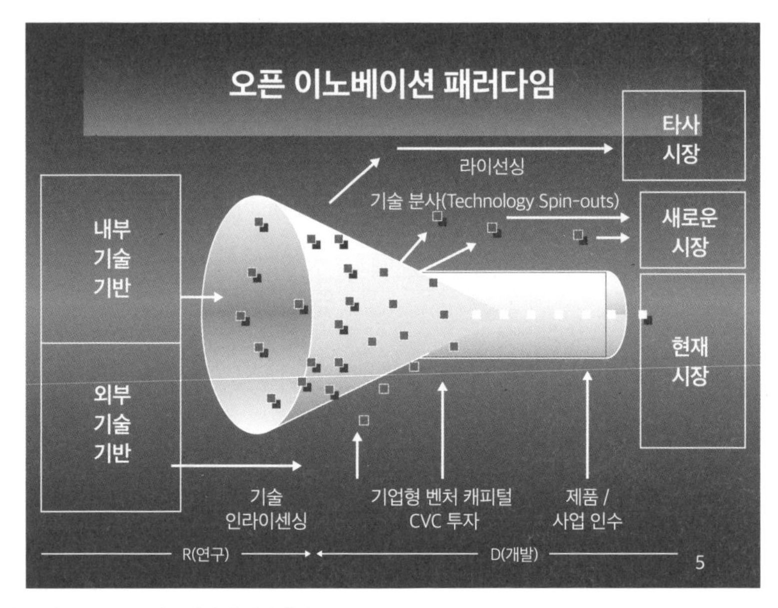

그림 2.2 - 오픈 이노베이션 패러다임

이노베이션 모델 중 내향형 유형이다. 게다가 프로젝트는 기업의 자체 마케팅 채널이나 판매 채널을 통해 시장에 진출할 수도 있지만 아웃라이선싱이나 벤처 분사를 통해 초기 비즈니스 모델을 벗어나서도 시장에 진출할 수 있다. 이것이 오픈 이노베이션 모델 중 외향형 모델이다. 아이디어가 프로세스로 유입되는 경로도 많고, 시장으로 유출되는 경로도 많기 때문에 '오픈(개방형)'이라고 이름 붙였다. IBM, 인텔, 필립스, 유니레버, P&G가 오픈 이노베이션의 외향형 모델의 초기 사례를 제공했다.

오픈 이노베이션의 변칙

제대로 이해한다면 오픈 이노베이션은 이전의 폐쇄형 혁신모델이 설명하지 못했던 현상을 설명한다.[17,18] 오픈 이노베이션은 기업의 실제 활동을 면밀히 관찰하는 데서 출발했다. 관찰 후에는 한 걸음 물러나 박사과정을 밟는 학생으로서 필자가 읽은 자료, 학생들에게 가르치고 있는 내용들과 비교하여 기업 활동을 되짚어 보곤 했다. 경영과 기업의 전략에 대한 마이클 포터 교수의 연구가 1980년대와 1990년대에 처음 등장했을 때 강력하고 영향력이 있었으며 오늘날까지도 인기가 있다. 포터 교수의 모델은 완전한 폐쇄형 혁신모델로, 핵심 전략 자산을 파악하고 저비용이나 차별화 전략을 선택하거나 틈새(niche)를 찾아야 한다. 그리고 끊임없이 다른 사람과 경쟁할 방법을 찾는다. 기업 연구소를 관찰한 결과, 포터 교수의 모델을 따르는 경우가 분명히 많았지만 이 모델로 설명할

17. <오픈 이노베이션>의 1장에서는 제록스 팰로앨토 연구소의 사례를 살펴보고 제록스가 겪었던 문제의 근본원인에 대해 새로운 해석을 제시한다. 제록스는 복사기 및 프린터 비즈니스 모델에 맞는 PARC 기술은 잘 활용한다는 평가를 받았다. 하지만 기존 비즈니스 모델과 어울리지 않는 기술을 상업화하는 대체 비즈니스 모델을 구상하는 데는 실패했다. 이와 대조적으로 5장에서 나오는 IBM은 기업의 생존을 위협하는 위기에 대응하여 비즈니스 모델을 재구성했다.

18. 오픈 이노베이션이 보여주는 역설 하나는 1990년대 시스코가 루슨트 벨 연구소를 따라잡은 잡았다는 사실이다. 2003년 저서에서도 이것을 언급했다. "시스코와 루슨트는 복잡한 기술 산업계에서 직접적인 경쟁자였지만 똑같은 방식으로 혁신하지는 않았다. 루슨트는 차세대 제품과 서비스 생산을 가속화할 수 있는 중요한 발견을 하기 위해 새로운 재료, 최신 기술과 시스템을 연구하는 데 막대한 자원을 투입했다. 하지만 시스코는 사실상 이런 종류의 내부연구를 하지 않았다.시스코는 혁신 리더십을 얻는 전쟁에서 다른 무기를 찾아냈다. 시스코는 새로운 제품과 서비스를 상품화하고 있는 주변의 스타트업을 살펴보았다. 이들 스타트업 중에는 루슨트, AT&T, 노텔의 전문가들이 기존의 회사에서 연구하던 아이디어를 가지고 나와 창업한 회사도 있었다. 시스코는 이런 스타트업에 투자했고 때로는 단순히 파트너십을 맺을 때도 있었다. 그리고 나중에는 종종 이 회사들을 인수했다. 이런 방식으로 시스코는 자체적인 내부연구를 많이 하지 않고서도 우수한 R&D 결과물을 계속 얻을 수 있었다. (p. xviii)

수 없는 사례도 많았다. 이런 변칙 때문에 오픈 이노베이션 개념이 등장했다.

필자는 제록스 팰로앨토 연구소에서 많은 시간을 보냈다. 그곳에서 개발이 진행되다가 내부 자금 지원이 중단된 35개 프로젝트를 추적했다. 필자는 프로젝트의 자금 지원 중단 이후의 행보가 궁금했다. 제록스는 대부분 프로젝트를 수행하는 직원들에게 프로젝트를 들고 외부 시장으로 나가기를 적극적으로 장려했기 때문이다. 제록스는 왜 그랬을까? 일단 이들이 연구소를 떠나면 여기에 배정되었던 예산을 핵심 사업에서 전략적으로 중요하고 유망한 프로젝트에 재배치할 수 있었기 때문이다.

35개 프로젝트 중 대부분이 연구소 밖으로 나가서 결국 실패했다. 이것이 제록스가 기대한 것이었다. 제록스는 프로젝트를 계속 진행할 가치를 찾지 못했기 때문에 당연히 실현될 가치도 작다고 여겼다. 그러나 굉장히 흥미로운 변칙이 있었다. 외부에서 진행한 프로젝트 중 일부가 눈부시게 성공하고 상장기업이 되었다. 실제로 상장된 스핀오프 기업들의 시장 가치를 모두 더하면 제록스의 시장 가치보다 컸다. 제록스에 있는 누구도 이런 결과를 예상하지 못했다고 장담한다! 이것은 마이클 포터와 알프레드 챈들러 교수의 이론으로는 설명하기 어려운 결과였다.

그래서 이런 현상을 잘 이해하고 제록스 같은 대기업은 물론 중소기업, 스타트업에서도 효율적으로 혁신할 수 있는 방법을 고민하게 되었다. 더욱 개방적인 혁신 시스템은 어떨까? 제록스의 핵심 혁신 프로세스는 비즈니스 모델에 맞는 특정 기술 프로젝트를 상업화하는 데는 적격이었다. 그러나 제록스와는 맞지 않지만 외부에서 다른 비즈니스 모델을 발견하고, 독립된 회사로서 훨씬 매력을 가지는 프로젝트도 있었다.

필자는 기업의 현재 비즈니스 모델에서는 가치가 낮지만 다른 비즈니스 모델을 통해 상업화한다면 훨씬 높은 가치를 가질 프로젝트를 '부정 오류(false negatives)'라고 생각했다. 문제의 핵심은 혁신이 상당한 시장 불확실성과 기술 불확실성을 수반한다는 데 있다. 이런 조건에서 프로젝트를 평가하면 관리자가 최선을 다해 판단해도 때로 평가 오류를 범하게 된다. 평가 오류는 유망하다고 판단해 시장에 출시했지만 바로 실패해버리는 '긍정 오류(false positives)'일 수도 있고, 유망하지 않다고 판단해 혁신 프로세스 도중 중단하지만 조직 밖에서 프로세스를 계속 진행해 성공하는 '부정 오류'일 수도 있다. (부정 오류는 혁신 프로세스에 대한 이전 연구에서는 논의되지 않았다.)

오픈 이노베이션에서는 가능성 있는 기술과 기업 비즈니스 모델이 불일치한 결과로 부정 오류로 여긴다. 이런 불일치는 내부적으로 대안적인 비즈니스 모델을 탐색하는 프로세스를 거치거나 기술을 기업 외부로 스핀오프 해서 초기 벤처가 다른 비즈니스 모델을 찾을 수 있도록 하여 부정 오류에 빠진 프로젝트를 관리해야 한다는 것이다. 5장에서 이런 프로세스를 더 자세히 살펴볼 예정이다. 오픈 이노베이션 모델 중 외향형의 뿌리에는 이러한 부정 오류가 있다.

오픈 이노베이션은 지적 재산권의 처리에 대해서도 새롭게 이해한다. 지금까지 폐쇄형 모델에서는 기업이 내부 직원에게 디자인적인 자유를 제공하고자 지적 재산권을 축적했다. 주목적은 자유롭게 경영하고 비용이 많이 드는 소송을 피하기 위해서였다. 결과적으로 대부분의 특허는 특허 보유 기업들에게 사실상 가치가 없으며 대다수가 활용되지 않는다.[19] 오픈 이노베이션에서 지적 재산은 현재의 비즈니스 모델에 추가 수익을 제공하고 새로운 비즈니스와 비즈니스 모델로 진입하는 길을 가르쳐주는 새로운 자산군이다. 기업은 지적 재산의 적극적인 판매자(기업의 비즈니스 모델에 맞지 않을 때)이자 적극적인 구매자(외부 지적 재산이 기업의 비즈니스 모델에 부합할 때)가 되어야 한다.

지적 재산에 대한 이해가 갖는 가치를 가늠해보려면 여러분이 속한 조직의 **특허 활용률**이 얼마나 되는지 평가해봐라. 여러분이 속한 회사가 특허를 얼마나 가지고 있는가? 실제로 비즈니스에서 사용되는 특허가 얼마나 되는지 자문해봐라. 아무도 질문해본 적이 없으므로 답을 모르는 경우가 많다. 다만 유럽에서 승인된 특허의 약 3분의 2가 특허 갱신 수수료를 계속 지불할 의사가 없어 20년의 특허 만기가 도래하기 전에 소멸된다는 것이다.[20] 대기업이 자체 특허

19. 이 점에 대한 포괄적 증거는 찾기 힘들지만 일부는 기록이 있다. 렘리(Lemley) (2001: 11-12)는 다수의 특허가 사용되지도 않고 라이선스 아웃 되지도 않는다는 연구를 인용했고, 데이비스와 해리슨(Davis and Harrison) (2001)은 다우 기업이 보유한 특허의 절반 이상이 미사용 된다고 보고했다. 삭카브(Sakkab) (2002)는 P&G 보유 특허의 10% 이하만이 P&G에서 활용된다고 말했다.

20. Lubica Hikkerovaa, Niaz Kammoun, and Jean-SébastienLantz, 'Patent Life Cycle: New Evidence', Technological Forecasting and Social Change, 88, October 2014, pp. 313-24.

사용을 분석하는 데 어려움을 겪는 경우 특허 활용률은 10~30% 사이로 상당히 낮은 경우가 많다.[21] 이것은 기업이 보유한 특허의 70~90%가 사용되지 않는다는 의미이다. 대부분의 기업은 미사용 특허를 외부로 라이센싱을 주지도 않는다. 여러분 조직의 특허 활용률이 저조하다면 특허를 공개해 이익을 얻을 수 있다. (물론, 당신의 생각대로 하는 것이다!)

혁신 흡수에 중요한 비즈니스 모델

팰로앨토 연구소에 대한 분석과 지적 재산 논의에서 알 수 있듯이 비즈니스 모델은 혁신 프로세스에서 아주 중요한 역할을 한다. 비즈니스 모델과 혁신 프로세스에 대해 깊이 생각하다 보니 그 자체로 한 권의 책이 될 만했다. 이것이 2006년 두 번째 저서 <오픈 비즈니스 모델(Open Business Models)>을 출판한 동기였다. 두 번째 저서에서는 전작에서처럼 비즈니스 모델을 고정된 것으로 다루지 않고 비즈니스 모델 자체를 혁신할 수 있다는 사실이 갖는 의미를 살펴보았다. 적응성이 높은 비즈니스 모델을 만들면 기업은 혁신과 부정 오류에서 많은 가치를 얻을 수 있다.

예를 들어 제록스가 대안적인 비즈니스 모델을 기꺼이 실험했다면

21. These data are taken from H. Chesbrough, Open Business Models (Boston: Harvard Business School Press, 2006).

쓰리콤(3Com)이나 어도비(Adobe), VLSI 테크놀로지 등 여타 스핀오프 기업이 창출한 가치의 일부를 직접 가져갈 수 있었을 것이다. 게다가 실험은 일부 '다른 사람'의 자본으로 수행할 수도 있다. 가령 제록스가 주문자 생산 방식(OEM)으로 기술을 팔았다면, 제록스가 기술을 보유하며 산업 표준이 되었을 것이다. 그리고 외부 기업의 구매의사 여부가 실험 대상이 되었을 것이다. 또 다른 경우에는 라이선스 아웃(licensed out) 계약을 맺은 기술이 다른 기업에서 매우 다른 비즈니스 모델로 적용되기도 했다. 제록스는 다른 기업 모델을 선택적으로 모방해 보유 중인 다른 기술에 활용할 수도 있었지만 그렇게 하지 않았다.

<오픈 비즈니스 모델>에서는 상품형 비즈니스 모델(차별화되지 않은 상품 제공)에서부터 최상위 모델이자 가치가 높은 모델인 플랫폼 비즈니스 모델까지 비즈니스 모델의 성숙도 모델(maturity model)을 제시했다. 플랫폼 모델은 다수의 제3자를 유인해 기업의 아키텍처, 시스템, 플랫폼을 혁신하기 때문에 더욱 개방적이다. 그리고 종종 미사용 기술을 타자가 다른 비즈니스 모델에 적용할 수 있도록 한다. 이것은 연구 개발 투자를 더욱 지속가능하게 하고 경쟁우위를 부여하기도 한다.

예를 들어, P&G는 연계개발(Connect and Development) 프로그램을 통해 내향형 오픈 이노베이션을 채택한 것으로 유명하지만 한편으로 다른 사람들이 사용할 수 있도록 비즈니스 모델을 공개해 자사 기술을 라이선스 아웃 하기도 한다. P&G는 기술 라이선스의

시기, 방법, 조건에 대해 전략적이다. P&G의 제프 위드먼(Jeff Weedman)은 이렇게 말했다.

[경쟁 우위]는 원래 이런 개념이었습니다. 저는 가지고 있지만 당신은 가지고 있지 않습니다. 그러다가 저도 당신도 가지고 있지만 제가 더 저렴한 비용으로 가졌다는 개념이 생겼습니다. 그 다음에는 저도 당신도 가지고 있지만 제가 먼저 가졌다는 개념이 생겼습니다. 마침내는 저와 당신 모두 가지고 있지만 당신의 것은 제가 줬으니 저는 당신에게 그것을 팔 때도 돈을 벌고, 당신이 다른 사람에게 팔 때도 돈을 번다는 개념이 생겼습니다.[22]

오늘날 비즈니스 모델 혁신은 많은 저자들의 관심 분야로 성장하고 있다.[23] <오픈 비즈니스 모델>은 혁신 성과를 기존 비즈니스 모델과 조화롭게 연결한 최초의 저서 중 하나로, 비즈니스 모델 혁신 분야는 빠르게 발전하고 있다. 그러나 대부분의 조직에서는 R&D 활동을 비즈니스 모델 설계 및 개선 활동과는 완전히 별개의 것으로 취급한다. 이러한 사실이 이 분야의 발전을 방해해왔다.

좋은 소식은 기업가정신 분야의 선구적인 일부 사상가들이 부정

22.H. Chesbrough, Open Business Models (Harvard Business School Press, 2006), p. 201. 에서 인용했다.
23.다음을 참고해라. 마크 존슨(Mark Johnson), <Seizing the White Space: Business Model Innovation for Growth and Renewal> (Harvard Business School Press, 2010), 알렉스 오스터왈더(Alex Osterwalder), <비즈니스 모델의 탄생Business Model Generation> (Wiley, 2010), 비즈니스 모델에 대한 학술적 기사를 모은 특별호 <Long Range Planning>, 43 (2.3), 2010.

오류일 수도 있는 내부 R&D 프로젝트와 새로운 비즈니스 모델을 탐구하는 일련의 프로세스를 만들었다는 것이다. 이것이 에릭 리스(Eric Ries)가 시작하고 스티브 블랭크(Steve Blank)가 발전시켰으며 디자인적 관점에서는 알렉스 오스터왈더(Alex Osterwalder)의 비즈니스 모델 캔버스를 도해화한 린 스타트업 운동(Lean Startup movement)이다. 이들 덕분에 우리는 가능성 있는 새 비즈니스 모델을 설계하고 시험하는 방법을 알게 됐다. 다만 오픈 이노베이션이 특히 대기업 내부의 비즈니스 모델 혁신 연구를 진전시키는 데 매우 효과적이라는 것은 잘 알려지지 않았다. 이 주제는 5장에서 다룰 것이다.

서비스업으로 이동한 오픈 이노베이션

오픈 이노베이션에 대한 연구는 최근 서비스업에서 혁신이 발생하는 방법에 대한 고찰이 일어나며 새롭게 전개되고 있다. 대부분의 OECD 상위 40개 국가에서는 국내총생산(GDP)의 절반 이상이 서비스업에서 나온다. 그리고 많은 기업이 서비스업으로 전환하고 있다. 제록스는 현재 매출의 25% 이상을 서비스업으로 얻고 있다. GE, 허니웰(Honeywell)과 함께 IBM도 이런 사례를 전형적으로 보여준다.

비즈니스 모델이 제조업보다 서비스업에 가깝게 전환되기도 한다.

가령, GE는 기체 제조업체에 수천만 달러를 받고 항공엔진을 팔 수 있다. 하지만 일명 '파워 바이 디 아워(power by the hour)' 프로그램을 통해 엔진을 기체 제조업체에 임대해줄 수도 있다. 첫 번째 경우는 상품 거래이고, 두 번째 경우는 서비스 거래이다. 두 번째 경우 GE의 숨은 이익은 엔진의 작동 수명인 30년 동안 발생하는 모든 애프터마켓[기계 등 내구 소비재 구입 후의 유지 및 수리의 수요 - 옮긴이] 판매 및 서비스, 예비 부품 사업 등이다. '파워 바이 디 아워' 프로그램으로 이 모든 사업과 수익이 GE에게 돌아온다.

일반적으로 혁신은 서비스업에서 표준화와 맞춤화 사이의 긴장관계를 조율해야 한다. 표준화는 경영 활동을 효율적으로 반복할 수 있도록 하며 고정비용을 다수의 거래나 고객에게 분산한다. 맞춤화는 개인의 만족도를 높이며 고객별로 원하는 것을 얻도록 한다. 문제는 표준화를 선택하면 고객이 원하는 바를 많이 인정하지 않고, 맞춤화를 선택하면 표준화로 얻을 수 있는 효율성이 약화된다는 것이다.

서비스 플랫폼을 구축하면 이러한 이분법적 상황을 해결할 수 있다. 플랫폼은 사용자가 기업의 제품(플랫폼)을 기반으로 활동하도록 유도한다. 그 결과 플랫폼에 다양한 사용자를 참여하도록 하여 맞춤화하고 플랫폼을 표준화해 그에 따른 경제를 실현한다. 오픈 이노베이션의 기본 전제가 '똑똑한 사람들이 전부 나를 위해서 일하는 것은 아니다' 임을 기억해라. 이 말이 사실이라면 또 다른 기술의 빌딩 블록을 찾아내는 것보다 기존의 빌딩 블록을 유용한 방식으로 연결해서 다른 사람들보다 먼저 실질적인 문제를 해결하는 아키텍처를 찾아내는 것이 더 큰 가치가 있을 것이다. 따라서 목적에 따라 결합할 수 있는 잠재적 빌딩 블록들이 넘쳐나는 세계에서는 여러 부분을 유용한 방식으로 결합하는 시스템 통합 기술 시스템 아키텍처(system architecture)가 훨씬 중요해졌다.

필자에게 플랫폼 리더십이란 시스템 통합의 비즈니스 모델적 측면이다.[24] 플랫폼에 사용자를 끌어 모으려면 고객, 개발자, 그 밖의 사람들에게 플랫폼에 참여하도록 영감과 동기를 부여하는 비즈니스 모델을 구축해야 한다. 기업에도 적합하면서 플랫폼 참여자가 수익을 얻고 각자에게 맞는 비즈니스 모델을 만들 수 있는 방식으로 모델을 설계해야 한다. 성공한다면 플랫폼 참여자의 행위가 기업의 비즈니스 가치를 높일 것이며, 참여자의 자본으로 기업의 비즈니스는 더 가치 있어질 것이다. 2011년 출판한 <오픈 서비스 이노베이션(Open Services Innovation)>에서 이러한 견해를 자세히 다루고 있다.[25]

요약하자면, 오픈 이노베이션은 혁신의 결과를 향상하는 효과적인 접근방법이다. 오픈 이노베이션은 혁신에 접근하는 전통적인 방식과 비교했을 때 쉽게 이해할 수 있다. (상자 2.2 참고)

24. 플랫폼에서 리더십을 형성하고 유지하기 위해 필요한 요소를 심도 있게 분석한 아나벨 가워(Annabelle Gawer)와 마이클 쿠수마노(Michael Cusumano)의 저서 <Platform Leadership> (2002)를 참고해라. 제프리 파커(Geoffrey Parker)와 마셜 밴앨스타인(Marshall VanAlstyne)의 <Platform Revolution: How Networked Markets Are Transforming the Economy and How to Make Them Work for You> (2016)는 오늘날과 같은 디지털 시대에 맞게 플랫폼 리더십에 대한 이슈를 업데이트 하고 있다.

25. H. Chesbrough, Open Services Innovation: Rethinking Your Business to Grow and Compete in a New Era (Jossey Bass, 2011).

상자 2.2

이전의 혁신 이론과 비교한 오픈 이노베이션의 8가지 이해[26]

1. 내부 지식과 마찬가지로 외부 지식을 중시해야 한다.
2. 비즈니스 모델은 기술을 상업적 가치로 전환하는데 매우 중요하다.
3. 1유형(긍정 오류)과 2유형(부정 오류)의 판단 오류는 R&D 프로젝트를 평가할 때 필연적으로 발생하며, 혁신 프로세스는 이러한 오류에 반응해야 한다.
4. 지식의 흐름은 다루기 어렵지 않으며 목적을 가지고 관리할 수 있다.
5. 기본적으로 기업의 지식 지형에는 유용한 지식이 풍부하다.
6. 지적 재산을 관리하는 것은 중요하다. 지적 재산은 R&D 직원이 사전적으로 관리해야 한다(변호사에게 맡겨두기에는 굉장히 중요하다).
7. 이노센티브(Innocentive), 나인시그마(NineSigma) 등 혁신 중개자와 킥스타터(Kickstarter), 인디고고(Indiegogo) 등 크라우드소싱 제공자의 등장으로도 알 수 있듯이 연구와 개발 사이의 혁신 시장이 생겨나고 있다.
8. 혁신 역량과 성과를 평가하기 위해서는 새로운 지표가 필요하다.

26.출처: Henry Chesbrough, chapter 1, in Chesbrough, Vanhaverbeke, and West,Open Innovation: Researching a New Paradigm (Oxford University Press, 2006).

오픈 이노베이션의 문제는 무엇인가?
언제 실패하는가?

지금까지는 오픈 이노베이션이 멋지게만 생각될지도 모르겠다. 그런데 오픈 이노베이션이 좋기만 하다면 왜 모두 도입하지 않는 것일까? 그리고 어째서 오픈 이노베이션은 1장에서 살펴봤던 혁신적인 가능성과 경제 현실 간의 괴리를 아직도 해결하지 못한 것일까? 2013년과 2015년에 실시한 두 번의 대규모 표본조사에서 대기업의 약 80%가 오픈 이노베이션을 일부라도 활용하고 있는 것으로 나타났다.[27] 하지만 같은 조사에서 대상 기업들은 오픈 이노베이션을 관리하는 방법에 대해서는 만족하지 못하고 있었다. 이미 살펴본 것처럼 오픈 이노베이션은 제각각 다른 정의를 갖고 있다.

오픈 이노베이션의 활용 문제를 생각해볼 때다. 학자들은 여전히 오픈 이노베이션의 성공 사례를 발표하거나 오픈 이노베이션의 혁신 이익을 보여주는 대규모 통계 분석을 수행하고 있다.[28] 몇몇 학자들은 솔루션 제출 요청을 잘 구성할 수 있는 방법과 제출 응답자가 보상을 위해 협력할 것인지 경쟁할 것인지 여부를 탐구하는 등 크라우드소싱 연구를 훌륭히 수행했다.[29] 하지만 학자들은 눈에 띄는

27. 이 조사에 대한 상세 내용은 Chesbrough and Brunswicker (2013), Brunswicker and Chesbrough (2015)를 참조하라. 우리 조사의 표본은 미국이나 유럽에 본사를 둔 연 매출 2억 5천만 달러 이상의 기업으로 제한되었다. 따라서 이 조사는 중소기업이나 다른 국가의 오픈 이노베이션 실태에 대해서는 알려주지 않는다.

28. Laursen and Salter(2006), Du. Leten and Vanhaverbeke(2014)는 대규모 표본 분석을 통해 기업에서의 오픈 이노베이션 활용이 통계적으로 유의미한 이익이 있음을 보여준다.

29. 문제의 해결책을 제안하는 혁신 커뮤니티에서 경쟁 vs. 협업 중 무엇이 더 이익이 있는지에 대한 논의는 K. Boudreau and K. Lakhani, 'How to manage outside innovation', Sloan Management Review, 2009를 참고해라.

소수의 예외[30] 를 제외하고는 오픈 이노베이션이 실패하는 진짜 문제들은 무시했다.

그동안 오픈 이노베이션을 이용한 성공 사례를 자랑하는 경우가 많았다. 그들이 마주했던 장애와 실패한 프로젝트, 놓쳐버린 프로젝트는 모두 비밀에 부쳤다. 현재도 많은 컨설팅업체가 관심 고객들에게 오픈 이노베이션 서비스를 제공한다. 이들도 긍정적인 결과는 금방 자랑하지만 기대처럼 진행되지 않은 결과들은 신중하게 묻어버린다. 컨설턴트는 고객이(그리고 컨설팅 과정에서 컨설턴트 스스로) 당황하는 것을 원치 않으므로 그리 놀라운 일이 아니다. 그러나 이럴 경우 오픈 이노베이션을 실행하면서 발생한 부정적인 경험에서 배울 기회를 놓치게 되고 오픈 이노베이션의 위험성과 문제점, 진정한 특징을 간과하게 된다.

단순히 오픈 이노베이션의 성공을 축하하는 것 이상으로 나아가려면 먼저 충족해야 하는 기본조건을 생각해 보아야 한다. 오픈 이노베이션의 뿌리는 지식을 유입·유출하고, 보급하고, 흡수시키는 것이다. 이것은 1장에서 봤던 그림 1.5를 떠오르게 한다. 이제는 이것을 개별 조직의 맥락에서 살펴본다(그림 2.3).

30.Hila Lifshitz-Assaf 's excellent article on OI at NASA: 'Dismantling knowledge boundaries at NASA: The critical role of professional identity in Open Innovation' , Administrative Science Quarterly 63.4 (2018): 746-82.

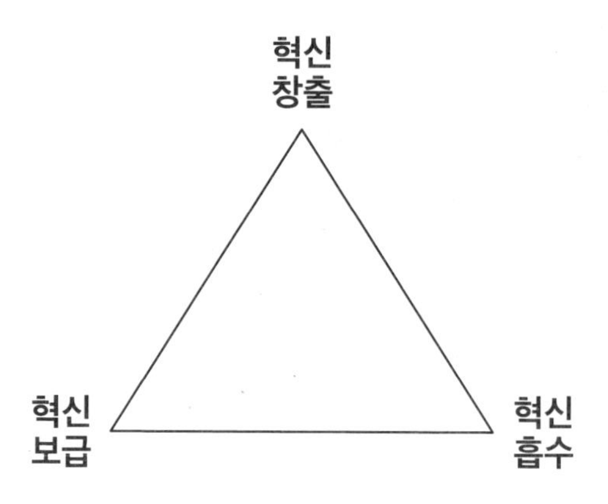

그림 2.3 - 혁신의 3가지 측면

1장에서 본 것처럼 단순히 유용한 지식을 발견하는 것만으로는 충분하지 않다. 조직에서는 유용한 지식을 적절한 사람과 장소에 보급해야 한다. 그리고 조직 내의 다른 사람들은 유용한 지식을 배우고, 이해하고, 수정하거나 확장해서 사업에 적용해야 한다. 오늘날처럼 인터넷에 늘 접속해 있고 초연결된 세계에서도 지식을 옮기는 가장 좋은 방법은 가까이에서 지식을 공유하고 전달할 수 있도록 충분히 상호작용하는 것이다. 따라서 오픈 이노베이션을 효율적으로 실행하기 위한 중요한 조건은 직원들의 높은 교육 및 기술 수준과 이와 더불어 유용한 지식이 사회 전반에 광범위하게 확산되도록 상당한 수준의 조직 간 노동 이동성이 확보되는 것이다.

일부 환경에서는 이를 달성하기가 쉽지 않다. 예를 들어, 일본의 노동시장은 이원적(two-tier)이다. 일본에서는 일단 대학을 졸업하고 입사하면 경력의 대부분을 한 곳에서 보내는 1차 계층과 회사를 옮겨 다니는 임시적인 2차 계층이 있다. 일반적으로 2차 계층이 더 낮은 지위에 있다. 1차 계층의 일본 내 노동이동성은 최근까지도 현저히 낮다. 이런 특성은 오픈 이노베이션을 심각하게 약화시킨다. 외부 아이디어를 가져와도 새로운 아이디어를 수용하는 사람들이 수년간 똑같은 사람들이기 때문이다. 아이디어는 유입되지만 아이디어를 가진 사람들은 유입되지 않아 새로운 아이디어를 기업 상황에 맞추는 수정 및 조정을 하지 못한다.

4장에서 살펴보겠지만 기업 내부의 사일로(silo) 문화도 오픈 이노베이션을 종종 좌절시킨다. 방어형 관리자가 유용한 내부 지식을 특정한 기능에 가두거나 모아놓기 때문이다. 사일로를 깨려면 유망한 혁신 프로젝트가 혁신 그룹에서 사업 부문으로 이동할 수 있도록 직원들이 혁신 그룹과 사업 부문을 넘나들며 순환 보직해야 한다. 이런 과정에서 새로운 아이디어를 사업 부문에 통합해 시장에 출시하려면 종종 최초의 아이디어를 수정하고 조정해야 한다. 또한 외향형 오픈 이노베이션이 성공하기 위해서는 아이디어가 시작된 부서 밖으로 효과적으로 프로젝트를 이식하기 위해 한 명 이상의 사람들이 장기간 프로젝트와 함께 움직여야 할 때가 많다.

새로운 지식을 보급하고 흡수시키기 위해 필요한 또 다른 요건은 내부 R&D의 존재다. 일부에서는 오픈 이노베이션이 R&D 아웃소싱의 근거라고 생각한다. 그러나 이런 주장은 혁신의 본질을 잘못 이해한 것이다. 기업이 지식을 제대로 이용할 수 있게 효과적으로 이전하려면 지식을 적용하고자 하는 이들에게 일정 정도의 창조적 마찰(creative abrasion)과 체류시간(dwell time)이 주어져야 한다.[31] 오픈 이노베이션은 직원들이 조직 간 지식을 나누는 이들과 나란히 협력할 때 가장 효과적이다.[32] 이들은 외부에서 영입한 사람은 아니지만 조직에서 매우 재능 있는 사람들로 출처가 다양한 지식을 연결하고 지식을 한데 섞을 방법을 찾는 경계 연결(boundary-spanning) 역할을 수행한다. 이들은 특정 부서로 지식을 한정하고 부서 밖의 사람은 접근하지 못하도록 하는 조직 내 사일로를 극복하는데 특히 유용하다. 'T자형 관리자'라고도 부르며,[33] 흡수 프로세스의 일부분이다.

NIH 신드롬(Not Invented Here syndrome)은 오픈 이노베이션의 효율성을 손상할 수 있는 R&D 분야의 유명한 현상이다. 기술 분야에서 유수한 역사를 가진 조직에는 종종 자체적으로 발명하지 않은 것은 중요하지 않다거나 그다지 좋지 않은 것이라고 믿는 R&D 직원들이 있다. 이런 자만심은 훌륭한 기술성과를 내왔던 조직에서 일반적으로 나타난다. 비기술직은 자체적으로 내부 R&D 역량을 제대로 평가하지 못한다. 오픈 이노베이션은 혁신 프로세스의 중요

31. 이쿠지로 노나카(Ikujiro Nonaka)와 히로 다케우치(Hiro Takeuchi) (1995)는 팀원들이 서로 폭넓게 교류하면서 지식을 관리하는 것의 중요성에 대해 밝혔다. 이것은 경험적, 혹은 암묵적인 지식을 위해 특히 필요하다.

32. 에이미 에드먼슨(Amy Edmondson)과 장-프랑소아 하비(Jean-Francois Harvey)의 2017년 저서 <익스트림 티밍(Extreme Teaming)>은 오픈 이노베이션 프로그램에서 팀의 역할이 얼마나 중요한지에 대해 분석한다. 그들은 심지어 필자에게 이 책의 서문을 써달라고 부탁했다!

33. 모튼 한센(Morten Hansen) (2001)은 T자형 관리자의 중요성에 대해 밝히고 있다. T의 기둥 부분은 지식 영역에 대한 깊은 전문지식을 의미한다. 머리 부분은 다른 지식 영역의 전문가들과 교류하고 영역들 사이의 연결성을 찾는 관리자의 능력을 의미한다.

단계에서 내부 R&D 직원의 손에 맡겨진다. 따라서 NIH 문화가 강한 조직에서는 오픈 이노베이션 프로세스를 뒤엎으려는 시도가 잦을 것이다.

최근 한 논문은 NIH가 오픈 이노베이션에 미치는 영향을 명확하게 기술했다. 힐라 리프시츠 아세프(Hila Lifshitz Assaf) 박사는 카림 라카니(Karim Lakhani) 교수의 지도를 받아 하버드 경영대학원에서 박사학위를 받았다. 그녀는 나사의 오픈 이노베이션 도입 사례를 조사하며, 새로운 아이디어 창출을 위한 크라우드소싱 활용에 특히 연구의 초점을 맞췄다.[34] 크라우드소싱에서 모집한 아이디어 중 하나가 나사의 태양 플레어를 예측하는 능력을 현저히 높이기도 했다.

리프시츠 아세프 박사의 연구는 여기서 더 나아갔다. 그녀는 우수한 외부 유입 아이디어가 나사 존슨 우주 관제센터의 엔지니어링 부서에 끼친 영향을 살펴보았다. 내부 엔지니어들은 외부에서 얻은 결과를 난감해했다. 그들은 오픈 이노베이션이 내놓은 결과물이 정체성, 조직 내 역할에 대한 이해를 위협한다고 느꼈다. 오픈 이노베이션을 도입하면 많은 R&D 집약적 조직이 비슷한 반응을 보일 것이다.

오픈 이노베이션의 또 다른 문제는 외부에서 획득한 지식이 기업의 후속 혁신 프로세스를 통과하는지 여부와 그 방법과 관련되어 있다. 크라우드소싱 챌린지를 주최하고 우승 아이디어에 수상하는 것은 주최기관의 입장에서는 혁신을 향한 여정의

34. Lifschitz-Assaf, 'Dismantling knowledge boundaries at NASA', 2018.

첫걸음을 뗀 것일 뿐이다. 아무리 좋은 아이디어라도 주최기관 특유의 상황에 맞게 조정 및 수정하고 맞춤화해야 한다. 이러한 일은 종종 조직 내부의 기술직원이 수행한다. 동시에 외부 공급 아이디어는 다른 아이디어 및 프로젝트와 관심과 우선순위에서 경쟁해야 한다. 보통 내부 조달된 아이디어 및 프로젝트는 조직 내에 이를 설명하고 정당화하며 홍보하는 옹호자가 있다. 옹호자의 지지는 혁신 프로젝트라면 반드시 통과해야 하는 장애들을 넘어 프로젝트를 진전시키는데 아주 중요하다. 이와 대조적으로 외부 유입 아이디어 및 프로젝트는 내부 옹호자가 없는 경우가 많다. 상이나 상금을 받았어도 이후 혁신 프로세스의 장애를 통과하는데 도움이 되는 지속적인 내부 지지를 보장하지는 않는다.

외향형 오픈 이노베이션 프로젝트는 이와는 다른 문제가 있다. 많은 기업이 보유하고 있는 특허 및 기타 노하우 자산을 충분히 활용하지 못한다는 것이다. 기업 외부에서 기회를 잡을 수 있다면 선반에 쌓인 내부 프로젝트들은 새로운 시장에서 새로운 활로를 찾을 수 있을 것이다. 그러나 실질적인 장벽이 있다. 기회를 모색하다가 기업의 시간과 자원을 낭비할까봐 걱정해서는 아니다. 실질적인 장벽은 버려진 프로젝트가 새로운 시장을 찾을지도 모른다는 두려움이다. 이전에 기술을 보류했던 기업의 내부에서는 성공을 축하할 만큼 유쾌하지 않다. 프로젝트가 선반에 있는 한 아무도 당황할 위험이 없다. 그러나 프로젝트가 조직 외부로 나가면 어리석어 보일 가능성이 생긴다. 이러한 행동적 반응을 '어리석어 보이는 공포(Fear of Looking Foolish) 또는 FOLF(고립공포감(Fear of Missing Out) 또는 FOMO를 따라한 것)'라고 칭할 수 있다.

에릭 첸(Eric Chen)과 필자는 제약업계에서 나타나는 FOLF의 실태를 살펴보고 버려진 컴파운드(compound,[완제의약품의 핵심원료물질 - 옮긴이])를 회생시키는 아이디어를 연구했다.[35] 모든 제약회사는 환자들의 의학적 니즈를 해결하는 것이 중요한 사명이라고 주장하지만, 조직의 사일로 문화는 다른 그룹이 상업화하도록 버려진 컴파운드를 기업 외부로 유출하는 과정을 엄격히 제한한다. 7,000명의 연구원이 수만 가지 컴파운드를 연구하는 한 제약회사는 보유 중인 특허 컴파운드의 라이선스 아웃 업무를 단 두 사람이 담당하는 경우도 있었다. 라이선스 아웃은 수년에 하나 혹은 수년 동안 한 건도 나오지 않을 수 있다. 우리가 인터뷰한 기업들은 라이선스 아웃을 어렵게 하는 주요한 걸림돌이 FOLF라는 사실을 솔직하게 인정했다.

오픈 이노베이션에서 발생하는 조금 더 미묘한 문제도 있다. 기업이 대중이나 혁신 커뮤니티에 솔루션을 제대로 요청한다면 수많은 아이디어가 모인다. 이러한 아이디어를 전부 검토하는 데는 시간이 오래 걸리고, 제출 아이디어는 대부분 수준이 떨어지는 경우가 많다. 더 심각한 문제는 어마어마한 양의 아이디어가 기업의 혁신 프로세스에 유입되더라도 기업이 아이디어를 처리하는 지원부서(엔지니어링 부서뿐만 아니라 IT, 구매조달, 재무, 법률 부서 등)의 역량을

35. Chesbrough and Chen, 2013.

확대하는데 투자하지 않으면 새로 유입된 방대한 양의 아이디어는 혁신을 자극하는 것이 아니라 오히려 병목현상과 혼잡함을 일으켜 전체적인 혁신 프로세스를 느리게 만들 수도 있다는 점이다. 이런 모습은 혁신 프로세스가 느린 기업에서 많이 보이는데 지원부서에 과부하를 건다.

해결하기 쉬운 문제는 아니다. 4장에서 더 자세히 살펴보겠다.

오늘날의 오픈 이노베이션 :
네트워크, 생태계, 플랫폼

오픈 이노베이션은 중점 회사(focal firm)의 내부 혁신 프로세스를 개방하기 위해 두 조직 간 협력을 살펴보는 일련의 사례 연구에서 시작됐다. 하지만 요즘에는 혁신 프로세스에서 다양한 역할을 하는 참여자들을 조직하기 위해 오픈 이노베이션 개념을 사용하는 경우가 많다. 간단히 말해 오픈 이노베이션을 널리 활용할 미래에서 혁신 커뮤니티(innovation community)를 디자인하고 관리하는 일은 점점 더 중요해질 것이다. 이것은 기업뿐만 아니라 사회에서도 마찬가지이다.

전문가들은 우버, 에어비앤비, 아마존 등이 다양한 제품과 서비스를 원하는 소비자와 공급자들을 연결하는 플랫폼을 구축하고 확장함으로써 사업을 성공적으로 발전시킨 것에 주목해왔다. 상대적으로 단순한 형태의 이러한 플랫폼은 거래되는 자산을 플랫폼 소유자가 가질 필요가 없다.

오픈 이노베이션은 이러한 단순한 사례에서 더 나아간다. 실제로 오픈 이노베이션은 다양한 기업과 소비자 간 거래(B2C), 기업 간 거래(B2B)의 사업범위와 초점을 주변 생태계로 확장해 사업에 변화를 일으키고 있다. 주변 생태계에 세심한 관심을 기울이면 기업은 새로운 성장의 원천을 열 수 있다. 론 애드너(Ron Adner)는 오픈 이노베이션의 맥락은 아니지만 저서에서 이 점을 다루고 있다.[36] 필자는 혁신활동의 넓은 스펙트럼에서 커뮤니티 수준이 다른 두 가지 오픈 이노베이션 사례를 설명해보겠다.

첫 번째 사례는 대만의 파운드리 업체 TSMC(Taiwan Semiconductor Manufacturing Corporation)이다. TSMC는 칩을 설계하는 고객에게 반도체를 자사의 생산 설비(파운드리)에서 제조해주는 서비스를 제공한다. TSMC는 고객에게 설계도를 받아 실리콘 웨이퍼에 회로를 그려주고, 고객은 이것을 다시 받아 개별 칩으로 포장해 판매한다. TSMC 이용 고객은 칩을 제조하기 위해 값비싼 생산설비에 투자하지 않아도 된다. 대신 반도체 제조공정을 TSMC와 같은 파운드리 업체에 위탁한다.

반도체 칩 설계는 레퍼런스 디자인(reference design,[제조사에서 제시하는 주기판과 부품의 표준설계 - 옮긴이])과 프로세스 레시피(process recipe) 등

36. 혁신을 촉진하거나 억제하는 데 있어 생태계 내 보완자의 역할에 대한 통찰력 있는 논의는 론 애드너(Ron Adner), <혁신은 천 개의 가닥으로 이어져 있다(The Wide Lens)>(2012)를 참고하라.

다양한 설계 도구를 이용해야 하는 복잡한 공정이다. TSMC의 비즈니스 생태계가 성장하면서 설계도구를 만드는 3자 회사(third-party company)들은 자사 제품이 TSMC 공정에 적합하다는 사실을 고객에게 보장하고자 노력했다. 3자 회사들로 TSMC의 생태계가 확장되자, TSMC 고객들은 많은 설계 옵션 등 분명한 이익을 얻게 되었다. 그러나 한편으로는 새로운 설계도구가 증가하면서 고객의 복잡성이 늘어났고, 이로 인해 제대로 새로운 칩을 생산하려면 재설계하거나 비용을 많이 들여 수정해야 하는 명백한 위험을 초래했다.

TSMC는 오픈 이노베이션 플랫폼(Open Innovation Platform(필자가 말하는 오픈 이노베이션이 아니라 TSMC의 플랫폼 명))을 도입해 이러한 위험을 해소했다.[37] 오픈 이노베이션 플랫폼은 TSMC의 다양한 설계 및 제조 서비스와 3자 회사가 제공하는 도구를 조합해 **모든 조합을 테스트**하는 것으로 시작한다. 그런 다음 고객들에게 해당 설계도구의 공정 적합성을 확인하도록 해준다. TSMC의 오픈 이노베이션 플랫폼은 고객이 처음 설계한 반도체를 제작할 수 있도록 돕는다. 고객은 대량생산을 위해 칩을 재설계하는 값비싼 '수정(turns)' 과정을 거치지 않아도 된다. 그 결과 TSMC의 고객들은 낮은 설계 비용으로 빠른 시장 진출이 가능하게 되었다. TSMC는 오픈 이노베이션을 이용해 내·외부 설계소스의 복잡한 생태계를 관리하며 고객들이 칩을

37. https://www.tsmc.com/english/dedicatedFoundry/oip/index.htm (최종접속일 2019년 3월 21일).

설계할 때 인증 자원을 충실히 사용하기면 하면 완성도 있는 칩을 받을 수 있다고 보증한다.

두 번째 사례는 최근 GE의 에코매지네이션 챌린지(ecomagination challenge)이다.[38] GE는 연 매출 약 400억 달러의 대규모 에너지사업을 영위하고 있지만 녹색에너지와 재생에너지 기술 분야의 벤처캐피털과 스타트업에 주목했다. 자체 사업의 한계를 인식한 GE는 녹색에너지 또는 재생에너지 분야에서 유망한 벤처로 성장할 가능성이 있는 외부 프로젝트 아이디어를 활용하는 프로세스를 구축하고자 했다.

GE는 이것을 개방적인 방식으로 해냈다. 모든 사업을 직접 수행하는 대신 이 분야에 이미 투자 경험이 있는 4개 벤처캐피털을 섭외했다. 그리고 이들과 함께 총 2억 달러를 스타트업 벤처에 투자하겠다고 밝혔다. 이렇게 에코매지네이션 챌린지가 탄생했다. 2010년 7월, 전 세계를 대상으로 시작된 에코매지네이션 챌린지는 스타트업 투자를 받을 가능성 있는 프로젝트 아이디어를 모으기 시작했다.

이 과정에서 3,800건이 넘는 제안이 도착했다(주최 측은 400건 정도를 기대했다). 이 글을 쓰는 현재, 23개 벤처가 자금을 지원받았고 그 밖의 5개 프로젝트가 '선택받은 최고의 프로젝트(People's Choice award)'를 비롯한 상을 받았다. 벤처 기업들은 상당히 젊지만 벤처캐피털

38.Henry Chesbrough, 'GE's ecomagination challenge: An experiment in Open Innovation.' CaliforniaMmanagement Review 54.3 (2012): 140-54.

과 GE는 이 경험에 매우 열광적이다. GE는 이 모델을 헬스케어 분야(2011년 시작한 헬시매지네이션 챌린지(Healthymagination challenge))와 중국에도 도입했다.

혁신 프로세스를 커뮤니티에 개방하기 위해 반드시 대기업일 필요는 없다. 플로리다의 작은 회사인 오션옵틱스(Ocean Optics)는 훨씬 작은 규모로 커뮤니티 혁신 챌린지를 시작했다.[39]

바로 이것이 오픈 이노베이션의 미래이다. 광범위하고, 협력적이며, 다양한 참가자들이 참여할 것이다. 사람이 섬처럼 혼자서는 살 수 없듯이 스스로를 가두는 기업은 포터와 챈들러 교수의 처방대로 오픈 이노베이션의 세계에서 성공할 수 없다. 기업은 비즈니스를 발전시키기 위해 주변에 풍부하게 존재하는 유용한 지식을 경쟁자보다 먼저 받아들이고 그 지식을 식별, 이용, 배치할 수 있는 방법을 찾아야 한다.

오픈 이노베이션은 이를 받아들인 기업과 지지하는 사회에 수많은 기회를 제공한다. 다만 오픈 이노베이션을 최대한 활용하기 위해서는 효율적인 오픈 이노베이션 실행을 지원하기도 하고 억제하기도 하는 경계 조건(boundary conditions)에 세심한 주의를 기울여야 한다. 앞 장에서 본 것처럼 기업은 단순히 새로운 기술을 창출하는 것 이상을 해야 한다. 대부분의 대기업에 만연한 사일로 문화를 넘어 기술을 널리 보급하고 어리석어 보일지도 모른다는

39. The initial Blue Ocean proposals and recipients are described at http://blueoceangrants.com/ (최종접속일 2019년 3월 21일)

두려움(FOLF)을 극복해야 한다. 기술을 흡수하고 확장하기 위해 그것을 사업부서와 비즈니스 모델에 심어야 한다. 다음 장에서는 기초과학 연구에서 기술을 획득하는 과정을 살펴볼 것이다. 오픈 이노베이션 성과를 바로 보고 싶은 독자는 4장으로 건너뛰어라. 4장에서 이 문제에 대해서 보다 심도 있게 살펴볼 예정이다. 8장에서는 오픈 이노베이션의 모범사례를 소개하며 주목할 만한 실패사례도 함께 다룬다.

전 세계 기업의 혁신 역량은 더 이상 기업의 경계에 멈춰 있지 않을 것이다. 기업의 오픈 이노베이션 활동은 공급자, 고객, 파트너, 3자 회사, 일반 커뮤니티 전체로 확장될 것이다. 이것이 오픈 이노베이션 프로세스에서 비즈니스 성과를 얻는 비밀이다. 한 R&D 관리자는 이렇게 말했다.

"예전에는 실험실이 우리의 세계였지만 이제는 오픈 이노베이션으로 세계가 우리의 실험실이 되었다."

2장의 주요 내용이다.

1. 대부분의 기업들이 DIY(Do-It-All-Yourself) 모델이나 폐쇄형 혁신 모델을 이용했다. 그러나 오늘날 많은 기업에서 혁신은 더 개방적이다.
2. 오픈 이노베이션은 조직의 경계를 넘는 지식의 유입과 유출을 활용해 새로운 기회를 발견하고 시간과 비용을 절약하며 혁신의 위험을 나누어 부담한다.
3. 기업 내에서 기술을 창출, 보급, 흡수하려면 기술 개발 외에도 비즈니스 모델을 적절히 설계하고 배치해야 한다. 1장에서 보았던 사회 전체의 혁신 인프라와 유사하다.
4. 오픈 이노베이션은 제조업 외에 서비스업에도 영향을 미친다. 서비스 플랫폼은 고객 맞춤화와 표준화 사이의 긴장을 해결한다.
5. NIH 사고방식, 내부 R&D 역량 부족, 내부 지지자 부족, 어리석어 보이는 것에 대한 두려움(FOLF), 시의적절한 대응을 할 수 없도록 만드는 지원부서의 혼잡함이 오픈 이노베이션을 방해할 수 있다.
6. 오픈 이노베이션은 개별 조직 간의 단일한 협력에서 시작해 이제는 주로 플랫폼을 통해 협력이 이루어지는 조직 네트워크와 생태계로 옮겨가고 있다.

3장

오픈 사이언스에서 오픈 이노베이션으로

《《◇》》

3장

오픈 사이언스에서 오픈 이노베이션으로

1장과 2장에서는 생산성을 회복하려면 지식 인프라에 대한 투자가 매우 중요하며, 이용할 수 있는 지식에서 최대한의 가치를 얻기 위해서는 혁신 프로세스를 개방해야 한다고 이야기했다. 우리는 지식을 창출하고, 널리 보급해야 하며, 지식을 흡수할 수 있도록 준비시켜야 한다. 3장에서는 창출, 보급, 흡수라는 지식 인프라의 세 가지 측면을 깊이 있게 살펴보고 혁신과 생산성을 더욱 촉진하는 방법을 알아볼 것이다. 기업의 구체적인 오픈 이노베이션 실천 사례는 4장에서 다룰 것이므로 과학적 지식 창출에 관심이 없는 독자는 바로 4장으로 넘어가도 좋다.

오픈 사이언스 프로세스는 유용한 지식을 창출하고 보급하기 위한 효과적인 방법이다. 오픈 사이언스는 지식의 발견을 널리 공유해 사회 전체에 새 지식을 전파하기까지의 지체 시간(lag time)을 줄여준다. 공유의 폭과 속도는 새로운 지식을 발견하는데 더욱 폭넓은 참여를 유도한다. 결국 지식의 깊이와 질을 향상시키며 확산을 돕는다(그리고 또 다른 발견과 확산의 순환을 이끈다).

다만 가치가 크더라도 폭넓은 참여는 추후 효과적으로 과학 지식을 상업화하는 것까지는 보장하지 않는다. 실제로 오픈 사이언스의 규범은 지식의 흡수나 상업화를 지연시키는 문제를 만들기도 한다.

2장에서 논의했던 것처럼 때로 오픈 이노베이션은 오픈 소스 소프트웨어와 혼동되는 개념이다. 실제로 관련성이 있지만 두 개념 사이에는 핵심적인 차이가 있다. 3장에서는 이러한 차이점이 오픈 사이언스의 결실을 더 빠르게 변형하고 개발하는데 어떻게 도움이 되는지 보여줄 것이다. 오픈 사이언스처럼 오픈 이노베이션은 혁신 프로세스에 대한 광범위하고 효율적인 참여를 가정한다. 그러나 오픈 이노베이션을 활용하더라도 새로운 지식을 효과적으로 상업화하려면 비즈니스 모델을 발견하고 개발해야 한다. 이것이 오픈 이노베이션이 오픈 사이언스에 미친 주요한 영향이다.

비즈니스 모델은 혁신 시스템 안에서 가치를 창출할 뿐만 아니라 핵심 행위자(focal actor)가 해당 가치의 일부를 획득할 수 있도록 한다. 이 사실은 지식 흡수에 있어 중요한 부분으로 과학 지식을 상업적 혁신으로 전환하기 위해 실험을 수행하고, 위험을 감수하고, 자본을 투자하도록 하는 유인이며, 이 모든 것을 가능하게 한다. 이와 관련해 지적 재산권 문제는 새 프로세스, 제품, 서비스를 성공적으로 개발하기 위해 자원을 투자하고 위험한 활동을 수행하는 상업 행위자들의 능력 및 의지와 관계가 있다. 지적 재산권을 지나치게 보호하거나, 과학연구의 초기단계에서 때 이르게 부여한다면 혁신을 진전시키기보다 도리어 억제할 수 있다. 지적 재산권은 기업의 지식 흡수를 강화할 수 있지만, 대신 지식이 더 넓은 사회로 보급되는 것을 억누른다.

오픈 사이언스

지식을 추구하는 것은 인류만큼 오래되었지만 과학적 발견을 촉진한 제도가 본격적으로 생기기 시작한 것은 계몽주의 시대였다. 이전에는 풍족한 후원을 받는 과학자들이 있었고 초기 대학들이 설립됐다. 그러나 후원을 받는 과학자들은 지식을 축적하려는 강한 동기를 가졌던 반면 초기 대학들은 대부분의 지적 에너지를 인문학에 집중했다(중세 시대에 신학은 대학이 수여한 최고 학위였다).[1]

계몽주의 시대에는 지식 추구가 왕실 후원자에서 상인계층으로 이동하면서 새로운 지식을 창출하고 보급하는 과학기관에 캄브리아기 대폭발과 비슷한 변화가 일어났다. 지식 추구가 계층을 이동하면서 과학 지식의 양이 엄청나게 증가했고 새로운 발견의

1. 초기 과학제도에 대한 폴 데이비드의 재미있는 역사 이야기를 참고해라. Paul A. David, "Understanding the emergence of 'open science' institutions: functionalist economics in historical context." Industrial and Corporate Change, 13.4 (2004): 571-89.

사회 확산 속도도 엄청나게 빨라졌다. 하나의 획기적인 사건은 1660년 영국왕립협회를 결성한 것으로 영국왕립협회는 1665년부터 회보(Philosophical Transactions of the Royal Society)를 간행하기 시작했다.[2] 곧이어 프랑스(1666), 베를린(1700), 러시아(1724), 스웨덴(1739)에서도 다른 협회들이 등장했다. 1700년까지 30개가 넘는 과학저널이 출간되었고 한 세기 후에는 1,000개가 넘는 저널이 출간되었다.

이러한 지적 동요의 시기에 과학활동이 따라야 할 규범도 정립되었다. 로버트 머튼(Robert Merton) 교수의 <과학의 사회학(Sociology of Science)>은 이 규범에 대한 통찰력 있는 분석을 제시했다.[3] 머튼 교수에 따르면 과학은 과학지식이 점증적으로 양과 질을 높이는 데 큰 기여를 한 행동규범이 발전해왔다. 머튼 교수의 주장은 큐도스(CUDOS)에 압축적으로 들어가 있다.

- **공유주의(Communalism)** : 지식 발견은 다른 사람과 공유한다. 과학자는 지식을 공유하여 사회적 인식을 얻는 대신 지적 재산을 포기한다.
- **보편주의(Universalism)** : 진위는 보편적 기준의 관점에서 평가되어야 하며 동일한 조건에서 반복되어야 한다.
- **무사무욕주의(Disinterestedness)** : 연구자의 태도는 객관적이어야 한다. 객관적인 연구자는 증거의 이익-불이익에 상관없이 언제나 증거를 따른다.
- **독창주의(Originality)** : 연구 결과는 앎에 새로운 기여를 해야 한다.

2. Ibid.
3. Robert K. Merton, The Sociology of Science: Theoretical and Empirical Investigations (University of Chicago Press, 1973).

- **회의주의(Skepticism)** : 모든 아이디어는 엄격하고 조직적인 조사대상이 되며, 이것이 연구의 질을 좌우한다.

인터넷과 웹이 출현하면서 머튼 교수의 규범은 훨씬 더 많은 지식을 창출하고, 더 빠르게 지식을 확산하는 새로운 제도로 나타났다. 오픈 소스 소프트웨어가 구체적인 사례이다. 오픈 소스 소프트웨어는 모든 참가자가 검토할 수 있도록 코드베이스를 공개한 소프트웨어 개발 방법이다. 코드베이스를 공개해 소프트웨어를 빠르게 확산시키고 다른 상황에 공통 루틴(common routine)을 신속하게 응용할 수 있다. 더불어 공개된 코드는 수많은 독립 개발자와 테스터의 검증을 받아 '버그'를 재빨리 발견해 고칠 수 있다. 리처드 스톨먼은 "보는 눈이 많으면 버그는 별거 아니다."라는 유명한 말을 했다. 오픈 소스 소프트웨어로 품질과 신뢰성이 높은 코드를 만들 수 있게 되었다.

최근에는 과학지식에 대한 접근성을 확장하기 위한 여러 프로젝트에서 오픈 사이언스 규범이 분명히 나타나고 있다. 미국의 오픈 사이언스 그리드(Open Science Grid)가 하나의 예이다.[4] 오픈 사이언스 그리드는 더 광범위하고 빠르고 저렴하게 새로운 지식에 접근할 수 있다면 과학을 더 쉽게 이해하고 사용을 촉진할 수 있다고 생각한다. 이런 오픈 액세스 운동(Open Access movement)은

4. Opensciencegrid.org.

퍼블릭 라이브러리 오브 사이언스(Public Library of Science)처럼 과학 저술을 공유하는 모습으로도 나타났다. 또한 리서치 데이터 얼라이언스(Research Data Alliance)[5]처럼 연구과정에서 수집한 원천 데이터를 공유하는 프로젝트로도 이어졌다. 그 결과 새로운 과학의 시작점이 되는 연구 데이터와 연구 방법도 공유할 수 있게 되었다.

데이터 접근 필요성이 높아지고 고(高)사양 기구와 방대한 데이터를 다루는 일이 많아지자 오픈 액세스에 접근하고, 결과물을 정리하고, 관리하는 지원 인프라를 개발하기 시작했다. 그리고 이에 따라 과학 추구 활동 자체도 확대 중이다. 이제는 전 세계 평범한 사람들이 중요하게 과학적으로 기여하는 '시민 과학(citizen science)' 또는 '크라우드사이언스(crowdscience)'의 시대가 열리고 있다. 천문학에서는 아마추어 천문학자들이 새로운 별, 새로운 외행성, 새로운 현상을 발견하고 있다. 생물학에서는 폴드잇(FoldIt) 같은 프로그램이 복잡한 단백질 중첩 문제를 해결하고자 평범한 기여자들을 모으고 있다. 그 밖에도 오픈 사이언스는 소외질병 분야와 다루기도 어렵고 규모도 큰 기후 변화 등의 문제를 해결하는 데도 활용범위를 넓히고 있다.

유럽원자핵공동연구소(CERN)는 오픈 사이언스를 보여주는 최고의 사례이다. CERN이라는 이름은 프랑스어(Conseil Européen pour la Recherche Nucléaire)에서 나왔다. CERN은 원래 핵연구소이지만 과학 발전에 많은 기여를 했다. 월드 와이드 웹(World Wide Web)의 탄생지이고, 입자

5. 리서치 데이터 얼라이언스의 시작과 구조에 대해 더 많은 내용을 알고 싶다면 다음을 참고해라. https://rd-alliance.org/about.html

가속기를 전 세계 170개 연구소와 연결하며(WLCG)[6], 다양한 분야를 연구하는 EU의 연구소들을 서로 잇고(EGI)[7], 40개 국가에서 고에너지 물리학 분야 학술지를 이용할 수 있는 오픈 액세스 리포지터리(open access repository(SCOAP3))[8] 등 그리드 컴퓨팅 이니셔티브(grid computing initiative)에도 큰 역할을 했다. 이 중에서도 CERN은 엄청난 속도로 광입자를 충돌시켜 힉스 입자를 실험하는 강입자충돌기가 있는 연구소로 가장 잘 알려져 있다.

CERN의 역사는 전체 기관이 대규모로 오픈 사이언스를 도입했을 때 얼마나 큰 힘을 가지는지를 분명히 보여준다. CERN은 설립 초기부터 연구 결과에 광범위하게 접근가능하도록 하여 연구 결과를 널리 확산할 준비를 했고 프로젝트에 전 세계 참가자를 참여시켰다.[9] 개방성의 규범 덕분에 여러 참가자들은 중요한 성과를 낼 수 있었다. 예를 들어, 힉스 입자의 발견과 증명을 기술한 2건의 기초논문은 각각 약 6,000명의 공저자가 있다.[10] 이 논문들은 CERN의 주요 연구자들에게 2013년 노벨 물리학상을 안겨주었다.

6. http://wlcg.web.cern.ch/
7. http://www.egi.eu/
8. http://scoap3.org/
9. CERN의 운영 제도에 대한 자세한 설명은 Boisot, Nordberg, Yami and Incquevert, <Collsions and Collaborations: The Organization of Learning in the Atlas Experiment at the LHC> (Oxford University Press, 2011)를 참고해라.
10. 예를 들어, 아틀라스 협력(Atlas Collaboration: "Observation of a new particle in the search for the Standard Model Higgs boson with the ATLAS detector at the LHC", Physics Letters B 716, 1 (2012): 1-29. doi:10.1016/j.physletb.2012.08.020.) 을 봐라. 개인의 명성과 인정이라는 측면에서 6,000명의 저자들 중 한 명이 되는 것이 과학자들 개개인에게 얼마나 도움이 되는지는 불분명하다. 머튼의 CUDOS에 따르면 학문적 인정의 희소성이 개인의 명성과 인정을 낳는다. 학문적 인정이 6,000명에게 나눠서 돌아가면 한 개인에 대한 사회적 보상은 희석될 수 있다.

오픈 사이언스가 바로 혁신을 낳지는 않는다

오픈 사이언스는 지난 수십 년 동안 CERN 같은 곳에서 특히 엄청나게 발전했지만 혁신이 비슷한 수준으로 증가하지는 않았다. 우리는 1장에서 G7 국가의 생산성 둔화를 확인했다. 실제로 유럽에서는 과학 기반이 우수해도 산업적 응용 과정으로 충분히 연결되지 않고 있다는 우려가 있다.[11] 혁신 역량을 회복하는 데 필요한 것은 오픈 사이언스뿐이라고 믿는 이들이 고민해야 할 부분이다.[12] 진정 더 많은 혁신을 일으키고 생산성을 높이려 한다면 오픈 사이언스 촉진 기관 외에 과학을 상업적 영역에 응용하기 위한 기관을 검토해봐야 한다. 앞 장에서 설명한 것처럼 지식은 창출·보급해야 할 뿐만 아니라 흡수해 업무에 응용해야 한다. 그래야만 사회에서 지식이 주는 혜택을 완전히 확인할 수 있다.

오픈 사이언스가 새로운 혁신으로 잘 전환되지 않는 이유는 간단하다. 일단 새로운 발견을 해도 연구자조차 응용하는 법을 잘 모르거나 중요하게 여기지 않는 경우가 많기 때문이다. 새로운 물질 반응이나 새로운 물리적 성질이 그 지식을 활용하는 방법까지 알려주지는 않는다. 가령 CERN에서 발견한 힉스 입자를 상업적으로 응용할 수 있는 방법은 불분명하다. 시간을

11. 호라이즌 2020 프로그램과 그 플래그십 이니셔티브는 새로운 과학지식을 상업화하기 위해 특별히 고안된 것으로, 개발을 장려하기 위해 새로운 자원을 제공한다.
12. 가령 에릭 폰 히펠은 그의 최신작 <Free Innovation> (MIT Press), 2016에서 비즈니스 모델과 투자 자본, 투자 자본에 대한 재무적 수익의 필요성을 무시한다.

거슬러 올라가면, 레이저 원리의 바탕이 되는 기초물리학은 원래 분자구조를 연구하기 위한 것으로 빛의 새로운 성질을 밝혀냈다. 그러나 이 지식을 산업 규모로 실용화하는 데는 수십 년이 걸렸다. 결국 레이저는 오디오와 비디오를 녹화하고 재생하는 CD와 DVD 플레이어에서 가장 널리 사용하게 되었다. 레이저 원리 이면의 기초물리학을 이렇게 응용한 것은 처음에 기초과학 연구를 수행한 과학자들의 생각과는 상당히 멀었다. 게다가 CD·DVD플레이어로 오기까지 지식을 활용할 장치를 개발하고, 확장하기 위해 상당한 투자가 필요했으며 여러 해 동안 실험을 해야 했다.

다른 동기와 상황

과학적 지식을 응용하는 것은 과학적 발견과는 다른 동기, 맥락, 메커니즘을 수반한다. 과학이 던지는 근본적인 질문은 현상 작용에 대한 인과적 설명이다. 앞서 머튼 교수가 언급했던 것처럼 과학자는 상호보완적 지식이나 사회적 인식, 명성을 얻는 대신 기본적인 지식 발견에 대한 소유권을 포기한다. 과학적 연구과정에서 지식을 복제하고 검증하는 능력은 매우 중요하다. 오픈 사이언스의 규범은 사회적 인식에 대한 대가로 지식을 복제 및 검증하고 확산하는 능력을 촉진하며, 새로운 발견 과정을 이끄는 부가적인 지식을 얻게 한다.

하지만 새로운 지식을 잘 응용하는 방법은 늘 모호하다. 탐색할 영역에 대해 판단하고 위험을 감수해야 한다. 사람들은 응용과학을 '진짜 과학'만큼 권위 있다고 생각하지 않는다. 탁월한 지식 응용에 수여하는 노벨상도 없지 않은가. 실제로 지식 응용 분야는 연구 결과를 발표하기가 더 어렵다. 게다가 지식 응용 연구자들이 연구 결과의 신속한 재생산과 검증을 원하지 않을 수도 있다. 적어도 그들이 연구에 대한 경제적 보상을 얻고자 한다면 말이다.

과학자는 상업적 영역에서 새로운 지식을 응용하기 위해 꼭 알아야 할 실용적인 맥락과 제약, 우선순위에 무지한 경우가 많다. 문맥적 지식은 보편적이지 않고 종종 암묵적이어서 초기 지식 생산과정을 직접 경험하지 않으면 널리 공유하기가 힘들다. 주의 깊게 실험을 수행하고 통제할 수 있었던 실험실의 환경은 여러 요소들이 동시에 마구잡이로 작용하는 정신 없는 현실에 자리를 내준다.

이런 이유 때문에 새로운 과학 지식에서 혁신을 창출하기 위해 시간을 투자하는 것은 일류대학에서의 승진과 종신 재직권이라는 '순수한' 학문적 동기에 어긋나게 된다.

과학이 혁신으로 전환하는 것을 막는 장애물은 또 있다. 바로 자금 조달 문제이다. 대개 기초과학 연구는 공공기관에서 자금을 지원받으며 동료 학자의 검토 과정을 거친다. 그러나 새로운 지식을 발견하여 발표되면 보통 자금 지원이 종료된다. 추후 발견한 지식을 개발하고 응용하기 위해 보조금을 지급하는 경우는 거의 없다. 지식을 응용하기 위한 자원 배분에 민간부문이 더 유리하다는 것이 암묵적인 가정이다.

죽음의 계곡(Valley of Death)

민간부문은 유망하고 새로운 과학적 발견을 위해 자금을 투입할 경우 투자 수익을 요구한다. 따라서 위험과 보상에 대한 면밀한 평가가 필요하다. 새로운 과학적 발견은 흥미로운 가능성을 제공하겠지만 개발 초기 단계에서 보고하며 연구실 단위 데이터로 최초의 개념검증(proof-of-concept)이 이루어진다. 최초 검증을 상업적 규모의 새로운 혁신으로 전환하려면 큰 위험을 무릅써야 하고 대규모 투자를 단행해야 한다. 바로 이런 점 때문에 오픈 사이언스를 통한 연구 결과가 발표된 후 수익성 있게 응용하는 과정 사이에 죽음의 계곡이 생긴다. 죽음의 계곡에서는 프로젝트에 추가적인 과학 자금 지원도 중단되지만, 프로젝트에 대한 이해가 초기 단계라 민간자본이 투자하기도 어렵다.

유럽연합의 혁신정책은 죽음의 계곡을 해결하는데 큰 관심을 기울여왔다. 다양한 계획으로 이러한 괴리를 해소하기 위해 노력해왔다. 최근 출범한 연구개발 자금 지원 프로그램 '호라이즌(Horizons) 2020'은 연구지식을 상업적으로 응용하는 일에 자금을 지원하는 반면 이전의 자금 지원 프로그램 FP7은 기초연구 투자에 더욱 집중했다. 이외에도 EU가 자금을 지원하는 프로그램에는 첨단과학 연구단지(science parks)가 있다. 학문적 단계를 넘어 산업계와 액셀러레이터, 리빙랩(Living Labs,[삶의 터전을 실험실로 삼아 기술을 이용해 다양한 사회문제의 해법을 찾으려는 시도 - 옮긴이])에서 더 매력을 느낄 수 있도록 과학적 발견을 육성하기 위한 것이다.

미국의 혁신정책은 죽음의 계곡에 다리를 놓는데 운이 더 좋았다. 정부 지원을 받은 연구 결과에 대해 특허출원(과 기술사용료 수입)을 허가하는 바이 돌 법안(Bayh-Dole Act) 덕분에 미국 대학들은 연구상 발견을 통해 쉽게 이익을 취한다. 미국의 대학 교수들도 휴가를 내고 자신의 연구 결과를 상업화하기 위해 스타트업 벤처를 시작하는 경우가 많아지고 있다. 그리고 벤처투자가, 크라우드펀딩, 중소기업청(Small Business Administration), 엔젤 투자자로부터 상당한 벤처 자금을 지원받는다. 미국은 유럽이나 일본보다 새로운 벤처에 자금을 지원하는 유기적인 네트워크가 훨씬 발달되어 있다.

지적 재산

죽음의 계곡에 다리를 놓을 때 고려해야 할 또 다른 사항은 지적 재산(IP)의 처리이다. 앞서 머튼 교수가 말한 것처럼 오픈 사이언스에서는 새로운 지식에 대한 빠른 검증과 신속한 확산을 촉진하기 위해 연구결과에 대한 소유권이 명시적으로 배재된다. 과학적 발견 과정에서 지적 재산권을 부여하면 빠르고 진보한 과학을 선도하는 아이디어와 지식이 자유로운 교환을 방해받고 오픈 사이언스의 속도가 느려진다.

하지만 새로운 지식을 적용해서 혁신을 창출할 때는 지적 재산권이 중요한 역할을 한다. 새로운 지식의 상품화를 위해 민간부문이 위험한 투자를 감행하기에는 사회적 인식만으로는 동기가 부족하다.[13] 일정 기간 지적 재산권을 보호하는 조치는 민간 자본이 새로운 혁신을 도입하기 위해 시간, 자본, 인력을 투자하도록 유도하는데 종종 필요하다.

다만 지적 재산권의 역할이 과장되어서는 안 된다. 초기에 혁신을 창출하기 위한 인센티브와 혁신을 강화하고 개선하기 위한 인센티브는 균형을 이루어야 한다. 적절한 보호는 보호가 전혀 없는 체제(초기 위험 수용과 투자를 방해한다.)나 극도로 강력한 보호 체제(혁신의 확산 및 후속 혁신을 방해하고 둔화시킨다.)보다 균형을 맞추는 해결책이다. 기술이 수익성 있게 적용될 곳을 명확히 알고 있다면 특허 지형에서 장애물을 없애는데 도움이 된다. 구체적인 적용에 필요한 전경 지식만 보호하고 적용을 뒷받침하는 배후 지식은 광범위한 과학계에 여전히 공개할 수 있기 때문이다.

13. 버너스 리(Berners-Lee)와 동료들이 (http와 html 프로토콜과 같은) 웹 기반에 대해 CERN에서 수행했던 선구적인 연구도 성공적인 상업화를 보여주는 한 가지 예이다. 일리노이 대학교(Champagne-Urbana)의 슈퍼컴퓨팅 센터는 버너스 리가 개발한 프로토콜을 사용하는 브라우저(모자이크)를 개발했다. 이 브라우저는 사람들이 '마우스로(point and click)' 사용자 인터페이스를 쓸 수 있게 했다. 일리노이 대학교의 마크 앤드리슨(Marc Andreeson)은 캘리포니아에서 실리콘 그래픽스(Silicon Graphics)를 다니던 짐 클라크(Jim Clark)를 만나 넷스케이프를 만들었다. 넷스케이프는 클라이언트 브라우저를 무료로 제공하고 콘텐츠를 웹에 게시하는 데 필요한 도구에 대한 비용을 콘텐츠 소유자에게 청구함으로써 마우스를 이용하는 사용자 인터페이스에 대한 최초의 비즈니스 모델을 개발했다. 넷스케이프가 인터넷을 위한 최초의 실제적인 비즈니스 모델을 만들고 나서야 이전에는 과학적이고 기술적인 용도로만 국한되어 있었던 인터넷이 상업적으로 사용되기 시작했다.

오픈 이노베이션 제도

오픈 사이언스에서 혁신을 일으키려면 일련의 상응하는 오픈 이노베이션 제도가 필요하다. 오픈 사이언스 제도와 달리 오픈 이노베이션 제도는 혁신 추진 방식과 맥락에 따라 결정된다. 앞 장에서 살펴본 것처럼 지식 창출을 지원하는 요소는 새로운 지식의 광범위한 보급과 빠른 흡수를 뒷받침하는 메커니즘과 균형을 이루어야 한다. 가령, 미국 사회에서 지식 지원 요소의 관리방식은 중국, 핀란드, 이스라엘에서의 방식과 상당히 다를 것이다.

오픈 이노베이션 제도가 어떻게 기여했는지 설명하려면 산업계 연구개발(R&D)의 역사를 간단히 살펴보는 것이 도움이 된다. 특히 초기 제도가 내부적으로 수직 통합된 연구개발을 추진했던 것과는 대조적으로 이후 제도들은 분산되고 개방된 연구개발을 추진한다.

폐쇄형 혁신 제도

19세기, 외부 과학 지식의 지평은 엄청나게 확대됐다. 1900년대 초, 우리는 미생물, 엑스선, 원자의 기본 구조, 전기, 상대성에 대해 알게 됐다. 과학을 연구하는 체계적인 방법도 배웠다. 알프레드 노스 화이트헤드(Alfred North Whitehead)가 "19세기의 가장 위대한 발명은 발명하는 방법을 발명한 것이었다."[14]라고 말한 것처럼 말이다.

19세기 엄청난 과학적 혁신에도 불구하고 1900년 경 대부분의 산업 분야에서 새로운 과학을 이해하기 시작하는 단계였고 상업적으로 활용하는 것은 요원했다. 더구나 당시 과학 규범은 과학자가 실용적으로 과학을 응용하는 일에 큰 도움을 주지 못했다. 미국 과학자들은 유수한 독일 대학들이 추구하는 '순수' 과학 규범을 모방하며 실용적인 지식 추구를 '저급한 과학'이라고 여겼다.[15] 대학 강의실 안 과학과 실험실에서 얻은 통찰력을 상업적으로 유익하게 사용하는 것 사이에는 큰 공백이 있었다. 게다가 대학들은 중요한 실험을 수행할 재원이 부족했다.

정부도 이러한 공백을 해소할 수 있는 처지가 아니었다. 이 시기에 경제에서 차지하는 정부부문 규모는 오늘날에 비해 훨씬 작았다. 게다가 정부가 연구 체계에서 큰 역할을 하지도 않았다. 정부는 특허제도 신설 등 몇 가지 계획을 추진했고 도량형 연구, 화약 개선 등 군 자재에 제한된 자금을 지원했다. 미국은 농업 연구를 위해 토지 공여 대학(land grant universities)이라는 창의적인 방법으로 자금을 지원하기도 했다. 그러나 대체로 정부는 과학 연구를 조직하거나

14. Alfred North Whitehead. 'Science and the Modern World' (London: Macmillan,1925).

15. 자신 같은 과학자에 비해 에디슨과 같은 '땜쟁이'가 얻는 명성을 한탄했던 헨리 로랜드 교수의 씁쓸한 항의를 생각해 보라. 1883년 미국과학진흥원(American Academy for the Advancement of Science) 연설에서 그는 다음과 같이 이야기했다.

"나와 같은 위치에 있는 사람은 전신, 전구, 기타 편리한 것들을 과학이라는 이름으로 부르는 대신 이 나라에서 물리학을 발전시키기 위해 해야 할 일에 대해 생각해야 한다. … 과학계의 평균적인 풍조가 천박하고 평범한 것들에 가장 높은 영예를 주며 하찮은 사람을 모범으로 삼고 대수롭지 않은 발명이 과학적 발견으로 과장된다면 그런 사회는 해로운 영향을 미친다."

자금을 지원하는 데 매우 제한적인 역할을 했다.

당시 과학을 상업적으로 이용하기 위해 연구자금을 대던 주요 자금원은 대규모 산업체였고, 산업체의 R&D 연구실이 산업 연구의 주요 거점이었다. 독일의 화학기업은 새로운 염료를 만들기 위해 재료의 성질을 점점 더 깊이 연구했고, 이로써 제품 라인업을 체계적으로 확장했다. 석유기업은 원유의 특성을 이해하여 원유 정제 수율을 빠르게 향상시켰다. 그리고 그 과정에서 원재료로부터 추가적인 신제품 혁신을 이뤄냈다.

대기업만이 연구개발을 위한 투자금을 감당할 수 있었고, 새로운 과학 지식의 응용으로 창출되는 지식에 접근할 수 있었다. 이것은 견고한 진입장벽을 만들어 대기업을 단단히 자리잡게 했고 다른 사람들을 불리하게 만들었다. 기업 연구소는 상당한 지식을 창출했지만 그 지식을 보급하는 것은 크게 제한했다.

폐쇄형 혁신 제도는 이런 현실에서 만들어졌다. 그 중 첫 번째 제도적 특징은 R&D의 혜택은 종종 사회의 나머지 부분으로 퍼진다는 경제학자 케네스 애로(Kenneth Arrow)의 통찰[16]에서 발전한 것이었다. 연구 개발의 혜택이 사회의 나머지 부분으로 퍼지기 때문에 연구 개발한 기업은 사회의 수익보다 적은 수익을 얻게 된다. 즉, 연구 개발이 사회가 이상적으로 필요로 하는 수준보다 적게 이루어진다는 뜻이다. 따라서 기업이 전보다 많은 연구

16. Kenneth Arrow, 'Economic Welfare and the Allocation of Resources for Invention', in The Rate and Direction of Inventive Activity, edited by Richard R. Nelson, (Princeton, NJ: Princeton University Press, 1962), 609-25.

개발을 수행하도록 연구 개발 세액공제를 도입해 연구 개발 지출을 보조하도록 했다.

두 번째 제도적 특징은 기초과학 연구에 정부 자금이 큰 역할을 맡았다는 것이다. 20세기 들어서 세계대전에 과학을 동원한 결과 각국은 정부 연구기관에 자원을 할당하고 협력했다. 전후 시대에는 과학 연구를 위한 정부 지원이 엄청나게 확대되어 바네바 부시가 루즈벨트 대통령에게 보낸 유명한 글에 등장하는 '끝없는 프론티어'를 만들었다.[17]

세 번째 제도적 특징은 지적 재산 보호가 확대된 것이었다. 대기업은 운영의 자유를 위해 크로스 라이센싱(cross-licensing)을 체결하는 등 서로 협상할 수 있었고 강력한 지적 재산권으로 신규 진입자에 대한 진입장벽을 더 높이 세울 수 있었다. 지적 재산권 소송을 위한 특허법원(10th Federal Circuit Court)의 설치는 미국에서 지적 재산권 보호를 표준화하고 강화했으며 유럽에서도 따르는 모범이 되었다.[18]

마지막으로 많은 나라가 의식적으로 이런 장벽을 극복할 수 있는 충분한 규모를 가진 산업 챔피언(Industrial Champion)을 만들었다. 산업 챔피언들은 사회에 기술과 노하우를 축적했고 상당한 고용 기회를 제공했다. 이들은 새롭고 유망한 기술 영역에 투자하기 위해 정부

17. 'Science: The Endless Frontier', a report to the President by Vannevar Bush, Director of the Office of Scientific Research and Development, July 1945.

18. Samuel Kortum and Josh Lerner, 'What is behind the recent surge in patenting?.'Research Policy 28.1 (1999): 1-22.

기관과 긴밀히 협력했다.

한편 폐쇄형 혁신 제도는 상당한 혁신을 낳기도 했지만 바람직하지 않은 결과도 초래했다. 그 결과 중 주된 것이 지식의 독과점이었다. 폐쇄형 혁신 제도의 논리는 연구 개발을 잘하려면 규모가 커야 한다는 것이었다. 이 모델에서 기업은 효과적으로 혁신하기 위해 도구 및 재료 조달에서부터 상품 설계와 제조, 판매, 서비스, 지원 업무까지 모든 것을 해야 한다. 새로운 과학 지식의 상업적 전환은 경제 성장의 선봉에 선 산업 챔피언이 이끈다. 이런 방식에서는 극소수 조직만이 혁신을 시도할 수 있는 지식과 자원을 가지고 있기 때문에 새로운 지식의 보급이 늦어진다. 게다가 산업 챔피언은 지식 응용의 일부만을 탐구할 수 있었다. 산업 챔피언의 느린 속도와 좁은 초점은 더 넓은 사회로 새로운 지식이 보급되고 흡수되는 것을 저해했다.

오픈 이노베이션으로의 전환

앞서 말한 것처럼 오픈 사이언스의 등장은 대부분은 아니더라도 여러 과학 영역에서 지식의 풍요를 가져왔다. 과학적 데이터베이스의 공개, 온라인 저널과 기사의 확산은 저렴하게 인터넷에 접속하고, 데이터 전송률이 높은 환경에서 쉽게 풍부한 지식에 접근할 수 있게 해준다. **폐쇄형 혁신 시대에는 많은 비용과 시간을 들여야만 가능했던**

일이다. 이러한 발전은 지식 보급에 엄청난 동력이 된다.

과학 규범 또한 단순히 물리적 세계를 이해하는 것을 넘어서 지식을 응용하는 데 많은 관심을 기울이는 쪽으로 발전해왔다. 대학의 과학 연구는 계속해서 발전하고 있지만 많은 교수와 대학원생이 과학을 비즈니스 문제에 적용하고 싶어 한다. 과학 및 공학 규범도 바뀌었다. 이공계 대학에 더 이상의 헨리 로랜드(Henry Rowland)(이 장의 주석 15 참조)는 많지 않다.[19]

대학의 과학 연구가 더 우수해지고, 연구의 우수성이 지식을 응용하는 데까지 확대되며, 연구 결과를 점점 확산·보급하는 현상은 폐쇄형 혁신 시대에 집중화되었던 연구 개발 기업의 지식 독점이 끝났다는 것을 의미한다. 40년 전과 비교했을 때, 오늘날 지식은 훨씬 광범위하게 확산되고 있다.

가령 특허 지식 지형에서 지식이 더 넓게 분산되고 있음을 보여주는 증거 중 하나가 등록 집중도가 변하고 있는 것이다. 특허는 지식 창출 과정의 결과물로 미국 특허청(US Patent and Trademark Office) 덕분에 탄탄한 자료를 바탕으로 누가 미국 특허를 받았는지 알 수 있다. 예를 들어, 1990년대 10년간 미국 특허청이 발행한 40만 건 이상의 특허 중 상위 20개 기업이 받은 특허는 전체 발행 특허의 11%에 불과했다. 이와 관련해 개인 및 소기업이 보유한 특허의 수는

19. 사실 헨리 로랜드와 극명한 대조를 이루는 사람으로는 스탠포드 대학교 총장에서 막 퇴임한 존 헤네시(John Hennessey)가 있다. 존 헤네시는 저명한 컴퓨터 과학자로 스탠포드 공대 학장이었다. 그러나 학교 재직 중 새로운 회사를 창업하기 위해 3번이나 휴직을 했고, 이 글을 쓰는 현재에도 구글과 시스코의 이사회 임원으로 있다. 로랜드는 끔찍해 하겠지만 헤네시는 깊은 연구 지식과 그것을 응용하는 실용적인 경험을 결합하는 대학 리더의 새로운 모델이다.

1970년 약 5%에서 1992년 20% 이상으로 증가했다.[20]

지식 확산이 증가했다는 두 번째 지표는 기업 규모별 R&D를 보여주는 미국 정부 통계에서 나타난다. 산업계에서 연구개발은 아이디어를 창출하고 이용하는 하나의 핵심 프로세스이다. 1981년부터 2015년까지 산업계 전체의 R&D 지출에서 1,000명 미만 기업이 차지하는 비중이 크게 늘어났다. 대기업의 R&D 지출은 여전히 전체 R&D 지출의 중요한 원천이지만, 전체 R&D 지출에서 차지하는 비중은 1981년 70% 이상에서 2015년 35% 미만으로 절반가량 떨어졌다. 이에 상응하여 같은 기간 1000명 미만 기업에서 수행된 R&D는 전체 R&D 지출에서 차지하는 비중이 4.4%에서 22%로 높아졌다.[21] 최근 R&D 부문에서는 규모의 경제가 줄어든 것으로 보인다.

현재 혁신 프로세스의 기저를 이루는 논리는 완전히 바뀌었다. 유용한 지식이 풍부한 환경 속에서 기업은 모든 것을 스스로 하지 않고 특정 분야에 집중함으로써 많은 일을 해낼 수 있다.

20. Henry Chesbrough, Open Innovation: The New Imperative for Creating and Profiting from Technology (Harvard Business School Press, 2003); table 3.1. See James Bessen's paper 'The Value of US Patents by Owner and Patent Characteristics' for more recent data: https://www.immagic.com/eLibrary/ARCHIVES/GENERAL/BOS_U_US/B061129B.pdf

21. the Science and Technology Indicators report, Table 4-11 of the National Science Foundation for these data, https://www.nsf.gov/statistics/2018/nsb20181/report/sections/research-and-development-u-s-trends-and-international-comparisons/u-s-business-r-d (최종접속일 2019년 7월 6일).

오픈 이노베이션 모델

앞 장에서 논의한 오픈 이노베이션은 세상에 지식은 풍부하다는 논리를 기초로 한다. 오픈 이노베이션은 기업이나 혁신기관이 혁신을 추진할 때는 조직 안팎의 아이디어와 시장으로 가는 내·외부 경로를 모두 사용해야 한다고 가정한다. 오픈 이노베이션 프로세스는 내·외부 아이디어를 결합해 플랫폼, 아키텍처, 시스템으로 만들고 비즈니스 모델을 활용해 아키텍처와 시스템에 대한 요건을 정의한다. 비즈니스 모델은 가치를 창출하기 위해 내·외부 아이디어를 모두 활용하는 한편, 창출된 가치의 일부를 획득하기 위해 내부 메커니즘을 정의한다.

오픈 이노베이션에는 내향형과 외향형의 두 가지 방식이 있다. 오픈 이노베이션의 내향형 방식은 여러 외부 인풋(input)과 기여요소(contribution)에 기업의 혁신 프로세스를 개방한다. 학계와 산업계로부터 가장 많은 관심을 받은 유형이다. CERN과 같은 대규모 연구 인프라는 광범위한 네트워크 허브로 내향형 방식의 많은 부분을 효과적으로 구현한다. 강입자충돌기(Large Hadron Collider(LHC))의 성공적인 건설과 운영, CERN을 통해 산출된 막대한 과학적 결과물이 그 결과를 입증해왔다.

외향형 오픈 이노베이션은 사용하지 않거나 활용도가 낮은 아이디어를 다른 사람들이 사업과 비즈니스 모델에 사용할 수 있도록 조직 밖으로 유출하는 것이다. 이 유형은 내향형 오픈 이노베이션과는 반대로 학계와 산업계의 연구가 미미해 이해도 부족하다. 과학적 역량을 더욱 향상시키고 CERN의 강입자충돌기 등 프로젝트에서 나온 연구 결과를 상업화하기 위해서는 새로운 비즈니스와 비즈니스 모델을 찾아 탐구하고 수행해야 한다. 이것은 CERN에 대한 새로운 제도적 규칙을 필요로 한다.

오픈 이노베이션의 제도적 규칙

오픈 이노베이션의 제도는 과거 폐쇄형 접근방식에서의 제도와 확연히 다르다. 오픈 이노베이션에서 인센티브는 전문화, 시장을 통한 협력, 지식 교환, 지적 재산권, 스타트업 형성을 위한 것이다. 대기업도 오픈 이노베이션에서 핵심적인 역할을 하지만 폐쇄형 혁신의 시대와는 사뭇 다르다.

모든 오픈 이노베이션 프로젝트는 유용한 지식이 풍부하다고 간주하므로 이용할 수 있는 지식을 조사하는 것부터 시작한다. 오픈 이노베이션 프로젝트는 이미 있는 것을 다시 만드느라 시간을 낭비하는 대신 이용 가능한 외부 지식을 활용하고 이를 확장하는 것을 추구한다. 다르게 말하면, 이미 지식이 풍부한 세계에서는 혁신의 가치가 새로운 기술을 창출하는 것(물론 이것도 여전히 가치 있지만)에서 이전에 없던 방식으로 기술을 통합해 새로운 솔루션과 시스템을 만드는 것으로 이동한다. 이런 시스템 통합 기술은 지식이 풍부한 세계에서 큰 가치를 지니며, 오픈 이노베이션 지형에서 대기업이 할 수 있는 가장 중요한 공헌 중 하나이다.

이전 시대에는 산업 챔피언이 지식을 독과점 했다면 이제는 혁신활동이 광범위하게 분산되었다. 대학과 연구소가 초기 발견과 새로운 지식의 중심지로 기능한다. 그러나 새로운 지식을 가장 잘 응용하는 방법, 새로운 시장에서 지식의 후속 개발을 탐색하는 것은 채택한 비즈니스 모델에 근거해 혁신 사슬의 다른 참여자들에게 책임이 돌아간다. 이제 스타트업과 중소기업도 연구 프로젝트를 시작할 수 있게 됐으며. 학계 연구자가 초기 직원으로 계속 조언과 지원을 제공할 것이다. 벤처기업이 살아남는다면 이후의 성공은 대기업이 자체적인 내부 혁신활동을 증가시키기 위해 그 회사를 인수하는 것으로 나타나는 경우가 많다. 드물지만 기업공개를 통해 공개 상장할 수도 있다.

지적 재산권은 기술이 실험실에서 시장으로 가는 과정에 대단히 중요하다. 예를 들어, 스핀아웃(spin-out) 벤처를 형성하는 초기 단계에는 신생기업을 위해 지적 재산권을 양도하는 과정이 포함돼 있어야 한다. 외부의 자본 제공자는 아이디어를 상업화하는데 보호 장치가 있기를 요구할 것이다. 벤처기업을 인수할 경우 지적 재산권도 모두 양수하고자 할 것이다. 하지만 자본시장은 새로운 과학적 발견을 응용하기 위해 의도된 시장을 이해해야 한다. 이런 신호가 없으면 아무리 유망한 과학도 학계와 산업계 사이에 있는 죽음의 계곡에 머물러 있게 된다. 이것이 유럽연합에서

'호라이즌스(Horizons) 2020' 프로그램을 설계한 이유 중 하나이다.

새로운 오픈 이노베이션 제도의 실험

이러한 사실을 염두에 두고 최근 몇 년 동안 일부 관계자들은 오픈 사이언스와 오픈 이노베이션 사이의 간격을 해소할 새로운 유형의 제도나 프로그램을 실험하기 시작했다. 여러 가지 실험이 유럽에서 진행되고 있는데, 아마도 현재 유럽의 정책 입안자들 사이에 EU가 미국과의 '혁신 격차'로 어려움을 겪고 있고, 한편으로는 중국의 도전이 고조되고 있어 경제적 경쟁력을 유지하려면 새로운 프로세스를 개척해야만 한다는 공통된 생각이 있기 때문일 것이다.

IMEC[22]는 유럽에서 가장 유명한 기술의 요람이다. 벨기에에서 가장 오래된 대학 루벤가톨릭대학교(KU Leuven)에서 1974년 설립한 IMEC는 마이크로 전자공학과 나노 전자공학 분야의 기초 학술연구를 수행하고, 연구 결과를 현재 세계 최대 ICT 및 반도체 기업의 반도체 기술로 발전시키는 데 실질적인 역할을 담당했다. 마찬가지로 몇몇 유럽 국가들은 민간기업과 함께 새로운 기술을 사용해 특정 제품을 개발하거나 문제를 해결하고자 전문 국가 연구 기술 기구(Research and Technology Organizations(RTO))를 지원해왔다.

22. http://www.imec.org

유럽에서 가장 규모 있고 잘 알려진 RTO는 독일의 프라운호퍼[23] 연구소 네트워크로 공작 기계에서 태양광 발전까지 산업계 전문분야와 직접 협력한다. 2008년 유럽연합 집행위원회(European Commission)는 유럽공과대학(European Institute of Innovation and Technology(EIT))이라는 완전히 새로운 오픈 이노베이션 프로그램을 만들었다.[24] 유럽공과대학은 다국적기업, 중소기업, 대학이 참여하는 대규모 컨소시엄을 구성해 EU 전체를 연결한 네트워크를 만든 것이다. 이곳에서는 대학이 수행한 연구결과로 새로운 상업제품을 개발하고 이 제품을 시장에 가지고 갈 새로운 세대의 기업가를 양성한다.

CERN, 유럽 싱크로트론 방사선 시설(European Synchrotron Radiation Facility), 유럽 분자생물학 연구소(European Molecular Biology Laboratory) 등 유럽의 유명 연구소들이 모인 새로운 이니셔티브도 아주 흥미로운 실험이다. 어트랙트(ATTRACT)[25]는 중소기업, 다국적기업, 기타 개인 투자자들과 파트너십을 맺고 연구소가 자체 인프라를 위해 개발한 기술을 시장에 내놓는 것이 목표이다. 여기에는 보건 물리학(health physics) 분야에서 유용하게 쓰이는 세계 최고 수준의 검출 및 영상 기술, 고성능 소재, 획기적인 ICT 활용 기술이 포함된다. 각각의 영역은 다양한 동인과 규제 체계를 가진 매우 큰 시장이다. ICT 분야는 세 가지 중 가장 변화가 빠른 분야로 단기간에 새로운

23. http://www.fraunhofer.de
24. http://www.eit.europa.eu
25. http://www.attract-eu.org

혁신이 이용되고 확장되는 경우가 많다. 소재 분야는 큰 시장으로 확장하는데 더 많은 시간이 걸린다. 먼저 소재가 입증되어야 하고, 그 다음으로 다양한 응용을 시도해야 하며, 결국 시장 규모가 신소재를 다양하게 사용할 수 있는지 여부에 달려 있기 때문이다. 보건 분야는 규제가 가장 심하며, 업계의 승인을 받아야 함은 물론 규제기관과 의료체계 관리자가 채택해야만 시장에서 성공할 수 있다.

어트랙트의 목표는 헬싱키의 알토 대학교(Aalto University)와 바르셀로나의 에사드 경영대학원(ESADE Business School)의 도움을 받아 CERN과 다른 회원 연구소의 광범위한 과학 공동체를 활용하는 것이다. 그러나 검출, 영상, 컴퓨터 사용(computation) 등의 분야에서 이루어진 연구 결과를 잘 응용하려면 기업가적인 위험 감수가 필요하다. 마찬가지로 상업적인 규모로 가치 창출 및 확보가 가능한 효과적인 비즈니스 모델을 개발하려면 상당한 시행착오가 필요하기 때문이다. 오픈 도메인에서 수행되는 경쟁 이전(pre-competitive,[상업 제품의 개발 초기 단계에 경쟁 기업들이 협력하는 상태 - 옮긴이]) 연구는 다운스트림에서의 지적 재산권 이전 문제와 섞일 수 있고 그 결과 오픈 사이언스의 효과는 추후 상업적 영역에서의 위험 감수와 연결될 수 있다. 유럽 연구 인프라(European Research Infrastructures)와 대학, 대기업, 중소기업과 스타트업 모두 역할이 있다. 어트랙트(ATTRACT)는 죽음의 계곡을 지나 수많은 새롭고 유망한 비즈니스 기회를 새로운 시장으로 이끌기 위해 오픈 사이언스와 오픈 이노베이션이 결합하는 방법을 보여준다.

결론

오픈 사이언스의 규범은 최신 지식의 빠른 확산을 촉진하고 새로운 지식을 발견하기 위해 보다 폭넓은 참여를 유도한다. 이것은 지식의 깊이와 질을 향상시키며 확산에 도움을 준다(그리고 또 다른 발견과 확산의 순환으로 이어진다). 하지만 오픈 사이언스 제도가 새로운 지식을 효율적으로 흡수시키고 이후 과학적 지식을 효과적으로 상업화하는 것까지 보장하지는 않는다. 일단 지식이 창출되면 혁신의 남은 여정은 죽음의 계곡을 건너야 한다.

오픈 이노베이션은 죽음의 계곡을 가로질러 오픈 사이언스의 결실을 더 빨리 상업적으로 전환하고 개발하도록 도와주는 개념이다. 오픈 사이언스와 마찬가지로 오픈 이노베이션도 혁신과정에 광범위하고 효과적인 관여와 참여를 가정한다. 오픈 이노베이션은 대학과 연구소부터 중소기업, 스타트업, 대기업에 이르기까지 다양한 참여자에게 혁신활동을 분배한다. 그러나 새로운 지식을 효과적으로 상업화하려면 오픈 이노베이션 기관이 있어야 한다. 그리고 오픈 이노베이션 기관이 세계 경제의 긴급한 요구를 충족하는 최선의 모델을 찾고 재단하기 위해서는 전 세계적인 발견 프로세스가 필요하며, 유용한 지식을 창출·보급·흡수해서 업무에 적용해야 한다. 이것이 오픈 사이언스에서 생산성 성장을 회복하는 길이다.

다만 이러한 모든 논리는 기업이 혁신의 효과적인 사용 방법을 안다는 전제에서 나온 것이다. 하지만 많은 조직이 방법을 잘 모르는 것이 실상이다. 다음 장에서는 오픈 이노베이션에서 크게 간과되는 측면, 즉 오픈 이노베이션으로 향상된 혁신을 시장으로 가지고 나가는 소위 프로세스의 '백 엔드(back end)'에 대해 살펴볼 것이다. 나중에 보겠지만 오픈 이노베이션을 실행하는 조직이 긍정적인 사업성과를 내기 위해서는 넘어야 할 장벽과 문제들이 많다.

3장의 주요 내용이다.

1. 오픈 사이언스는 연구에 대한 소유권을 사회적 인정과 교환하며, 이는 과학자와 공학자 사이에서 지식을 빠르게 확산하도록 돕는다.
2. 과학적 결과와 상업적 활용 사이에는 죽음의 계곡이 존재한다.
3. 위대한 과학에서 새로운 혁신을 창조하려면 죽음의 계곡을 넘어서기 위한 투자와 위험 감수가 필요하며 적어도 지적 재산에 대한 소유권을 일부 획득할 수 있어야 한다.
4. 사회에는 과학을 촉진하는 기관과 혁신적 사용을 촉진하기 위한 추가적인 기관이 필요하다. 여기에서 오픈 이노베이션이 매우 중요하다.
5. IMEC이나 어트랙트(ATTRACT)와 같은 새로운 사례는 오픈 사이언스와 오픈 이노베이션이 결합해 유망한 프로젝트를 죽음의 계곡 너머로 어떻게 건너가게 하는지 보여준다.

4장

오픈 이노베이션의 백 엔드

《◇》

4장

오픈 이노베이션의 백 엔드

오픈 이노베이션은 비즈니스 성과를 향상하는데 큰 도움이 된다. 그러나 오픈 이노베이션은 단지 프로세스일 뿐이고, 프로세스는 성과에 영향을 미치는 중요한 한계가 있다. 이러한 한계는 오픈 이노베이션 논의에서 자주 간과되는 부분이다. 4장에서는 이런 한계들에 대해 알아본다. 프로세스의 한계가 오픈 이노베이션에서 비즈니스 성과를 얻지 못하게 방해하는 실제 사례를 들어 살펴보겠다. 그리고 오픈 이노베이션의 가능성이 실현되도록 프로세스의 한계를 해소할 수 있는 방안을 검토해본다.

오픈 이노베이션 프로세스의 첫 번째 한계는 많은 양의 외부 정보를 평가하기 위한 시간과 자원이 소요된다는 점이다. 많은 외부 지식이 유입되면 기업 내 혁신활동으로 창출되는 연속적인 지식은 물론 외부 유입 지식의 유용성과 의미까지 판단해야 하므로 내부 직원들이 추가적인 부담을 지게 된다. (게다가 한 가지 불편한 진실은 대부분은 아니더라도 외부 유입 지식 중 다수가 질적으로 형편없으며, 그럼에도 불구하고 여전히 평가는 해야 한다는 것이다.)

투입 자원이 많다는 것은 일이 많다는 뜻이고, 지식이 많다는 것은 지식을 이용할 프로젝트의 구축방법도 많고 협업할 파트너도 많다는 의미이다. 필자는 급진적인 생각을 가진 독자에게 다음과 같은 수학적 통찰력을 제안한다. 지수 함수보다 더 빨리 증가하는 함수가 무엇일까? 바로 조합 함수(combinatorial function)다! 조합 함수는 혁신 프로세스를 개방하면 프로세스에 엄청난 복잡성이 발생할 수 있음을 보여준다. 프로세스에 복잡성이 증가하면 일은 더 많아지지만, 보통 추가 자원은 지원받지 못해 직원들은 좌절감을 느끼게 된다.

이런 상황을 지나치면 상당히 심각한 문제가 될 수 있다. 기업들은 한 시점에서 처리할 수 있는 프로젝트의 개수로 판단하는 자사의 혁신 프로세스 처리 능력을 고려하지 않을 때가 많다. 기업이 이른바 혁신 프로세스의 프론트 엔드(Front End)라고 부르는 시작 단계에서 혁신 프로세스를 개방하고 이후 단계들을 바꾸지 않는다면, 그 결과는 혁신 프로세스에 혼잡함만 불러온다. 프로세스에 유입되는 프로젝트는 더 많아지지만, 실제로 프로세스를 통과하는 프로젝트는 더 적어진다. 진입하려는 차가 갑자기 두 배, 세 배로 많아져 혼잡해진 교통체증을 생각해봐라. 프로세스에 유입되는 프로젝트가 지나치게 많아 혼잡해지면 혁신 프로세스의 효율성을 높이기는커녕 오히려 전체 프로세스를 느려지게 한다. 오픈 이노베이션 프로젝트뿐만 아니라 모든 프로젝트를 말이다.

병목현상은 프로세스의 처리능력을 제한한다. 혁신 프로세스에서 병목현상이 일어나는 첫 번째 지점은 프로젝트를 개발하면서 이용해야 하는 모든 공유 업무 부분이다. 조달 부서는 프로젝트 리더가 공급업체를 파악한 후 협상할 수 있도록 지원해야 한다. 품질관리 부서는 프로젝트가 조직의 기대 품질 수준(quality image) 을 충족하도록 설계명세서와 표준을 준수했는지 확인해야 한다. 시행 부서는 요청 받은 수량을 만들거나 구매해야 한다. 재무 부서는 프로젝트의 표준 원가와 외부 고객에 대한 신용공여(금융거래에서 자산을 외부에 빌려주어 일시적으로 이용하게 하는 일) 를 관리해야 한다. 판매 부서는 고객과의 상호작용을 관리해야 한다. 마케팅 부서는 브랜드 포지셔닝과 기업의 상표 사용을 관리한다. 여러 프로젝트가 이러한 지원 업무를 함께 공유하기 때문에 오픈 이노베이션 프로젝트가 증가하면 혼잡 현상이 나타난다.[1]

1. 우리는 5장에서 린 스타트업 프로세스와 함께 할 수 있는 오픈 이노베이션의 역할을 살펴보면서 이들 공유업무와 그 조직적 과제에 대해 다시 살펴보게 될 것이다.

미국항공우주국(NASA)의 오픈 이노베이션에 대한 인간적 한계

혁신 프로세스에서 병목 현상이 나타나는 두 번째 지점은 오픈 이노베이션에 대한 인간적 측면이다. 우리는 뉴욕대학교의 힐라 리프시츠 아세프 박사가 나사 존슨 우주 기지(Johnson Space Center)에서 수행한 연구에서 한 가지 중요한 이해를 얻을 수 있다. 존슨 우주 기지는 효율성을 높이기 위해 오픈 이노베이션을 채택했고 리프시츠 아세프 박사는 그에 따른 나사의 변화를 살펴보았다.[2]

나사는 유인 우주비행을 지원하고 지속하는 임무에서 직면한 여러 가지 문제들에 대해 광범위한 외부 지식을 얻고자 했다. 그 중 한 가지가 태양 플레어 예측 능력을 향상하는 방법을 찾는 것이었다. 태양 플레어는 태양 표면에서 일어나는 폭발로 엄청난 방사선을 방출하며 수백만km 우주로 솟구친다. 태양 플레어로 인한 방사선 급증은 조기에 발견해 보호 조치를 취하지 않으면 우주에 있는 사람과 장비에 위협이 된다.

챌린지를 공모할 당시 나사에는 이미 플레어 발생을 예측하는 알고리즘이 있었지만 정확도가 그리 높지 않았다. 8시간의 미래를 예측하는 것이 고작이었고, 실제로 태양 플레어를 예측하는

2. Hila Lifshitz-Assaf, 'Dismantling Knowledge Boundaries at NASA', 2018를 참고해라. 아세프의 연구는 그녀의 지도교수였던 카림 락카니(Karim Lakhani) 교수의 경영자 수업에서 발전한 것이었다. 수업 참가자 중에는 나사에서 온 사람들도 있었는데, 락카니 교수가 이들과 교류하면서 박사과정 학생이었던 아세프를 조직에 대한 장기 연구에 투입했던 것이다. 아세프는 2014년 캘리포니아 나파에서 열린 제1회 세계 오픈 이노베이션 컨퍼런스에서 연구결과를 처음 발표했다.

확률은 50% 정도였다. 나사는 더 나은 예측 알고리즘을 찾기 위해 기관 밖에서 챌린지를 개최했다. 그러자 수많은 아이디어가 도착했는데(앞서 말했듯이 도착한 아이디어는 모두 평가해야 했다) 그 중 하나가 유의미하게 우수했다. 이 아이디어를 낸 사람은 천체 물리학자도 천문학자도 아니었다. 그는 기상예보를 교육받은 사람으로 지구의 날씨 패턴을 예측하며 보았던 것과 비슷한 패턴을 태양 데이터에서 발견했다. 그의 알고리즘은 24시간이나 예측을 앞당겨 보호 조치를 취할 시간을 늘렸으며 정확도는 85%로 가긍정적 판단(false positives)을 대폭 줄였다. 이 결과는 우주에서의 안전성을 높이고 재앙적 사건이 일어날 가능성을 줄여 나사의 연구가 진척되는데 굉장한 도움을 줬다. 나사에서 오픈 이노베이션이 또 한 번 승리를 기록한 것이다!

리프시츠 아세프 박사에 따르면 이야기는 여기서 끝이 아니다. 존슨 우주 기지에서 외부 제안 평가자들은 과학과 공학 분야에서 고도의 훈련을 받은 전문적인 인력이었다. 그들은 로켓 과학자였고, 인류의 은하계 탐사를 위해 재능을 쏟으려고 나사에 온 사람들이었다. 나사에서 오픈 이노베이션 프로그램을 시행하자 이들 다수가 존재의 위기를 느꼈다. 한 엔지니어는 이렇게 말했다.

"나는 우주비행에서 정말 중요한 문제들을 해결하려고 나사에 왔습니다. 하지만 지금은 심지어 나사 소속도 아닌 사람들이 내놓은 해결책들을 평가하고 있죠. 이건 제가 이곳에서 하기로 한 일이 아니에요. 오픈 이노베이션 조직에서 제 역할이 뭔가요?"

이것이 오픈 이노베이션의 백 엔드다. 프로세스 초반에는 다수의 새 프로젝트와 지식을 투입하는 것만으로 충분하지 않다. 앞서 언급한 것처럼 이렇게 하면 혼잡을 야기해 조직성과를 향상하는데 아무 도움도 되지 않는다. 오픈 이노베이션이 조직문화와 개인의 정체성에 영향을 미치는 방식에 대해 리프시츠 아세프 박사가 발견한 것과 같은 문제들은 오픈 이노베이션으로 성과를 실현하기 전에 훨씬 많은 준비가 필요하다는 것을 보여준다.

그렇다면 현재 기업은 오픈 이노베이션을 어떻게 실천하는가?

오픈 이노베이션에 대해 글을 쓰는 사람들은 오픈 이노베이션의 문제와 한계에 대해 자주 논의하지 않지만, 오픈 이노베이션을 실천하는 기업은 문제와 한계를 잘 알고 있다. 2013년 UC버클리와 프라운호퍼 연구소가 기업을 대상으로 실시한 대규모 조사[3]는 오픈 이노베이션을 실천할 때 많은 기업이 경험하는 문제들을 설명하는데 도움이 된다. 이 조사는 퍼듀 대학교의 사빈 브런스윅(Sabine Brunswicker)(이전에는 프라운호퍼에 있었다) 교수와 필자가 공동으로 진행했다.

이 조사는 연 매출 2억 5천만 달러, 직원 1,000명 이상을 동시에 만족하는 기업을 대상으로 북미와 유럽 기업의 오픈 이노베이션 활용 실태를 알아보았다. 그 결과 조사대상 기업의 78%가 오픈

3. Chesbrough and Brunswicker, 2013 를 참고하라.

이노베이션을 '지식의 유입과 유출을 목적적으로 활용하여 내부 혁신을 가속화하고, 외부 시장으로 내부 지식 활용을 확장하는 것'[4]으로 활용하고 있었다. 자세한 결과는 4장의 별첨을 참고하라.

조사 결과는 오픈 이노베이션을 실행하기가 쉽지 않다는 사실 또한 보여준다. 오픈 이노베이션에는 극복하기 어려운 장벽이 있으며 조직 내부의 사일로 문화와 내부 직원(앞서 서술한 나사의 사례처럼)은 가장 중요하게 고려해야 할 부분이다. 오픈 이노베이션을 도입하면 기업은 새로운 과제를 여럿 안게 되지만, 그 중에서 가장 관리하기 어렵게 인식되는 것이 내부 조직문제이다. 폐쇄형 혁신에서 오픈 이노베이션으로 가는 여정을 관리하려면 기업 내부의 여러 단계에서 다양한 조직 변화가 필요하다. 달리 말하자면 외부를 효과적으로 개방하려면 내부도 개방해야 한다는 것이다.

오픈 이노베이션의 백 엔드 탐구

초기 혁신활동이 혁신 프로세스의 '백 엔드'와 어떻게 연결되는지 알아보기 위해 필자는 버클리에서 연구팀을 구성했다.[5] 우리는 오픈

4. 이 정의는 Chesbrough, Vanhaverbeke, and West, <오픈 이노베이션(Open Innovation: Researching a New Paradigm)> (Oxford University Press, 2006), p. 1에서 발췌했다. 주의 깊은 독자라면 알아챘겠지만 이 정의는 이 책의 1장에서 논의한 것처럼 업데이트됐다. 안타깝게도 업데이트는 우리가 조사를 시행한 이후 이루어졌다.

5. 이 부분에 도움을 준 제자 Sohyeong Kim, Maurice Hagin, Anna Roumiantseva, Jiayin Song, Wolfgang Sachsenhofer에게 감사드린다.

이노베이션의 백 엔드를 관리하기 위한 효과적인 방법을 문서화하기 시작했다. 별첨의 조사결과로도 알 수 있듯이 어려운 작업이었다. 조사 결과 기업들은 현재의 오픈 이노베이션 성과에 만족하지 못하고 있었다. 그리고 내부 직원을 효과적인 오픈 이노베이션의 가장 중요한 자원으로 생각했다. 한편 오픈 이노베이션으로 실질적인 성공을 거두고 있는 기업들도 있다. 성공한 기업들은 어떻게 하고 있으며, 우리는 이들의 경험에서 무엇을 배울 수 있을까?

그 답을 찾기 위해 오픈 이노베이션을 성공적으로 도입한 SAP, 인텔, EMC, 스코틀랜드 왕립은행을 인터뷰했다.

1) SAP

SAP는 유럽에서 성공한 소프트웨어 기업이다. 본사는 독일 월도프에 있으며 전 세계 9만6,000명의 직원을 두고 있다. SAP는 수년 동안 내부적으로 대규모 연구개발 부서를 운영해왔지만, 사업부서와 수행 연구가 잘 연결되지 않는다고 느꼈다. 한 관리자는 이렇게 말했다.

"우리 연구 중 어떤 것은 SAP가 아니라 대학에서 수행할 만한 것입니다. 연구원들은 사업부서와 긴밀히 협력하기보다는 논문을 발표하고 있었습니다."

이 문제를 해결하기 위해 SAP는 사업부서와 연구 부서를 분리하지 않기로 결정했고, 두 부서는 같은 팀에 보고하게 되었다.

그리고 사업부서는 연구원들에게 필요와 기대를 명확하게 전달할 수 있게 되었다. 그러나 이로 인해 일부 연구원이 회사를 떠났다.

SAP의 전 세계적인 입지는 사업을 영위하는 지역마다 서로 다른 문화를 발달시켰다. SAP에서 가장 오래되고 규모가 큰 월도프 본사는 내부 집중적이고 계층성이 강하며 덜 개방적이다. 그러나 다른 지역의 SAP는 상당히 개방적으로 협업한다. 예를 들어 팔로알토 센터에는 스탠포드, 버클리는 물론 실리콘밸리에서 일하는 사람들과 어울리는 직원 파견단이 있다.

SAP가 혁신 프로세스의 '백 엔드'에 있는 사업부서를 효과적으로 연결해 오픈 이노베이션에 성공할 수 있었던 것은 버전 관리 소프트웨어(version control software)를 개발한 경험에서 비롯되었다. 소프트웨어는 꾸준히 수정, 개선, 업데이트해야 한다. 때문에 사용 중인 버전이 최신 버전인지, 테스트 버전인지, 승인 버전인지, 지원 버전인지를 확인하는 중요한 추적 문제가 생긴다. SAP의 소프트웨어 엔지니어링 직원들은 수년 동안 방대한 SAP 소프트웨어 기반의 무수히 많은 버전을 추적하기 위해 도구들을 개발했다.

SAP가 개발한 도구는 잘 작동했지만, SAP처럼 버전 관리 문제에 직면했던 외부 세상에서는 SAP의 내부 사용 도구보다 훨씬 나은 솔루션을 고안했다. 바로 깃허브 저장소(Github repository)[6]였다. 이것은

6. 깃허브에 대한 더 자세한 내용은 다음 링크를 방문해라. http://www.howtogeek.com/180167/htg-explains-what-is-github-and-what-do-geeks-use-it-for/ (최종접속일 2016년 8월 20일). 2018년 6월, 깃허브는 마이크로소프트에 75억 달러로 인수됐지만 허브는 인수 이전처럼 운영되고 있다.

버전 관리('깃Git')를 위해 오픈 소스 도구를 기반으로 구축되었으며, 사용자들은 서로의 작업물과 이전 작업물, 현재 활동을 확인할 수 있다(깃 툴(Git tools)을 둘러싼 '허브'라고 해서 '깃허브(Github)'다. 깃허브는 분산된 기여자의 사회적 관점을 확장시켜 협업을 크게 증진시켰지만 SAP가 채택한 내부적인 SAP 도구(깃가렛(GitGarrett))와는 사용할 수 없었다.

바로 이 부분에서 SAP의 다양한 문화가 유리하게 작용했다. 시간과 많은 노력이 필요했지만 결국 팔로알토 센터는 소프트웨어 버전 관리 시스템을 깃허브로 바꾸도록 월도프 본사를 설득했다. 그 결과는 매우 만족스러웠고, 이 일은 오픈 이노베이션에 대한 SAP의 인식을 높이는데 기여했다. 소프트웨어 버전 관리 시스템을 바꾸자 개발자와 연구원가 협업 과정에서 활용하는 것과 똑같은 정보를 사업부서도 볼 수 있게 되었다. 투명성이 높아지자 의사 결정을 더 빨리 내릴 수 있게 되었고, 프로젝트가 개발 프로세스를 거쳐 시장에 출시되는 속도도 조금 더 빨라졌다. 심지어 SAP는 내부적인 버전 관리 도구를 유지하고 업데이트해야 하는 비용도 절감할 수 있었다. 이제 관리도구를 유지하고 업데이트 하는 비용은 개별 기업이 아니라 전체 깃허브 커뮤니티가 부담한다.

2) 인텔

인텔은 전 세계 10만 7,000명이 근무하는 세계 최대의 반도체 제조사다. 인텔의 연구활동은 생산시설 안에서 시작되었고 기업 설립 후 처음 30년 동안은 별도의 연구조직을 두지 않았다.[7]

처음에 인텔은 포토리소그래피(photolithography [반도체 위에 패턴을 새기는 공정 - 옮긴이])와 같은 분야의 공급자 기반(supplier base)을 연구했다. 그러다가 사업이 성장하면서 인텔의 자체 공급 기반을 넘어 광범위한 영역을 연구하게 되었고, 연구 부서는 별도의 부서로 부각되었다. 인텔은 버클리, 루벤가톨릭대학, MIT, 스탠퍼드 등 반도체 연구 분야의 선도 대학을 포함해 다른 여러 대학과 광범위한 협력 관계를 맺고 있다. 또한 유럽연합 집행위원회(European Commission)에서 시행하는 오픈 이노베이션 2.0 등 여러 정부가 참여하는 컨소시엄에도 적극적으로 참여하고 있다.[8] 현재 인텔은 미국, 유럽연합, 중국에 연구소를 두고 있으며, 사용자 경험(user experience), 반도체 아키텍처 및 설계, 시스템 및 SW 개발, 보안, 프라이버시 등의 분야를 주력으로 연구하고 있다. 인텔의 주요 고객은 시스템 제조업체지만 대부분의 연구활동은 신기술 분야에서 시장의 요구를 잘 파악하기 위해 '고객의 고객'을 대상으로 한다.

7. 인텔의 연구부서의 짧은 역사는 인텔 랩스 사례(Intel Labs case) (Chesbrough, 1999)를 참고해라. 이 사례 연구에서 보듯 인텔의 사업은 연구 혁신에 크게 의존했으나, 개발과 연구를 분리하는 데 있어서는 부정적인 경험을 했다.

8. 오픈 이노베이션 2.0에 대한 소개는 다음 링크를 참고해라. 첫 번째 저자는 2016년 여름까지 유럽 인텔 랩의 소장이었다. http://ec.europa.eu/information_society/newsroom/cf/dae/document.cfm?doc_id=2182

최근 몇 년 동안 인텔은 유망한 신기술, 연구 분야와 사업부서 사이에 연결을 강화하기 위해 NBI(New Business Initiatives)를 만들었다. NBI는 현재 사업부서가 영위하는 영역 밖에서 새로운 성장의 '씨앗(seed)'을 만들기 위해 시작되었다. NBI 관리자는 이렇게 설명했다.

"우리는 신기술 개발보다는 인텔의 신사업 개발에 주력하고 있습니다. 새로운 비즈니스 모델에 특별히 관심을 기울인다는 뜻이죠. 새로운 비즈니스 모델이 없으면 사업부서는 할 일이 없을 테니까요."

새로운 비즈니스 모델을 추진하기 위해 인텔은 에릭 리스(Eric Ries)가 개척한 린 스타트업 프로세스(이 프로세스에 대한 자세한 내용은 다음 장을 보자)를 따른다. 기업은 각 사업부서에 자사의 가장 큰 요구와 문제를 정의하도록 하고, 이것이 NBI 업무에 바로 영향을 미친다. 사업부서가 새로운 프로젝트의 수용 기준(acceptance criteria)을 명확하게 규정하도록 하여 NBI 팀이 무엇을 내놓아야 사업부서를 사로잡을지 알 수 있도록 하는 것이다.

NBI는 첫 번째로 가장 위험이 큰 영역을 해결해야 한다는 사실을 간파했다. 큰 자금이 들어가기 전에 프로젝트에서 빠르게 '위험을 제거'할 수 있기 때문이다. 한 NBI 관리자는 이렇게 말했다.

"우리는 인재풀(resource pool)입니다. 벤처를 이전하거나 그만두어도 여전히 일자리가 남아있죠."

이것은 벤처사업을 초기에 중단하여 생기는 팀원들의 개인적인 위험을 제거한다. 혁신의 초기 단계와 이후 사업부서로 혁신을 흡수하는 것 사이의 연결성을 높이기 위한 중요한 요소이다. 혁신 프로젝트가 지속되어야만 혁신 관리자의 자리가 보전된다면 수완 있는 혁신 관리자는 회사 내부 사업부서가 프로젝트에 관심을 보이지 않더라도 프로젝트를 지속할 수많은 이유를 찾아낼 것이다.

우리가 조사할 당시 NBI에는 대략 40명의 정규직 직원이 있었으나 필요할 때는 프로젝트 단위로 더 많은 인원을 활용했다. 인텔에는 FLEX라는 내부 컨설팅 인력풀이 있으며, NBI 팀에서 필요한 관련 전문지식이 있을 경우 외부 컨설턴트도 데려온다. 이런 방식으로 프로젝트에 더 많은 인원이 필요할 때 정규직 직원을 추가 고용하지 않고 40인이 탄력적으로 일할 수 있다.

NBI는 상당히 까다롭게 일을 진행한다. NBI 팀은 보통 1년에 50~100개의 프로젝트를 평가하고 10~20개를 조사한다. 조사건 중 정식 프로젝트로 배정되는 것은 5~10개이고, 그 중 1~2개 프로젝트가 시장에 출시될 것으로 예상된다. 최근 NBI는 모빌리티, 클라우드 컴퓨팅, 사물인터넷, 데이터 분석 분야에서 시드 프로젝트를 진행해왔다.

NBI는 자체적인 활동 예산을 갖고 있지만 일단 프로젝트가 사업부서로 이전할 준비가 되면 그 예산만으로는 향후 작업을 지원하기에 불충분하다. 대신 사업부서가 예산의 일부를 시드 프로젝트에 투입해야 한다. 이것은 많은 조직에서 흔히 나타나는 문제를 만드는데, 즉 사업부서의 예산에 여유가 없다는 것이다. 이는 계속해서 개발이 이루어져야 할 시점에 아무도 필요한 자금을 가지고 있지 않아서 유망한 혁신 프로젝트의 시장 진출이 상당히 지연될 수 있다는 뜻이다. 앞 장에서 보았던 '죽음의 계곡' 문제가 단일 조직 내, 혁신 프로세스의 프런트 엔드와 백 엔드 사이에서 나타나는 것이다. 때로 이 문제의 유일한 해결방법은 다음 회계연도까지 기다려서 새로운 프로젝트를 그 해의 예산요구서에 포함시키는 것뿐이다.

자금 조달에 공백이 생기는 문제로 고심하던 인텔 경영진은 NBI에서 사업부서로 프로젝트 이전을 지원하기 위해 특별히 추가 아이템 예산을 신설하기로 결정했다. 한 관리자는 이렇게 설명했다.

"우리는 나머지 파이프라인을 줄이지 않고 추가 자원을 제공해달라고 경영진을 설득했습니다. 여러 번 설득한 끝에 지금은 프로젝트를 확장할 수 있는 새로운 예산을 확보했죠. 우리는 사업부서로 벤처를 이전한 첫 해에 예산을 보내서 프로젝트가 사업부서의 계획에 흡수될 수 있게 도와줍니다."

인텔은 이런 식으로 사업부서가 다음 해 예산에 새로운 프로젝트를 포함시킬 수 있을 때까지 자금조달의 공백 문제를 해결했다.

NBI가 개발한 또 다른 조직 혁신은 시드 프로젝트에 투입했던 직원을 프로젝트를 인계 받는 사업부서로 6개월 동안 함께 이동시키는 것이다. 이는 NBI의 연구단계에서 수집된 지식을 사업부서에 보다 효과적으로 전달한다. 사업부서로 프로젝트를 정식 이전한 후에는 NBI 직원 대부분이 신규 프로젝트에 배정되기 때문에 시드 프로젝트에 풀타임으로 참여했던 직원을 상주시킬 경우 프로젝트와 관련된 지식에 접근할 수 있는 속도가 크게 향상된다.

이것은 또 다른 이점도 있다. 일단 혁신 프로젝트 하나가 마무리되면 프로젝트에 투입되었던 팀은 해체되고 팀원들은 각각 다른 업무에 재배치된다. 초기 프로젝트에서 몇 주 안에 누가 무엇을 했는지 파악하기란 꽤 어려운 일이다. 초기 프로젝트에 대해 질문이 생겨도 프로젝트에서 일이 어떻게 수행됐고 누가 했는지 아는 사람이 없다면 답을 찾기가 어렵다. 팀원 중 한 명을 6개월 동안 파견하면 이러한 문제를 쉽게 해결할 수 있다.

한편, NBI는 외부 고객이 중요하다는 사실도 알았다. 프로젝트가 강력한 고객 지지를 끌어낼 수 있다면 인텔의 사업부서 중 하나로 프로젝트를 이전할 때 큰 도움이 된다. 사업부서는 당연히 고객의 말에 귀 기울이는 것을 좋아한다. 그리고 프로젝트 배후에 강력한 고객 몰입이 있다는 사실은 사업부서가 프로젝트를 수용할 때 떠안을 위험을 감소시킨다. 그 당연한 귀결 역시 중요하다. 한 NBI 관리자는 이렇게 말했다.

"우리 프로젝트가 고객을 끌어당기지 못한다면 그것은 중요한 암시를 주죠."

3) EMC

* EMC는 데이터 스토리지와 클라우드를 포함한 IT솔루션 기업으로 1979년 설립했으며, 현재 100개 국가에 진출한 글로벌 IT기업이다. (편집자주)

오픈 이노베이션에 대한 EMC의 접근방법은 기업 내부에 '혁신 네트워크'를 만드는 것에서 출발했다. 이 네트워크는 직원들을 진행 중인 여러 프로젝트에 연결해 더 많은 직원들이 사내에서 진행되는 일을 알도록 하는 것이었다. 네트워크를 조직하는 오픈 이노베이션 팀은 다양한 프로젝트를 검토하고 다음에 일어날 일과 대략적인 시기에 대한 로드맵을 짜기 시작했다. 그리고 공백을 발견하면 새로운 프로젝트를 제안해, 직원이 공백을 해결하게 하려고 했다. 한 EMC 관리자는 이렇게 말했다.

"비현실적인 생각이었죠. 우리는 프로젝트에 관심이 있는 사람을 모으고 아이디어를 사업부서 중 한 곳에 다시 팔려고 했어요."

이런 생각은 재미도 있고 지적으로 자극을 주기도 했지만 팀은 냉철한 깨달음을 얻었다.

"우리가 사업부서에 프로젝트를 발표하면 어땠는지 아세요? 침묵이 감돌았어요! 우리의 접근방식에 근본적인 결함이 있는 것이었죠. 나중에 결과를 권하려면 먼저 사업부서로부터 승인을 받았어야 했던 거에요."

EMC의 오픈 이노베이션 팀은 프로세스를 뒤집었다. 이제 오픈 이노베이션 팀은 부사장의 지원을 받아 각 사업부서에 핵심 니즈와 문제가 무엇인지 알려달라고 요청한다. 그리고 이것들을 엄선해서 사내 네트워크에 도전과제로 게시한다. 직원들은 자체적으로 소규모 팀을 조직해 도전과제에 대한 해결책을 제안하고, 사업부서는 제출안의 검토를 돕는다. 제출안이 채택되면 솔루션을 프로토타입으로 만들 수 있는 자금을 지원받으며 이전보다 프로젝트를 진척할 준비가 되어 있는 사업부서로부터도 도움을 받는다.

EMC는 연간 약 30개의 프로젝트를 처리하고 있다.[9] 인텔과 마찬가지로 별도의 육성 기금(incubation fund)을 조성해 오픈 이노베이션 네트워크의 초기 연구개발 단계부터 기존 사업부 내의 성장(scale up) 단계까지 프로젝트의 진행을 돕는다. 별도의 육성 기금은 사업부서가 프로젝트를 가져오고 싶어도 다음 회계기간까지 프로젝트를 인수할 가용자금이 부족할 때 현 회계연도의 예산 공백을 채워준다.

프로세스를 전환하자 지난 5년 동안 새로운 사업에서 수억 달러로 추산되는 상당한 수익이 창출됐다. 이는 EMC 내부의 오픈 이노베이션이 효과가 있음을 강력히 검증한다. 하지만 EMC의 접근방법이 기업의 혁신과제에 대한 완전한 해답은 아니다. 이 과정으로 선정된 프로젝트는 현재 사업 또는 현재 사업 인접 시장을 확장하는 프로젝트로 편향성을 띈다. 기업의 명백한 새로운 시장을 탐색하는 이른바 '화이트 스페이스(white spaces [새로이 떠오르는 영역

9. EMC는 2016년 델(Dell)이 670억 달러로 인수했다. 여기서 설명한 EMC 프로세스가 인수 후에도 유지되는지 여부는 아직 알 수 없다. 다만 EMC 혁신부서에서 신기술 개발이 사업부서로 이동하는 과정은 많은 기업과 관련되기 때문에 여기에 포함시킨다.

-옮긴이])'를 위한 자금이 없는 것이다.

EMC의 혁신활동에서 화이트 스페이스의 공백을 해결하는 한 가지 방법은 사내 벤처링 모델(internal venturing model)을 채택하는 것이다. 이 모델에서는 선발 직원들이 현재 사업영역 밖에서 새로운 벤처를 만들기 위해 승인 받는다. 사내 벤처의 목표는 린 스타트업 접근법을 활용하여 새로운 사업 분야에서 초기 프로토타입을 개발하고 조기에 시장 검증을 얻는 것이다. 사내 벤처의 목표 진행 상황을 측정하기 위해 투자성숙도(Investment readiness levels)가 이용된다. 하지만 이 벤처들의 백 엔드를 EMC 기존 사업부로 재통합하는 것은 여전히 강한 의지가 필요하다. 이 벤처들은 의도적으로 기존 사업과 상당히 동떨어진 분야에서 운영되기 때문이다. 결국 어떤 프로젝트는 내부 사업부서와 연결되지만 어떤 프로젝트는 외부 투자자에게 스핀아웃 하는 것이 더 나을 수도 있게 된다.

4) 스코틀랜드 왕립은행 (Royal Bank of Scotland)

2008년 금융위기가 터지자 스코틀랜드 왕립은행(RBS)은 어려움을 겪었다. 금융위기 전까지 RBS는 기업 인수를 통해 성장해왔지만 위기가 터지자 심각한 압박감에 봉착하게 되었다. 영국 정부는 은행을 구제하기 위해 개입했고, 결국 RBS 주식의 80%를 보유하게 됐다.

금융위기 이후 RBS는 효율적으로 인수 자산을 매각하는데 초점을 맞췄다. 2008년 RBS는 전 세계에 사무소가 있었지만,

현재는 영국에서 주로 소매 은행 부문에 집중하고 있다. 이로 인해 혁신이 꽃 피우기 어려운 환경이 조성되었다.

2013년 RBS는 경영진을 바꾸고 혁신을 위한 새로운 접근법을 도입했다. 현재는 개인 금융, 기업 금융 부문을 운영한다. 혁신이 다시 새로운 전략의 한 축이 되었다.

이런 변화는 우연한 시기에 시작되었다. 은행권은 (업계용어로 '핀테크'로 알려진) 금융기술 스타트업의 등장으로 또 한 번 격동기를 맞고 있다. 비트코인 등 블록체인을 활용한 새로운 통화가 등장하고, 대부분의 은행 업무가 스마트폰으로 옮겨가며 새로운 채널이 생겨나고 있으며, 렌딩 클럽이나 크라우드 펀딩 등 새로운 P2P 대출 모델이 제시되며 혁신의 가능성이 폭발적으로 증대되고 있다. 대부분의 소매 은행처럼 RBS의 자산 기반도 많은 부분 부동산에 투자해 광범위한 지점 네트워크에 이용하고 있다. 최근 핀테크의 폭발적인 발전으로 시장에서 비대면 금융이 증가함에 따라 은행이 소유한 부동산 자산의 유용성에 의문을 제기하기도 한다. RBS는 핀테크 기업이 은행업을 대신하면서 은행을 우회하는 탈금융중개화(disintermediation)를 걱정하게 되었다.

RBS는 이렇게 도전적인 상황에서 혁신 프로세스를 변화시켜 대응해 왔다. 핀테크의 도전을 피하기보다는 샌프란시스코에 전초기지를 세워 유망한 스타트업을 둘러보고 이들 중 누가 은행에 유용한 파트너가 될 수 있을지 살펴본다. 또한 이전에는 관심지역이 아니었던 이스라엘에서도 활발한 활동을 펼치며 현지 핀테크 커뮤니티와 교류하고 있다. 스코틀랜드의 새로운 벤처기업을 육성하는 인큐베이터를 지원하기도 한다.

RBS의 전초기지들은 규모는 작지만 (초기에 샌프란시스코 사무소에는 풀타임 직원이 고작 2명이었다) 핀테크 세상이 RBS에 제기하는 위험과 기회에 대해 고위 경영진을 교육하는데 활용되고 있다. 은행의 고위경영진은 정기적으로 전초기지들을 방문한다. RBS의 경우 혁신 가능성을 이해하고 대응에 필요한 실험과 벤처사업, 협업을 후원하는데 고위 경영진을 대신 할 수 있는 것은 없다.

기회를 잡으려면 여러 가지 내부 프로세스가 필요하다는 것이 RBS가 배운 것이었다. 전통적으로 RBS는 새로운 공급자와 거래하고자 한다면 구매팀이 공급자에 대한 광범위한 자격 검증 과정을 거쳤다. 공급자는 상당한 시간을 기다려야 했지만 수백만 달러짜리 계약이고 은행 전체가 그 결과를 이용할 것이라는 점을 생각할 때 합리적이었다. 그러나 핀테크 세상에서 새로운 기회는 초기에는 상당히 보잘 것 없는 경우가 많으며, 새로운 파트너의 기술을 가장 잘 활용하는 방법을 알아내기 위해 여러 번의 시행착오가 필요할 수도 있다. 여기에서 기존의 부담스러운 프로세스가 핀테크 스타트업에게는 지나치게 짐이 된다는 것이 드러났다. 한 가지 예가 RBS가 은행의 모든 주요 공급자에게 요구하는 표준 계약 조건이었다. 이것은 공급자의 기술에 문제가 있을 경우 RBS를 보호하기 위한 면책 조항이었다. 기성 기업에게는 만족스러운 사업 관행이지만 문제가 생길 경우 직원이 4만 명인 파트너기업에게 직원이 20명인 핀테크 기업이 배상한다는 개념은 꽤 우습다.

RBS는 보안 분야에서 오픈 이노베이션 프로세스를 성공적으로 활용했다. 기존의 보안 토큰은 리튬이온 배터리로 작동했는데, 가격이 비쌀뿐더러 환경적으로 지속가능하지도 않았고 방전됐다. RBS는 소프트웨어 기반 솔루션을 위해 외부 보안 전문업체인 RSA와 협력했다. 초기에는 실패했지만 노력 끝에 이스라엘에서 성공적인 프로토타입을 개발했다. 이것은 사용자의 신원을 확인하는 새로운 방법으로 보행 분석을 포함한 다요소 인증(multi-factored authentication)을 사용했다. 매우 정확하고, 저렴하며, 환경적으로 지속가능한 방식으로 잠재력이 있었다. 심지어 RBS는 진짜 엘비스와 가짜 엘비스를 대조하면서 새로운 보안 방식을 홍보하는 내부 영상을 제작하기도 했다.

오픈 이노베이션의 백 엔드에서 나타나는 공통적인 문제

처음에 언급했듯이 혁신 프로세스의 프론트 엔드에 프로젝트를 투입한다고 해서 그 자체로 더 많은 사업 수익을 창출하는 것은 아니다. 오픈 이노베이션에서 긍정적인 비즈니스 결과를 얻으려면 혁신 프로세스의 백 엔드를 살펴봐야 한다. 각 기업에는 기업 내부 버전의 '죽음의 계곡'이 있어서 혁신 프로세스의 프론트 엔드에서 사업부서로 혁신기술을 성공적으로 이전하는 것을 방해할 수 있다.

이상의 네 기업들을 살펴보면 대부분의 기업이 내향형 오픈 이노베이션을 통해 비즈니스 성과를 얻기 위해 죽음의 계곡을 건너려고 할 때 직면하는 공통적인 문제가 나타난다.

아래와 같은 문제이다.

- 사람
- 자금
- 경영진의 지원

하나씩 살펴보자.

오픈 이노베이션 프로세스에 관여하는 사람들은 기업에 새로운 혁신 가능성을 발견하고 실행하기 위해 외부 세계와 좋은 관계를 구축해야 한다. 다른 한편으로는 가능성을 실현하기 위해 내부 사업부서와도 탄탄한 관계를 수립해야 한다. 내·외부에 대한 이중의 포커스가 효과적인 내향형 오픈 이노베이션을 구축하는 기본이다.

그렇다면 이들을 어디에서 데려와야 하는가? 외부 인맥이 강한 사람을 데려와서 회사 내부 직원들과 친해지게 하는 것이 좋을까? 아니면 회사에서 상당한 이력을 갖고 있고 이미 많은 내부 인사들을 알고 있는 사람에게 외부 인맥을 더 쌓게 하는 것이 좋을까?

앞서 살펴본 네 기업들은 모두 오픈 이노베이션을 시작하면서 두 번째 방법을 선택했다. 그들은 강력한 내부 연결 없이는 오픈 이노베이션을 추진하는 혁신가들이 외부 파트너와 협력자들에게 기업을 효과적으로 대표할 수 없다는 사실을 발견했다. 프로젝트를 시작하고 시장 출시를 준비하기 시작하면 사업부서의 지원(궁극적으로 예산과 인사이동)은 필수적이다. 기업 내부의 네트워크가 탄탄한 사람들은 이 때 필요한 지원을 더욱 효과적으로 얻는다.

인맥이 좋은 내부 직원부터 시작해서 오픈 이노베이션 활동에 강력한 외부 연계를 가져올 수 있는 제2의 인물을 추가하는 것은 효과적인 방법이다. 양측의 조합은 기업 외부에 있는 새로운 기회의 창을 열고 그 기회를 활용하기 위해 기업 내부에서 필요한 관계 또한 유지할 수 있다. SAP의 사례를 보면 월도프와 팔로알토의 서로 다른 문화는 유망한 신기술을 알아보고 그 기술을 SAP의 핵심사업에 효과적으로 연결하는데 도움이 되었다. 이는 고어 테크놀로지(Gore Technology)가 최근 실리콘밸리 혁신센터(Silicon Valley Innovation Center)를 출범하면서 택한 길이기도 하다. 실리콘밸리 혁신센터는 오랜 내부 직원과 함께 최근 인맥 좋은 외부인을 고용해 공동으로 운영하고 있다.[10]

자금조달은 오픈 이노베이션으로 성과를 얻기 위해 필요한 또 다른 중요 요소이다. 네 기업 모두 혁신 예산과 기회가 불일치하는 문제를 겪었다. 대기업의 경우 예산은 보통 회계연도가 시작하기

10. Linda Elkins (Ms Inside)와 Paul Campbell (Mr Outside)가 이끄는 혁신센터, https://www.gore.com/innovation-center (최종접속일 2019년 2월 15일).

몇 달 전에 정해진다. 그리고 일단 정해지면 바뀔 여지가 별로 없다. 한편 혁신을 일으킬 수 있는 기회는 일 년 내내 예측이 불가능하다. 혁신팀에서 아무리 유망한 프로젝트가 나와도 예산이 없으면 사업부서에서 프로젝트를 진행할 수 없다. 문제는 대부분의 사업부서는 다음 회계연도가 시작될 때까지 예상치 못한 새로운 프로젝트를 흡수할 수 있는 예산이 없다는 것이다.

인텔과 EMC는 예산 공백 문제를 해결하기 위해 새로운 자금풀을 특별히 따로 배정했다. 혁신팀은 프론트 엔드에서 새로운 프로젝트를 시작하기 위해 이 자금을 사용할 수 없다. 마찬가지로 프로젝트를 이어받는 사업부서도 기존의 다른 제품이나 서비스에 대한 수요를 충당하기 위해 이 자금을 전용할 수 없다. 브리지 펀드는 적기에 프로젝트를 이전하고 확장하는 데 사용되며, 이후 예산 편성 과정에서 다음 회계연도에 새로운 프로젝트를 포함시킬 수 있다.

오픈 이노베이션 프로세스의 백 엔드에서 경영진의 관심과 지원은 성공을 위한 또 다른 중요한 요소다. 최고경영진은 눈코 뜰 새 없이 바쁘며, 내부적으로는 경영진의 관심을 요하는 활동이 아주 많다. 오픈 이노베이션이 제시하는 가능성은 너무 모호하거나, 너무 동떨어져있거나, 초기에는 너무 미미해서 최고경영진의 시간을 잡아두지 못하는 경우가 많다.

살펴본 네 기업들은 최고경영진의 목표를 촉진하기 위한 수단으로 오픈 이노베이션을 내세우며 대응해왔다. 이것은 EMC의 변화에서 가장 뚜렷하게 나타난다. EMC는 미래에 대한 이상적인 전망을 그리다가(자체 로드맵 작성) 이후 최고경영진의 선승인을 바탕으로 활동을 조직했다. RBS도 비슷한 접근방식을 취했다. 최고경영진을 위한 현장학습을 준비하여 경영진 스스로 핀테크의 위험과 기회를 보게 했다. 일단 최고경영진이 전체적 맥락을 경험하고 나아갈 방법과 방향에 대해 관점을 발전시키면 RBS의 전초기지가 그들의 바람에 응한다. SAP 깃허브의 사례에서는 최고경영진에게 투명성을 제공했다. 경영진이 직원들이 보는 것을 볼 수 있도록 했고, 이런 방식으로 최고경영진은 최우선 프로젝트의 상태를 명확히 볼 수 있게 됐다.

완전히 새로운 비즈니스는 어떤가?

지금까지 우리는 혁신 프로세스의 프론트 엔드에서 이루어지는 혁신팀의 활동과 실제로 혁신을 시장에 내놓는 사업부서의 니즈를 연결하는 문제에 대해 논의했다. 본 바와 같이 혁신팀과 사업부서 사이에는 내부적인 죽음의 계곡이 있는데, 이것은 3장에서 본 외부적인 죽음의 계곡과 유사하다. SAP, 인텔, EMC, RBS는 기업 내부에 존재하는 죽음의 계곡을 극복할 유용한 사례들을 제공한다.

하지만 혁신 프로세스의 프론트 엔드와 백 엔드를 연결하는데 있어 '화이트 스페이스' 문제가 여전히 남아있다. 화이트 스페이스는 기존 사업부는 (기존의 사업활동과 거리가 있기 때문에) 기회에 대해 많이 알지 못하고, 최고경영진은 (초기 시장이 작거나 불분명하기 때문에) 아직 관심을 갖지 않는 영역이다. 이 장에서 살펴본 네 개 기업 중 화이트 스페이스 문제에 대해 완전한 해답을 가지고 있는 기업은 없다. 하지만 EMC의 사내 벤처링 모델은 적어도 하나의 나아갈 길을 제공해준다. 기업이 화이트 스페이스를 탐사하기 위한 비즈니스 실험을 소홀히 한다면 화이트 스페이스가 가져다 줄 기회와 위험에 대해 계속 무지한 상태로 남아있을 것이다. 실제로 화이트 스페이스에서 사업을 하려는 용기 있는 자들만이 앞으로 나아갈 시기와 여부를 파악하는데 필요한 지식과 견해를 얻을 수 있다.

바로 이 부분에서 벤처를 설립하는데 있어 린 스타트업 접근방법을 채택하는 것이 아주 중요해진다. 린 방식은 초기 비용을 낮게 유지하고 가장 짧은 시간에 가장 많이 배울 수 있게 설계된다. 린 스타트업은 혁신 프로세스의 초반에 초기 고객을 파악하기 위해 노력하고, 고객들은 혁신 부서의 아이디어가 죽음의 계곡을 넘어 회사 내부 사업부서까지 갈 수 있게 돕는다. 따라서 우리는 다음 장에서 린 스타트업 프로세스에 대해 살펴볼 것이다.

4장의 주요 내용이다.

1. 혁신의 결과는 무엇을 시작하느냐가 아니라 무엇을 끝내느냐에 달려 있다. 새로운 혁신 프로젝트를 상업화하는데 필요한 프로세스와 활동에 관심을 쏟지 않아 혼잡함과 불만스러운 점이 생겼다.
2. NIH 증후군은 나사를 포함한 많은 조직에서 나타나며 기술직 직원들은 오픈 이노베이션을 위협적으로 여기는 때가 많다.
3. 많은 조직에는 혁신 부서와 새로운 혁신을 전달받는 사업부서 사이에 죽음의 계곡이 존재한다.
4. SAP, 인텔, EMC, RBS와 같은 기업의 사례는 기업 내부에 존재하는 죽음의 계곡을 극복하는데 도움이 된다. 기업 내 죽음의 계곡을 건너기 위한 메커니즘을 만들기 위해서는 자금, 사람, 최고경영진의 지원이 모두 필요하다.

별첨 : 대기업의 오픈 이노베이션 실태에 관한 조사 결과

우리 조사에서는 외부 지식이 기업 내로 유입되는 내향형 오픈 이노베이션(inbound Open Innovation)과 지식이 기업 외부로 유출되는 외향형 오픈 이노베이션(outbound Open Innovation)을 구별했다. 또한 오픈 이노베이션 참가자에게 금전적 보상이나 비금전적 보상을 하는 행위를 구별했다. 내향형 오픈 이노베이션의 비금전적 보상 유형에서 기업은 기부나 표준 참여 등을 통해 지식을 자유롭게 공개할 때처럼 금전적 보상 없이 외부 지식을 얻는다. 그림 4.1에서 이런 유형을 확인할 수 있다.

조사 결과 기업들은 외향형 유형보다 내향형 오픈 이노베이션 유형을 훨씬 일반적으로 이용했다. 조사대상 기업에서 내향형 오픈 이노베이션을 활용한 프로젝트는 평균 35%였고, 8%만이 외향형 오픈 이노베이션을 활용했다.

예상할 수 있겠지만 모든 유형이 똑같이 중요한 것은 아니다. 우리는 응답자들에게 2011년 다양한 유형별 중요도를 평가하고 2008년부터 2011년까지 중요도에 변화가 있었는지 물었다. 10가지 내향형 유형과 7가지 외향형 유형이 평가항목이었다. 전체적인 그림을 확실히 파악하기 위해 연구개발 제휴와 같은 전통적인 유형뿐만 아니라 크라우드소싱, 오픈 이노베이션 중개자(Open Innovation intermediary), 커먼즈(commons)나 비영리단체에 대한 기부 등 최근에 대두되고 있는 유형도 평가항목에 포함했다.

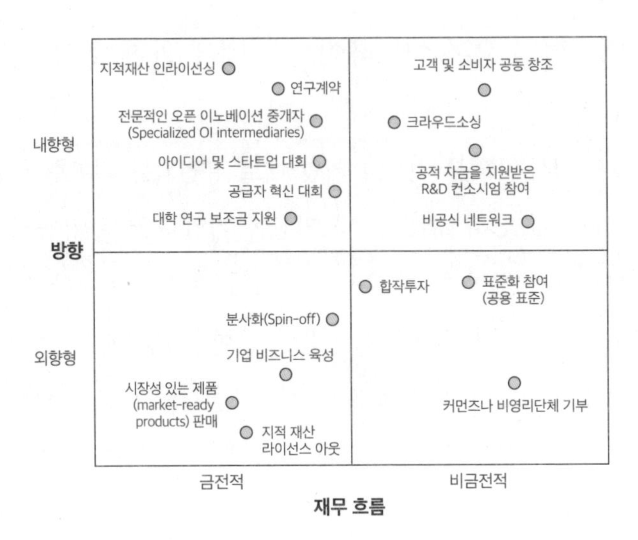

그림 4.1 - 오픈 이노베이션 유형에 따른 분류

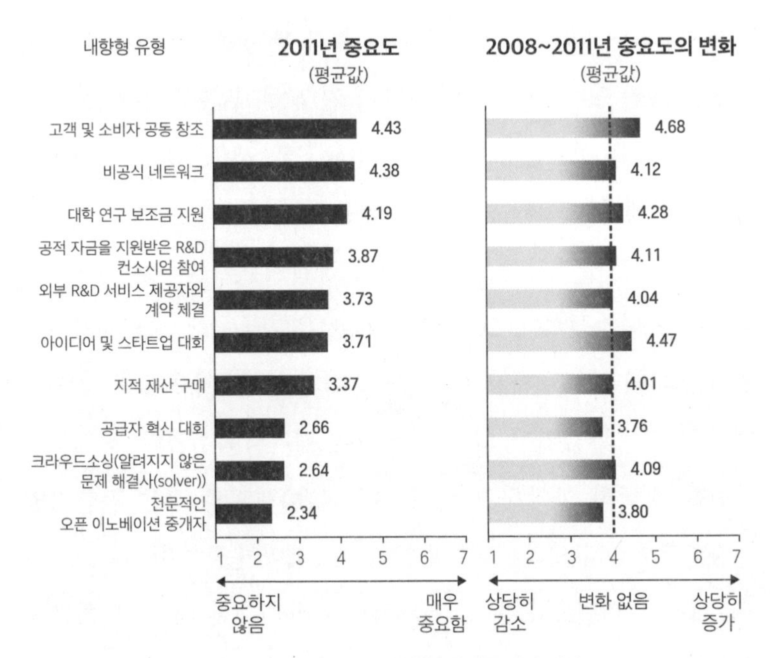

그림 4.2 - 내향형 유형 : 2011년 중요도와 2008~2011년 중요도의 변화

그림 4.2는 2011년 내향형 유형별 중요도와 2008년~ 2011년 그 변화에 대한 응답자의 평가를 보여준다. 대기업들은 평균적으로 모든 내향형 유형의 중요도를 보통 정도라고 응답했다. (2011년 내향형 유형 평균 중요도는 3.53점이었다. 1=중요하지 않음, 7=매우 중요함) 평균적으로 이 유형들의 중요성에 대한 인식은 2008년에서 2011년까지 약간 상승했다. (평균 4.14점, 1=상당히 감소, 4=변화 없음, 7=상당히 증가)

내향형 유형 중 고객 및 소비자와의 공동 창조는 중요도에서 가장 높은 평가를 받았으며(7점 만점에 4.43점), 2008년부터 2011년까지 중요도 증가도 가장 컸다. 비공식적 네트워크와 대학 연구 보조금은 중요도 평가에서 2위와 3위를 차지했다. 한편, 크라우드소싱과 전문적인 오픈 이노베이션 중개자 서비스는 중요성에서 가장 낮은 평가를 받았다.[11] 오픈 이노베이션 중개자 서비스의 중요성은 2008년에서 2011년 사이 약간 감소했다(2.34점). 응답자들은 공동 창조 외에도 아이디어 및 스타트업 대회의 중요도가 높아졌다고 대답했다(4.47점).

그림 4.3은 2011년 외향형 유형별 중요도와 2008년에서 2011년까지의 변화를 보여준다. 평균적으로 대기업에서 외향형 유형은 내향형 유형에 비해 덜 중요하게 여겨진다(내향형 유형의 평균점수는 3.53점인데 비해 외향형 유형의 평균 점수는 3.25점이다). 그러나 지난 몇 년 동안 외향형 유형에 대한 관심은 약간 증가했다. 응답자들은 평균적으로

11. 오픈 이노베이션에 대한 학계의 관심은 대부분 기업, 적어도 대기업에서 가장 적게 사용하는 유형에 집중되어 있다. 학구적인 독자들은 이 사실을 곰곰이 생각해보길 바란다. 학자로서 우리는 조직이 직면한 가장 중요한 혁신문제에 초점을 맞추고 있는가? 조직과 관련성을 높이기 위해 연구의 우선순위를 바꿔야할 필요가 있는가?

2008년에서 2011년까지 외향형 유형의 중요도가 높아졌다고 보고했다(평균 4.21점).

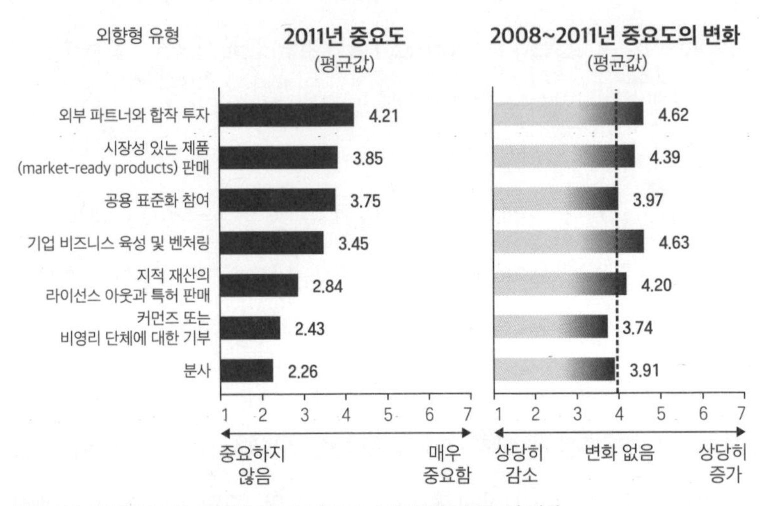

그림 4.3 - 외향형 유형: 2011년 중요도와 2008~2011년 중요도의 변화

합작 투자 활동은 가장 높은 평가를 받은 외향형 유형으로(평균 4.21점), 과거 3년 동안 중요도도 증가했다(평균 4.62점). 시장성 있는 제품의 판매[고객에게 판매하기 위해 시장성 있는 참신한 제품 아이디어를 제3자에게 판매하는 것 - 옮긴이]와 공용 표준화 참여가 각각 2위와 3위를 차지했다. 커먼즈나 비영리단체에 대한 기부와 분사는 외향형 유형에서 가장 중요도가 낮았다. 심지어 지난 3년간 이 두 유형의 중요도는 감소했다(2008년에서 2011년까지 중요도의 변화를 나타내는 점수는 각각 3.74점, 3.91점). 대조적으로 비즈니스 육성과 벤처링(4.63점), 합작 투자에 대해서는 오픈 이노베이션을 활용하는 기업들의 관심이 다소 높아졌다.

우리는 오픈 이노베이션의 유형별 중요도 외에도 혁신활동의 파트너에 대해서도 조사했다. 응답자에게 2011년 오픈 이노베이션 활동의 예비 파트너 또는 협력원의 중요도를 각각 평가해달라고 요청했고, 다시 7점 척도를 사용했다. 그림 4.4는 응답자들이 평가한 오픈 이노베이션 파트너 12곳의 중요도 평균을 보여준다.

응답자들은 내부 직원을 가장 중요한 협력원으로 생각했다. 외부의 오픈 이노베이션 파트너를 보면 고객, 대학, 공급자, 최종 소비자(B2B 기업의 경우)를 모두 평균 이상의 중요도로 평가했다. 그러나 경쟁자와 제한적 커뮤니티, 자유로운 커뮤니티는 가장 중요도가 낮다고 평가 받았다.

대기업의 오픈 이노베이션 활용을 제한하는 문제와 제약은 다양하다. 우리는 이 문제를 탐구하기 위해 고위 경영진들에게 오픈 이노베이션을 활용하기 시작했을 때 주요 문제로 인식한 것이 무엇이었는지 질문했다. 그리고 현재 시점에서 주요 문제와 제약은 무엇이라고 생각하는지 물었다. 그림 4.5는 오픈 이노베이션을 처음 시작했을 때와 현재 기업이 평가하는 문제별로 중요도를 보여준다.

일반적으로 기업들은 내부 조직 변화(시작 시점 5.6점, 현재 5.26점)를 가장 중요한 문제로 생각하는 경향이 있었다. 이것은 그림 4.4에서 나타난 내부 직원 중요도와 완벽하게 일치하는 결과이다. 외부 혁신 파트너와의 관계 관리도 상당히 중요한 과제였다(시작 시점 4.97점, 현재 4.89점). 응답자들은 외부 지식이나 이미 존재하는 지식의 무단 사용을 피하는 문제는 가장 염려하지 않았다(시작 시점 3.61점, 현재 3.69점).

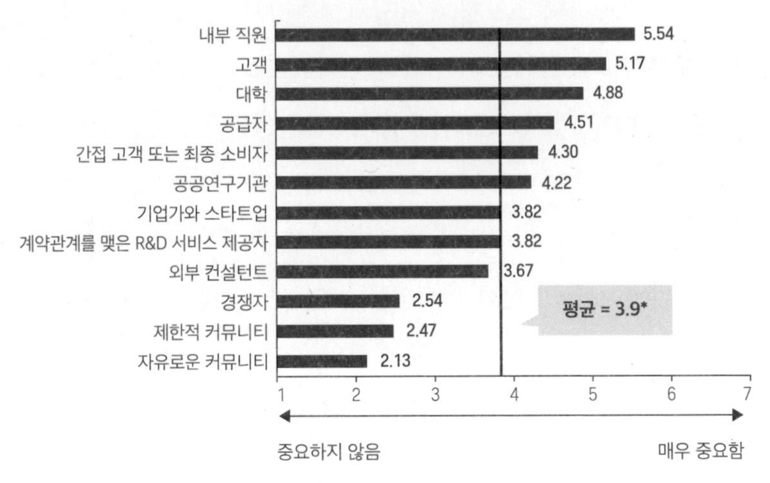

그림 4.4 - 다양한 오픈 이노베이션 파트너의 중요도

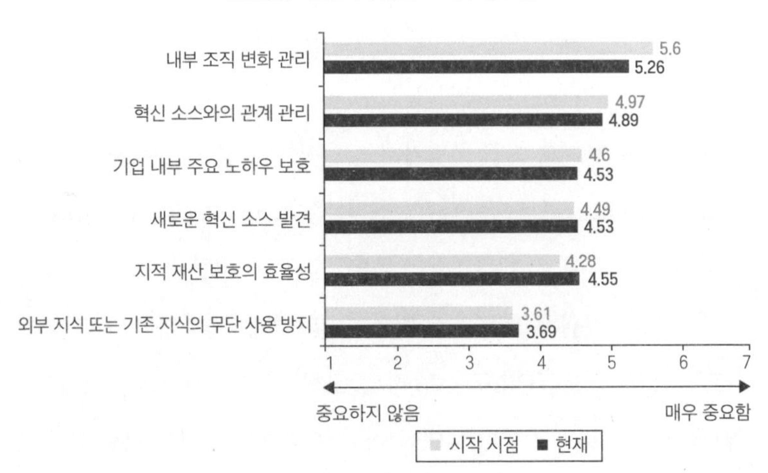

그림 4.5 - 오픈 이노베이션 활용 시 시작 시점과 현재 인식되는 문제

우리는 기업의 오픈 이노베이션 성과에 대한 만족도도 조사해보았다. 응답자의 2008년부터 2011년까지 오픈 이노베이션 활동에 대한 만족도를 1=매우 불만족, 4=보통, 7=만족으로 평가했다. 평균적인 만족도는 4.68점으로 오픈 이노베이션에 대해 다소 긍정적인 견해를 가지고 있었다. 응답 기업 중 44퍼센트 이상이 5점을 줬으며 16퍼센트 이상이 6점 또는 7점을 선택했다(그림 4.6 참조).

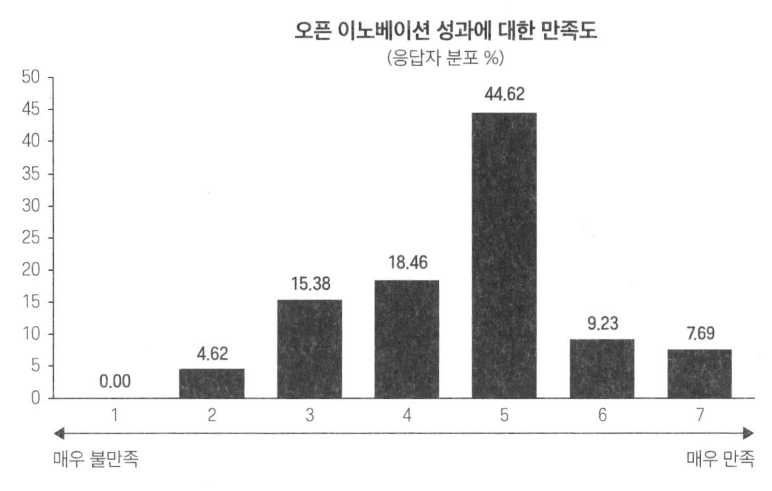

그림 4.6 - 2008~2011년 오픈 이노베이션 활동 만족도

그러나 이 결과로 우리는 오픈 이노베이션 활동에 대한 불만족도 상당하다는 사실을 알 수 있다. 오픈 이노베이션을 보다 집중적으로 실천하고 있는 기업들도 평균 4점보다 약간 높게 평가할 뿐이었다. 이렇게 미온적인 인식에도 불구하고 오픈 이노베이션을 포기한 기업이 없다는 사실은 기업들이 오픈 이노베이션으로 더 나은 결과를

얻는 방법에 대해 여전히 배우고 있다는 의미일 것이다. 오랫동안 오픈 이노베이션을 실천하고 있는 기업은 어느 정도 높은 만족도를 느낀다고 보고했다. 그러나 분명히 개선해야 할 여지는 남아 있다.

오픈 이노베이션에 대한 최근의 학계 연구는 비금전적 지식 교환 또는 '자유롭게 공개된' 지식 교환의 역할을 강조하고 있다. 그러나 우리가 시행한 조사에 따르면 적어도 대기업에서 이러한 지식 교환은 중요도가 매우 낮은 소스 중 하나로 평가 받았다. 게다가 대기업들은 지식의 '무료' 교환을 제공하기보다는 오히려 제공받으려고 하는 것처럼 보였다. 학계에서는 개방적이고 제한적인 혁신 커뮤니티와 크라우드소싱에 많은 관심을 보이고 있지만 우리 조사에서는 중요도가 낮다는 평가를 받았다. 이런 소스들은 시간이 지나면서 중요성이 커질 것으로 예상되지만 시작은 매우 미미하다. 게다가 기업들은 대학이나 연구기관과의 협력처럼 비교적 확립된 오픈 이노베이션 활동에 모두 만족하는 것도 아니었다. 이 조사결과는 소프트웨어 도구를 제공하는 오픈 이노베이션 벤더, 중개자, 기타 연구 소스들이 이들 자원을 사용하는 대기업의 만족도를 높이고자 더 노력해야 한다는 점을 보여준다.

5장

린 스타트업과 오픈 이노베이션

《《◇》》

5장

린 스타트업과 오픈 이노베이션

혁신 분야에서 비교적 새로운 개념인 린 스타트업은 기업 혁신 분야에서는 훨씬 새로운 개념이다. 린 스타트업은 에릭 리스(Eric Ries)의 선구자적 아이디어를 바탕으로 스타트업이 혁신에 실패하는 이유를 재개념화 한다. 리스는 자신의 명저 <린 스타트업>[1]에서 이를 분명하게 보여준다. 리스는 도요타 생산시스템에서 발견한 린 사고방식을 스타트업에 적용했다. 앞으로 이야기하겠지만 스티브 블랭크(Steve Blank) 역시 린 스타트업을 완성하는데 중요한 역할을 했다.

린 스타트업의 핵심 아이디어는 대부분의 스타트업이 실패하는 이유가 형편없는 제품 개발은 아니라는 것이다. 많은 경우에 기업은

1. Eric Ries, The Lean Startup (New York: Crown Business, 2011).

신제품(또는 서비스) 개발 과정에서 발생하는 기술적이고 운영적인 문제를 잘 해결한다. 오히려 **스타트업이 실패하는 가장 흔한 이유는 고객들이 새로운 제품을 잘 수용하지 못하기 때문이다.** 그럼에도 불구하고 대부분의 스타트업에는 제품 개발을 테스트하고 검증하는 것처럼 판매시장을 개발하고 핵심 목표(milestone)를 테스트하고 검증하는 프로세스는 마련되어 있지 않다.

기존 전략은 스타트업도 각 사업영역에 대한 구체적인 사업계획서를 작성해야 한다고 조언했다. 일단 계획이 수립되면 스타트업은 계획을 따라야 하며 새로운 정보가 들어오면 계획을 업데이트해 사업계획서에 명시하고 그에 따라 개발된 제품을 출시해야 한다는 것이다. 사실상 스타트업이 대기업의 작은 버전처럼 해야 한다고 주장했다.

리스는 린 사고방식이 기존 전략과 정반대라고 말한다. 도요타의 생산체제에서 영감을 받은 린 사고방식은 산업공정에서 낭비를 줄이는 것이 핵심이다. 리스는 스타트업에게 가장 큰 자원 낭비는 아무도 사고 싶지 않은 제품을 만드는 것이라고 봤다. 린 방식은 신중하게 고객이 구매하고 싶어 할 제품의 최소 기능을 결정하고 더도 말고 덜도 말고 딱 그 기능을 만드는 제품 개발과정에 집중한다. 이것이 최소 기능 제품(minimal viable product), MVP라는 린 스타트업의 핵심개념이다.

최소 기능 제품의 뿌리는 애자일 개발방법론(Agile Software Development)으로 거슬러 올라간다. 코드를 작성하는 방식은

'폭포수(waterfall)' 개발 모델에서 애자일 방식으로 점차 변해왔다. 폭포수 개발 모델에서 개발자는 상세한 제품 요구조건을 설정하고 소프트웨어 개발을 그대로 진행한다. 일단 코딩이 요구조건을 충족하면 소프트웨어의 품질과 고객 수용을 테스트하고, 그 다음에야 다음 개발 단계를 위한 코드 수정을 고려한다. 폭포수 모델은 고객이 자신이 원하는 바를 정확히 알고 있고(그러므로 상세조건 역시 알고 있는) 개발자는 그저 고객이 원하는 바를 개발한다는 전제가 깔려 있다. 이 방식을 따를 경우 코드 개발 중에는 새로운 정보를 반영하지 못한다. 피드백은 각 개발단계가 끝나야만 얻을 수 있다.

최근 몇 년 동안 폭포수 모델은 '애자일' 개발모델에 자리를 내주었다. 애자일 모델에서는 초기 스펙을 명시하고 보통 1~2주 단위인 스프린트[반복되는 개발 주기 - 옮긴이]로 스펙을 만족하는 코드를 작성한 뒤 곧바로 사용자·고객과 피드백을 주고받는다. 그리고 피드백을 반영해 초기 요구조건을 개선하며 다시 한 번 스프린트가 진행된다. 애자일 방식은 반복적인 피드백 루프를 만들어 개발자가 사용자와 고객이 소프트웨어로부터 진짜 원하는 바를 훨씬 신속하게 알 수 있도록 한다. 고객은 실제로 작성된 코드를 보고 뜻밖의 방식으로 반응할 때가 많으며 새로운 요구/이익을 깨닫거나 기존의 요구/이익을 수정하기도 한다. 복잡한 소프트웨어에 대한 고객 자신의 니즈를 사전에 정확히 알지 못할 경우 애자일 방식은 폭포수 방식보다 고객이 원하는 제품에 더 빠르게 다다를 수 있다. 이 지점에서 애자일 개발방법론은 린 방식과 연결된다. 애자일 방식은 기존의 폭포수 방식보다 더 적은 자원으로 수용 가능한 솔루션에 더 빠르게 수렴한다. 따라서 낭비가 훨씬 적다.

UC버틀리 동료 교수 스티브 블랭크(Steve Blank)는 린 스타트업 이론에 고객 개발(Customer Development)[2]이라는 핵심개념을 추가했다. 스타트업은 제품을 개발하는 것처럼 고객을 발굴하고 찾아내야 한다. 리스는 자신의 저서에서 스타트업은 프로세스 초반에 시장을 검증해야 한다고 했다. 하지만 이를 위한 체계적인 프로세스를 고안해낸 것은 블랭크였다. 블랭크는 시장 검증을 위해 다음의 4단계 프로세스를 개발했다.

a. 고객 발굴(customer discovery)

b. 고객 검증(customer validation)

c. 고객 창출(customer creation)

d. 기업 설립(company building)

블랭크의 이론은 고객 발굴 단계에서 고객을 찾기 위해 **현장으로 나가는 것**(get out of the building)을 대단히 중시한다. 스타트업은 최소 기능 제품을 만들어 잠재 고객을 확보하기 위해 노력해야 한다. 엄밀히 스타트업은 실제 고객으로부터 주문이 있을 때에만 이

2. 에릭 리스는 스티브 블랭크의 제자였고 스티브 블랭크가 투자한 회사에 참여하기도 했다. 리스는 블랭크의 수업을 들으며 영향을 받았고 스타트업에 대한 블랭크의 색다른 생각을 접했다. 이후 리스는 린(Lean)에 대한 자신만의 생각을 발전시켰으며, 그렇게 린 스타트업이 등장했다. 리스와 블랭크는 모두 린 스타트업 개념에 근본적인 기여를 했고 누가 먼저 공을 굴리기 시작했는지는 구분하기가 어렵다!

단계를 통과할 수 있다. 전통적인 폭포수 혁신 모델을 따를 때보다 판매활동이 훨씬 일찍 시작된다. 판매능력도 스타트업의 내부 혁신과정 초기단계에서 발휘할 수 있어야 한다. 고객 개발은 애자일 방식과 잘 접목되는데 고객들은 최소 기능 제품을 구매하기 전에 수정을 요구하는 경우가 많기 때문이다(그리고 이런 변경사항들은 종종 혁신가가 고객에게 구매를 요청한 후에야 비로소 표면화된다). 판매를 성사시키기 위해서는 요구받은 변경사항을 신속하게 반영하는 것이 필수적이다. 고객이 여전히 구매를 꺼린다면 스타트업은 제품을 다시 수정하거나 다른 잠재고객을 찾아야 한다.

최초 주문이 들어오면 고객 검증 단계가 시작된다. 이 단계에서 기업은 구매의향이 있는 다른 고객들을 찾는다. 고객과 주문이 다수 확보되면 검증 단계는 끝난다. 고객 검증 단계에서 다수의 고객을 확보한 기업은 고객들을 연결하는 공통적인 패턴을 찾는다. 기업은 자사 제품의 개별시장(market segment)을 식별할 수 있다.

고객 창출 단계에서는 판매 프로세스를 구축한다. 고객 검증을 신뢰성 있게 반복하고 개별시장에서 제품을 판매하는 데 필요한 비용과 시간을 파악한다. 고객에게 판매하는 비용이 너무 높거나 시간이 너무 많이 소요된다면 스타트업은 다른 유통경로를 탐색해야 한다.

기업 설립 단계에서 기업은 제품을 판매하고, 사업을 확장하고, 고객 기반을 빠르게 성장시키기 위해 필요한 정보를 가지고 있다. 스타트업은 고객 검증과 고객 창출 단계가 완료될 때까지 기다려

잘못 탐색된 개별시장이나 유통경로에 시간과 돈을 낭비하지 않을 수 있다. 지나치게 이른 확장은 낭비가 많아질 수 있다. 이것은 린 방식과도 어긋난다.

대기업에서 린 스타트업은 어떻게 적용되는가

린 스타트업에 대한 기초연구는 이를 스타트업에 적용하기 위한 맥락에서 시작되었다. 사람들은 최근에서야 이 개념을 대기업에 적용하기 시작했다. 하지만 대기업에 적용하는 것은 스타트업에 적용하는 것과는 전혀 다르다. 필자의 생각이지만 리스와 블랭크 등 린 스타트업의 개척자들은 사실 스타트업과 대기업의 다른 상황을 별로 중요하지 않게 다루는 것 같다. 스타트업이 대기업의 작은 버전처럼 행동하는 것이 잘못이었듯이(예를 들어, 사업계획서 작성 및 실행처럼) **대기업을 스타트업의 큰 버전처럼 행동하도록 하는 것은 잘못이다.**

블랭크는 스타트업과 대기업의 차이에 대해 아주 유용한 통찰력을 갖고 있다. 블랭크의 관점에서 스타트업은 확장 가능한 비즈니스 모델을 찾는 임시조직이다.[3] 기존에 대기업은 이미 이런 비즈니스 모델을 찾아서 확장한 것이다. 따라서 대기업은 이전에 찾은 비즈니스 모델을 실행하는데 집중한다. 앞으로 보겠지만

3. 이 정의는 Steve Blank and Bob Dorf, <기업 창업가 매뉴얼(The Startup Owner's Manual)> (K&S Ranch Publishing, 2012)를 참고해라.

새로운 비즈니스 모델을 찾는 것과 기존 모델을 실행하는 것의 차이는 대기업이 왜 단순히 스타트업의 행동을 따라할 수 없고 따라해서도 안 되는지에 대한 많은 시사점을 준다.

첫 번째로 중요한 차이점은 스타트업은 단일 프로젝트 조직인 반면, 대기업은 여러 프로젝트를 진행하며 프로젝트 포트폴리오 전반에 자원과 관심을 할당해야 한다는 것이다. 복수의 혁신 프로젝트에 자원을 할당하는 좋은 방법이 한 가지만 있는 것은 아니지만, 시간이 지나면서 몇 가지 발견적 방법이 나타났다. 맥킨지는 호라이즌(Horizon)1·2·3이라는 시간 지평 모델을 발표하고 기업은 혁신 예산을 세 가지 호라이즌 모두에 할당해야 한다고 주장했다. 호라이즌1은 수익을 내는 현재 시장의 다음 제품을 의미하며, 호라이즌2는 현재 시장이나 관련 시장에서 막 수익을 창출하려는 차세대 제품을 의미하고, 호라이즌3은 훨씬 장기적으로 봤을 때 새로운 제품 또는 시장을 의미한다. 구글은 시간 지평 모델의 세 가지 범주에 부합하는 핵심 프로젝트, 관련 프로젝트, 변형적(Transformational) 프로젝트에 70/20/10 법칙에 따라 자원을 배분한다고 공식적으로 발표했다.[4]

70/20/10의 자원 할당 방식에서 중요한 요소는 기업이 세 가지 범주 각각에 하향식으로 자원을 배분하고 시간이 지나도 유지할

4. 구글의 CEO였던 에릭 슈미트(Eric Schmidt)는 이러한 자원 배분에 대해 여러 차례 이야기했다. https://www.forbes.com/sites/quentinhardy/2011/07/16/googles-innovation-and-everyones/#4d3ef9ca3066 (최종접속일 2019년 2월 15일)

수 있는 규율이 있어야 한다는 것이다. 즉, 기업은 호라이즌1 프로젝트에 부족한 자금을 보충하기 위해 호라이즌2나 호라이즌3 프로젝트의 자금에 손을 대선 안 된다. 이 규율이 유지되지 않을 경우 호라이즌1 프로젝트가 보다 불확실하고 장기적인 호라이즌2와 호라이즌3 프로젝트의 자원을 빼앗아 가기 쉽다. 자원의 부적당한 배분은 단기적인 자금 조달을 위해 기업의 미래를 굶주리게 하기 때문에 시간이 지남에 따라 기업의 성장률을 약화시킨다.

호라이즌1 프로젝트가 다른 두 범주의 프로젝트를 밀어내는 이유는 호라이즌1 프로젝트가 갖는 여러 가지 데이터 우위에서 비롯된다. 핵심사업과 가깝다는 것은 고객과 시장을 잘 안다는 것이다. 고객의 니즈를 잘 파악하고 있을 가능성이 높고 경쟁자에 대해서도 마찬가지로 잘 알고 있을 것이다. 가격, 수량, 시장점유율에 대한 데이터는 실제 경영 이력을 기초로 한다. 이런 이점은 호라이즌2나 3 프로젝트의 경영사례를 뒷받침하기 위해 사용된 '추정'에 비해 호라이즌1 프로젝트의 경영사례를 훨씬 신뢰할 수 있는 것처럼 만든다. 호라이즌1 프로젝트의 신뢰성이 더 높기 때문에 많은 기업이 장기적이지만 잠재적으로 더 큰 가치가 있는 프로젝트를 희생해 근일의 증분적 프로젝트에 과도하게 자원을 할당한다. 그러나 스타트업은 핵심사업이 없기 때문에 이런 문제를 걱정하지 않는다.

스타트업과 대기업의 린 프로세스에서 두 번째로 중요한 차이점은 대기업은 이미 비즈니스 모델을 가지고 있으며 이에 맞는 기회를 추구하는 때가 많다는 점이다.[5] 대기업은 현재의 비즈니스 모델에 해가 될 수도 있는 기회는 피하지만, 스타트업은 보호할 기존 비즈니스나 비즈니스 모델이 없다. 대기업은 새로운 비즈니스 기회를 찾더라도 당연히 현재 사업을 보호해야 한다.

기업의 맥락에서 다시 생각해본 린 스타트업

스타트업과 대기업의 이런 차이점은 린 스타트업에 많은 영향을 미친다. 스타트업보다 대기업에서 린 스타트업을 활용하기가 훨씬 어려울 것임을 시사한다. 실제로는 더 많은 개념이 있지만 여기에서는 세 가지만 살펴보겠다(다른 개념들도 세 가지 개념으로 설명한 패턴을 따른다).

첫째, 최소 기능 제품(MVP)에 대해 생각해보자. 최소 기능 제품은 린 스타트업의 핵심적인 개념으로 스티브 블랭크의 4단계 프로세스에서 고객 발굴을 수행하는데 도움이 된다. 그러나 생산 및 품질 관리부서는 MVP를 '대충해버리는(quick and dirt)' 접근방식처럼 생각할 것이다. 이 부서들은 식스 시그마(Six Sigma), 전사적 품질경영(Total Quality Management) 등의 기법을 이용해 **이런 문제들을 대기업의 프로세스 바깥으로 끌어내기 위해** 노력해왔다. 생산 및 품질 관리부서는 대충

5. 리처드 로젠블룸(Richard Rosenbloom)과 함께 쓴 논문(2002)에서 제록스와 팔로알토 연구센터(PARC)의 사례를 들어 이 문제에 대해 논의한다. PARC의 기술은 제록스의 복사기 및 프린터 비즈니스 모델과 맞으면 쉽게 흡수되었다. 제록스가 관리하려고 애썼던 것은 (일명 '부정오류'라고 알려진) '맞지 않는' 기술이었는데 이 기술들이 회사의 비즈니스 모델과 어울리지 않았기 때문이다.

이루어지는 프로토타이핑을 제거하려고 할 것이다. 또한 실제로 정상적인 품질 관리 프로세스 밖에서 개발된 것은 지원할 필요가 없다고 못 박을 것이다. 그러나 린 스타트업 지지자들의 많은 저서 중 어디에서도 이런 근본적인 긴장상태에 대해 다루지 않는다.

둘째, 고객 발굴 개념에 대해 살펴보자. 고객 발굴은 고객으로부터 직접적인 피드백을 받아서 필요한 변화를 확인하고 신속히 학습 및 반복해서 중요한 최초 판매에 성공할 수 있도록 개발자가 고객들과 직접 이야기할 수 있어야 한다. 그러나 필자가 아는 모든 대기업의 **판매부서는 이런 방식이 위험하며** 그 해나 분기의 기업 매출과 부서가 얻을 판매 수수료에 좋지 않은 영향을 미칠 것이라고 생각한다. 판매부서는 결코 대량생산 될 수도 없고, 고객들에게 현재 구매를 지연할 이유만 제공할 뿐인 프로토타입을 보여주면서 고객의 주의를 흐트러뜨리지 말고 고객에게 접근하지 말라고 주장할 것이다. 린 스타트업 지지자들은 이 문제 역시 논의하지 않는다.

셋째, 조달부서에 대한 문제이다. 대기업에서 조달부서는 비용절감, 납품시간 개선, 주요 공급자를 관리하는 능력으로 평가 받는다. 린 프로세스에서 개발자들은 (비록 파일럿 규모일지라도) 종종 단일 공급자와 협력해야 하고 투입자원에 드는 비용보다 신속한 학습에 훨씬 많이 신경 쓴다. 조달부서는 거래 가능한 벤더를 규정해 놓은 회사 정책을 고집하며 이들 벤더와의 협상에 끼어들기를 원할 것이다. 이것이 실패의 원인이다. 필자가 아는 어떠한 조달부서도 학습속도로 평가 받지 않는다. 린 스타트업 프로젝트를 시도하는 기업이 프로젝트에 조달부서를 포함시키면 필연적으로 어려움을 겪게 될 것이다.

린 스타트업의 초기 단계에서 대기업의 브랜드를 사용할 것인지(기업의 브랜드정책은 검증되지 않은 MVP에 브랜드를 사용하는 위험을 무릅쓰지 않을 것이다)[6], 린 스타트업 프로세스에 (종종 상충되는) 다른 유통채널을 이용할 것인지 등의 측면도 살펴볼 수 있다. 여기서 핵심은 **대기업은 스타트업과 현저히 다르기** 때문에 앞서 언급한 장애들을 피하려면 린 스타트업 접근방식을 기업의 상황에 맞게 매우 신중하게 적용해야 한다는 것이다. 차이점에 대해 이렇게 생각할 수도 있다. 스타트업은 시장에서 제품의 시장 적합성(product-market fit)을 찾기 위해 한바탕 전쟁을 치른다. 이에 비해 사내벤처(corporate venture)가 싸우는 전선은 두 개이다. 하나는 다른 스타트업처럼 시장이고, 다른 하나는 외부 전투에 필요한 내부 자원을 얻으려고 벌이는 내부 전투이다.[7]

다른 방식으로 말하자면 대기업에서 린 스타트업을 효과적으로 도입하려면 주의 깊은 상향식 설계와 신중한 하향식 협의가 필요하다. 린 스타트업의 지지자들은 지금까지 시장에서 린 스타트업의 상향식 측면에 대해서는 잘 풀어왔지만, 대기업 내부에서 린 스타트업의

6. 린 프로젝트 리더는 잠재고객에게 새로운 프로젝트의 가치 제안을 강화하려고 기업 브랜드를 사용하고 싶어 하겠지만 최고 마케팅 책임자는 당연히 반대할 것이다. 브랜드를 만드는 데는 몇 년 또는 수십 년이 걸리지만 무너지는 것은 순식간이기 때문이다. 어떤 엉터리 MVP가 잘못되면 브랜드에 큰 골칫거리가 될 수도 있다. (다시 한 번 말하지만 스타트업은 이런 걱정을 하지 않는다.) 이에 대한 한 가지 해결책은 구글 베타 또는 구글 랩스처럼 서브 브랜드를 만들어 MVP 프로토타입의 다른 성격을 알리는 동시에 브랜드의 기업적 배경을 전달하는 것이다. 또 다른 해결책은 기업 브랜드를 분리한 채 새로운 아이디어를 시험하는 데 사용되는 '화이트박스' 브랜드를 만드는 것이다.

7. 더 많은 정보는 스티브 블랭크의 웹사이트에 개제한 필자의 게스트 포스팅을 봐라.
http://steveblank.com/2014/03/26/why-internal-ventures-are-differentfrom-external-startups/

하향식 측면에 대해서는 안타까울 정도로 등한시했다. 프로젝트 리더는 대기업 내부에서 두 번째 전투를 치르기 위해 건물 위로 올라가야 한다 (스티브 블랭크의 앞선 조언["회사 밖으로 나가라(Get out of the building)" - 옮긴이]을 다르게 표현한 것이다).

오픈 이노베이션이 린 스타트업 프로세스에 미친 영향

오픈 이노베이션은 린 스타트업 이면의 사고와 매우 잘 맞는다. 오픈 이노베이션에서 아이디어를 시장에 내놓는 경로는 '내향형'과 '외향형'이 있다. 린 스타트업 방식과 마찬가지로 오픈 이노베이션도 낭비를 줄이고 출시 속도를 단축하겠다는 약속을 제공한다. 이러한 이점은 특히 내향형 오픈 이노베이션 모델에서 나온다. 혁신기업이 새로운 프로젝트를 수행할 때 외부 행위자와 파트너십을 맺거나 협력하면 맨 처음부터 시작하지 않고 '중간부터 시작'할 수 있다. 혁신가가 프로젝트를 처음부터 시작하는 것이 아니라 협력 파트너가 이미 개발하고 입증한 것을 사용한다는 뜻이다. 혁신가는 개발에 선행하는 '가망 없고 막다른 길'을 걷지 않아도 되고 이미 달성된 것을 기초로 이후 개발을 진행한다. 이렇게 시장 출시에 필요한 시간과 돈을 절약할 수 있다. 아주 린(Lean)한 결과이다.

오픈 이노베이션을 활용한 대학과의 협력은 이런 식의 린 패턴을 따른다. 대학에는 다양한 실험을 수행할 수 있는 시설과 장비가 있다. 또한 재능 있는 연구인력은 물론 연구실 관리, 재료 공급, 실험실 데이터 분석이 가능한 유능한 지원 인력도 보유하고 있다. 오픈 이노베이션 팀은 모든 비용을 미리 낼 필요 없이 대학의 자원을 빌릴 수 있다. 군더더기 없이(Lean) 절약할 수 있는 것이다. 본질적으로 파트너와 협력한다는 것은 그 사람의 자산(과 직원, 그 밖의 자원)을 사용한다는 것이다.

2003년 <오픈 이노베이션>이 출판된 이후 많은 기업이 유용한 외부 기술을 찾아서 스카우트하는 세련된 방법을 개발했다. P&G의 연계개발(Connect and Develop) 모델이 대표적이지만 현재 전 세계 대기업에서 사용하고 있는 스카우트 프로세스는 수백 가지에 이른다. 잘 알려져 있듯이 오픈 이노베이션 이전 시기에는 실험실이 세계였다. 그러나 오픈 이노베이션이 등장한 오늘날에는 세계가 연구실이 되었다.

혁신가는 협력의 기술적 측면뿐만 아니라 사업적 측면에 대해서도 주의 깊게 생각해야 한다. 오래된 일이지만 IBM의 PC사업이 CPU 부문은 인텔과, 운영체제 부문은 마이크로소프트와 협업하다가 결국 공동화된 사례는 유명하다. 혁신가는 파트너와의 협력으로 이익을 얻는 것이 필요한 만큼 시간이 지나도 자신의 지위를 유지할 방법을 고민해야 한다. 그리고 이를 위해서는 비즈니스 모델을 설계해야 한다. 린 스타트업은 비즈니스 모델을 설계, 개발, 검증할 수 있는 좋은 방법을 제공하며 오픈 이노베이션 개념에 중요한 요소가 되었다.

린 스타트업에서는 볼 수 없는 오픈 이노베이션 활용의 또 다른 이점이 있다. 다른 당사자와 프로젝트의 위험을 나눌 수 있다는 점이다. 어떤 기업은 고객이기도 한 외부 당사자가 내부 직원과 공동으로 새 프로젝트 작업을 할 수 있는 물리적 공간으로 공동연구실(CoLaboratories)을 만들기도 했다.[8] 기술적으로 어려운 문제의 중요한 솔루션을 끌어내기 위해 상금을 건 대회를 열기도 한다. 가장 매력적인 디자인이나 제품을 고르기 위해 크라우드소싱을 활용하는 (가령 스레드리스(Threadless)나 쿼키(Quirky)와 같은) 기업도 있다[9] 이런 대회에서 혁신가는 만족스러운 솔루션이 나왔을 때에만 대가를 지불한다. 단순히 시도한 것이 아니라 솔루션이 나와야 대가를 지불하는 것이다. 이 모든 메커니즘의 공통점은 프로젝트 성공의 위험 일부를 혁신기업이 아니라 다른 사람들이 부담한다는 것이다. 다시 한 번 아주 린(Lean)한 결과이다.

스레드리스의 경우 '사람들이 살 것만 만든다'는 린 개념을 멋지게 구현한다. 스레드리스의 사용자들은 마음에 드는 티셔츠 디자인에 투표하고, 기업은 매주 가장 많이 선택된 상위 10개 디자인을 생산한다. 정말 기발하고 린 방식적인 것은 10가지 디자인이 이미 사전 선택된 고객들, 즉 원래 투표했던 사람들을 확보하고 있다는 사실이다! 이를 '사전 소싱 수요(pre-sourcing demand)'라고 말하기도 한다. 실제로 스레드리스는 검증 받을 최초의 MVP를 고객들이 직접 디자인하기 때문에 원래 린 스타트업 방식에서 한 걸음 더 나아갔다.

8. T. Weiblen and H. Chesbrough, 'Engaging with startups to enhance corporate innovation', Weiblein and Chesbrough, California Management Review, 2015.

9. F. Piller, 'Open Innovation with Customers: Crowdsourcing and Co-Creation at Threadless' (October 5, 2010). SSRN에서 볼 수 있다.: https://ssrn.com/abstract=1688018 혹은 http://dx.doi.org/10.2139/ssrn.1688018

위험을 분산할 수 있다는 이점은 린 스타트업 프로세스가 도움이 되는 경우, 즉 고객이 자신이 무엇을 원하는지, 진짜 니즈가 무엇인지 정확히 모를 때 특히 가치가 있다. 이것이 린 스타트업 프로세스에서 호라이즌2와 3 프로젝트의 가장 일반적인 모습일 것이다. 고객이 자신이 원하는 것을 모를 경우 파트너, 고객, 기타 제3자(크라우드소싱 프로세스의 참가자 등)를 참여시키는 것은 유용한 지식과 피드백을 유도하고 혁신기업이 고객에게 제공할 수 있는 가능성의 범위를 확대하는 효과적인 방법이다. '다른 사람의 돈'을 사용하면 혁신가는 재무 위험을 줄일 수 있고 혁신에 참여한 다른 당사자들에게 동기를 맞추게 된다.

린 스타트업 프로세스에서의 외향형 오픈 이노베이션

오픈 이노베이션의 또 다른 유형인 외향형 모델은 사용하지 않거나 활용도가 낮은 아이디어 및 기술을 기업 외부로 유출하는 것이다. 외향형 오픈 이노베이션은 간과되거나 무시되는 경우가 많지만 기업적 맥락에서 린 스타트업 프로세스를 진행하는 데는 특히 중요하다.

위험을 분산하기 위해 외향형 오픈 이노베이션을 활용하는 한 가지 방법은 사용하지 않거나 활용도가 낮은 기술을 아웃

라이선싱(out-licensing) 하는 것이다. 라이선싱으로 받은 수익은 새로운 제품과 서비스를 혁신하는 데 드는 비용 일부를 상쇄할 수 있다. 주요 공급자 및 주요 고객에 대한 라이선싱을 여러 제품에 걸쳐 더 좋은 가격, 거래 조건을 얻기 위한 협상에 사용할 수도 있다. 심지어 라이선스를 받은 상대가 우리 기업이 사용하는 기술의 유지관리 비용에도 지속적으로 도움을 줄 수 있다는 점에서, 라이선스를 통해 유지관리 비용을 줄일 수도 있다.

기술을 선택적으로 라이선스할 수 있기 때문에 기업은 원하는 지적 재산에 대한 보호는 계속 유지하면서 동시에 해당 지적 재산을 비경쟁적으로 사용하는 것을 허가해 추가 수익을 얻을 수 있다. 이것을 실시분야(field-of-use)별 라이선스 아웃이라고 한다. 예를 들어, 제약 회사는 보유한 컴파운드에 대한 모든 의학적 사용에 대해서는 배타성을 유지하면서 농업용으로 사용하는 것에 대해서는 라이선스 아웃 계약을 맺을 수 있다. 또는 비상업적 사용에 대해서는 상표 사용을 허용하면서 상업적 사용에 대해서는 배타적 사용을 유지할 수도 있다. 미디어 콘텐츠는 다양한 유통채널이 서로 다른 조건으로 해당 콘텐츠에 접근할 수 있게 선택적인 방식으로 라이선스 아웃 되는 경우가 많다.

그러나 외향형 오픈 이노베이션은 이보다 훨씬 더 나아간다. 다른 기업에 아이디어나 기술 사용을 허락하면 아이디어를 가져간 기업이 그것으로 무엇을 하는지 관찰할 수 있다. 대부분의 경우 아이디어를 가져간 기업은 아이디어를 판매한 기업이 현재 하는 것과는 상당히 다른 방식, 다른 비즈니스 모델로 새로운 시장에서 아이디어를 사용할 것이다. 이것은 공짜로 비즈니스 모델을 연구하는 것으로도 볼 수 있는데 우리가 가진 아이디어와 기술에 대해 가능한 다른 적용 방법, 시장, 비즈니스 모델이 무엇인지를 알 수 있다(현재 여러분의 회사는 외향형 프로젝트를 이용하지 않거나 잘 활용하지 않는다는 사실을 기억해라). 이 연구는 실제 고객에게 판매하는 기업이 수행하기 때문에 린 스타트업으로 얻는 것과 똑같은 검증을 얻게 된다. 다만 이 경우에는 다른 사람의 자본으로 연구가 이루어진다는 점이 다를 뿐이다. 아주 린(lean)한 결과이다.

외향형 오픈 이노베이션은 혁신기업이 아이디어를 응용할 수 있는 가장 좋은 방법, 시장, 비즈니스 모델에 대해 제대로 알기 어려운 호라이즌3 프로젝트에 특히 유용하다. 린 스타트업 기법을 활용하는데 능숙하다고 해도 기껏해야 내부적으로 가능한 몇 가지 비즈니스 모델을 테스트해 볼 수 있을 뿐이기 때문이다. 외향형 오픈 이노베이션을 활용하면 라이선스를 받은 제3자가 테스트하고 사용한 가외의 비즈니스 모델을 관찰함으로써 자체 테스트를 확장할 수 있다.

텔레포니카(Telefonica)의 린 엘리펀트(Lean Elephants)

유럽의 선도적인 통신기업 텔레포니카는 대기업에서 수행한 효과적인 린 스타트업 프로세스의 한 가지 사례를 보여준다.[10] 바르셀로나의 연구개발팀은 연구개발 프로젝트의 시장 진입속도를 가속화하기 위해 린 스타트업 프로세스를 이용하려고 했다.

연구개발팀은 린 스타트업의 일환으로 텔레포니카의 기술을 포장해서 시장에 내보내는 즉각적인 사용자(immediate customers) 대신 최종 소비자에게 집중했다. 이것은 혁신활동을 위해 연구개발 조직이 전통적으로 이용해왔던 치밀한 조직계획 및 예산 편성 과정과는 확연히 대비되는 것이었다. 린 스타트업은 혁신을 육성하기 위해 대대적으로 문화를 바꾸고 완전히 새로운 환경을 만들 것을 요구했다.

연구개발팀은 2015년까지 5개의 혁신 프로젝트를 텔레포니카 내 사업부서로 이관했고 그 밖에도 여러 프로젝트를 다양한 개발단계에서 진행했다. 연구개발팀은 동시에 사물인터넷, 인간 행동 예측, 개인 인증 및 정보 보호, 네트워크 발전 등 호라이즌2와 호라이즌3 영역에서 기술적 기회를 창출하고 있었다.[11] 언제나 10~15개 프로젝트가 진행 중이었고 10~15개 아이디어가

10. the Telefonica Lean Elephants case, by H. Chesbrough, https://hbr.org/product/telefonica-a-lean-elephant/B5863-PDF-ENG

11. http://www.tid.es/who-we-are.

아이디에이션(ideation) 단계에 있었다.

텔레포니카 연구개발팀의 목표 중 하나는 혁신 프로젝트에서 위험을 제거해 운영 사업부서로 프로젝트를 이전할 확률을 높이는 것이다. 텔레포니카의 인슈어런스 텔레매틱스(Insurance Telematics)를 이끄는 산초 아티엔자 아레차발라(Sancho Atienza Arechabala)는 이렇게 말했다.

"우리처럼 로컬 사업부서가 탄탄한 거대 다국적 기업에서는 연구개발 프로젝트를 운영 사업부서로 이동시키기가 어렵습니다. 의미 있는 증거를 확보하기 전에 프로젝트를 이동시키려 한다면 힘이 들 거예요. 각자 프로젝트를 진행하고 있는 수많은 사람들과 경쟁해야 하기 때문이죠. 따라서 내가 먼저 초기 시장진출(go-to-market) 전략을 짜서 모델을 바꾼다면 훨씬 효과적일 것입니다."

연구개발팀의 수자나 후라도(Susana Jurado) 역시 이 의견에 동의했다.

"과거에는 개념검증을 위해 먼저 프로토타입을 만들고 파일럿 연구를 실시하면서 고객들과 처음 접촉하는 것이 혁신 프로세스였어요. 하지만 우리는 시장과 고객의 측면에서 스타트업이 마주하는 것과 비슷한 불확실성에 직면하고 있었기 때문에 과거의 프로세스를 바꾸고 싶었습니다."

아티엔자는 텔레포니카에서 전통적인 혁신 방식을 사용할 때는 고객을 위한 솔루션을 찾는데 시간이 너무 오래 걸렸다고 덧붙였다.

"혁신의 측면에서 우리는 3년을 앞서가려고 노력하고 있습니다. 불확실한 제품을 갖고서 회사의 모든 역량을 활용하는 전통적인 노선을 가려고 한다면 독창적인 고객에게는 너무 늦은 것이죠."

텔레포니카는 이미 외부 관계자를 통해 쉽게 얻을 수 있었던 린 스타트업 방법론을 내부 재료 및 프로세스와 결합했다. 그리고 이를 스무 명의 R&D 직원들에게 교육하면서 린 스타트업을 시작했다. 초기에 몇 번의 작은 성과를 얻은 후에는 직원을 100명으로 늘렸다. 이들은 몇 가지 성공 사례를 더 이끌어냈고 텔레포니카의 경영, 자금, 프로세스에 맞게 린 스타트업을 수정하는 내부 프로세스도 만들었다. 현재 텔레포니카에서 이루어지는 연구개발 프로젝트 대부분이 이러한 린 접근방식을 거친다. 텔레포니카는 이것을 '린 엘리펀트'라고 부른다.

기업을 위한 린 스타트업의 적용

텔레포니카의 최고 데이터 책임자였던 이안 스몰(Ian Small)은 텔레포니카가 린 스타트업을 도입하기는 했지만 대기업에 맞게 방법론을 수정해야 했다고 말했다.

"대기업은 린 스타트업을 완벽히 옮겨올 수 없기 때문에 그대로 실행할 수 없습니다. 대기업의 환경은 스타트업의 환경과 다르고 강화요인과 저해요인이 모두 있습니다. 대기업의 시장 진출 경로는 스타트업과 같지 않습니다. 대기업은 고객을 3억 명이나 활용할 수 있어요. 따라서 대기업은 린 스타트업을 수정해야 하고 이렇게 수정을 가한 것이 린 스타트업과 린 엘리펀트의 차이점입니다."

텔레포니카의 연구개발부서에도 NIH(Not Invented Here) 문화가 강하게 자리 잡고 있었다. 많은 내부 연구자가 이전에는 한 번도 고객과 소통한 적이 없었다. '회사 밖으로 나가라'는 스티브 블랭크의 조언은 이들에게 완전히 새로운 경험이었다. 내성적인 엔지니어들이 평범한 사람들과 관계 맺는 법을 배우는 데는 약간의 시간이 걸렸다. 마리아 데 올라노 마타(Maria de Olano Mata)는 내부 연구개발 직원들이 고객과 처음 인터뷰 할 때 보통은 말미에 조심스럽게 꺼내야 하는 고객의 나이와 수입에 대해 바로 질문했다고 이야기했다.

텔레포니카가 직면했던 세 번째 문제는 혁신 예산을 관리하는 문제로 재무부서와 관련이 있었다. 전통적인 예산 편성 과정은 연구개발부서가 구체적인 프로젝트를 확인한 후 다음 회계연도에 각 프로젝트의 필요 자원 총액을 추산하는 방식이었다. 일단 전체적인 연구개발 예산이 정해지고 프로젝트 리스트가 결정되면 해당 회계연도 내내 변경되지 않았다.

린 스타트업의 예산 편성 방식은 완전히 다르다. 처음에는 자원을 매우 적게 배분하다가(린 싱킹(lean thinking)의 핵심) 새로 검증된 학습내용이 자원을 증가시키기에 합당하다면 그때에만 자원을 추가 배분한다. 이런 방식은 직관적으로 타당해 보이지만 대기업에서는 가당치 않다. 프로젝트가 1년 내내 고정되어 있지 않기 때문이다. 사실 린 스타트업에서는 프로젝트를 중간에 엎고, 다른 프로젝트를 시작할 수 있어야 한다는 점이 중요하지만 말이다. 텔레포니카에 필요한 것은 회계연도 중에 프로젝트의 정체성이 바뀔 수 있음을 명확히 이해하고 린 스타트업 프로젝트의 자금 풀을 승인하는 것이었다.

네 번째 문제는 린 엘리펀트의 초기 단계에서 텔레포니카의 브랜드를 사용할 수 있느냐는 것이었다. 이 문제는 찬반 논쟁이 치열했다. 브랜드 사용을 찬성하는 측은 텔레포니카 브랜드가 고객이 새로운 프로젝트를 더 많이 이용하도록 할 것이라는 현실적인 의견을 냈다. 브랜드 사용에 반대하는 측은 브랜드를 구축하는데 드는 비용과 시간은 막대하지만 나쁜 일이 생기면 순식간에 망가지기 쉽다며 브랜드의 취약성을 이유로 내세웠다. 반대 측은 브랜드 사용을 허락하는 것에 대한 위험 회피를 만들어 낸다. 텔레포니카는 새로운 프로젝트의 초기 단계에는 '화이트 박스(white box)'나 '텔레포니카 랩스(Telefonica Labs)'라는 브랜드를 활용했다.

텔레포니카의 수정 방식은 IAMMY와 씽킹 씽(Thinking Things)이라는 텔레포니카의 초기 프로젝트 경험에서 시작됐다. 이 프로젝트를 간략히 살펴보면 수정이 필요한 이유를 알 수 있다.

1) IAMMY

IAMMY(스페인어로 I Am My Data)는 사용자의 개인 데이터 관리 지원에 초점을 맞춘 프로젝트였다. 프로젝트에 참여했던 마리아 호세 토메(María José Tomé) 데이터 혁신 관리자(Data Innovation Manager)는 이렇게 말했다.

"우리는 개인 데이터 분야에서 사용자를 위한 가치를 어떻게 구축해야 할지 몰랐지만 이 부분을 탐구하고 아이디어화하기 위해 내부적으로 프로젝트를 시작하고 싶었어요."

토메는 린 스타트업 프로세스에 대해 더 자세히 이야기했다.

"우리는 개인정보 보호의 측면에서 고객의 고충을 이해하고자 노력했습니다. 이를테면 고객들이 개인정보를 어떻게 관리하는지, 개인정보 보호에 대해 얼마나 안심하는지, 디지털 세계에서 개인정보 관리 방식이 얼마나 개선되길 바라는지 등이었죠."

프로세스는 3개월이 걸렸고 다양한 서비스를 활성화하는 여러 위젯이 달린 대시보드 등의 프로토타입을 개발했다.

팀은 대시보드를 통해 선택된 사용자의 실제 데이터를 이용해서 사용자의 건강, 커뮤니케이션, 사회생활, 내비게이션과 관련한 데이터 사용 경향을 확인했다.

"우리는 고객들이 대시보드를 어떻게 활용하는지 평가해서, 더욱 철저히 개인정보가 보호되길 원하는 영역을 알아내고 싶었습니다. 목표는 대시보드 제품을 배치하는 것이 아니라 실제 사용자에게 배우는 것이었습니다."

이 과정에서 '휴대전화에서 개인정보를 사용하도록 설정하면 애플리케이션이 사용자에게 지역 비즈니스를 추천하거나, 건강상태를 확인하거나, 소셜 데이터에 기반해 연락처를 구성하도록 돕는' 프로토타입/웹 애플리케이션인 IAMMY가 나왔다.

하지만 프로젝트는 몇 가지 이유로 '실패'했다. 연구개발팀의 후라도는 이렇게 말했다.

"우리 팀은 환상적이었어요. 밖으로 나가 거리에서 사람들을 만나고, 우리 기술로 혜택을 받을 회사들과 대화를 나눴죠. 하지만 해결해야 할 어려운 문제를 발견하지 못했어요. 우리가 개발하고자 한 기술은 당시 '있으면 좋은 것'일 뿐이었어요."

IAMMY 팀은 중요한 교훈을 얻었다. 소비자는 이 문제에 대해 팀이 생각하는 것만큼 관심을 갖지 않는다는 것이었다. 좋은 소식은 이런 사실을 많은 개발 비용과 시간을 투자하기 전에 겨우 3개월 만에 알게 됐다는 것이다.

2) 씽킹 씽(Thinking Things)

또 다른 린 스타트업 파일럿 프로젝트는 씽킹 씽[12]이었다. 씽킹 씽의 목표는 프로그래밍 지식이나 추가적인 인프라를 설치할 필요 없이 매일 쓰는 '사물(things)'과 물건을 간단히 인터넷에 연결하는 방법을 제공함으로써 지능형 연결 제품을 구축하는 모듈식 엔드투엔드 솔루션(end-to-end solution)으로 시장을 바꾸는 것이었다. 이 프로젝트에는 처음에 3명의 인력이 투입되었다.

씽킹 씽은 클라우드와 연결된 여러 가지 센서가 붙은 저가 모듈형 '브릭스(bricks)' 세트였다. 이 브릭스 세트를 '환경 키트 팩(ambient kit pack)'이라고 불렀고, 여기에는 SIM이 내장된 통신모듈[13]과 온도,

12. 사물인터넷은 데이터를 수집하고 교환할 수 있게 하는 전자장치, 소프트웨어, 센서, 네트워크 연결성이 내장된 물체나 '사물'의 네트워크이다. https://en.wikipedia.org/wiki/Internet_of_Things

13. SIM 카드는 가입자 고유번호와 휴대폰에 필요한 기타 정보를 안전하게 저장하는 칩이다. 이 휴대 가능하고 교환 가능한 메모리칩은 휴대전화뿐만 아니라 다른 전자 기기에도 쓰인다.

습도, 주변 조도를 측정하는 모듈, 마이크로 USB 드라이브로 충전할 수 있는 배터리 모듈이 포함되어 있었다. 사용자는 브릭스로 집이나 사무실의 온도, 조도, 습도를 원격으로 제어 및 관리할 수 있었고 비가 오지 않을 때는 관개시설을 켤 수도 있었다.

씽킹 씽은 아두이노(Arduino(사용하기 쉬운 하드웨어와 소프트웨어를 기반으로 한 오픈 소스 전자 플랫폼))와 공동 개발한 오픈 하드웨어와 유럽, 미국, 중남미 지역에서 사용 가능한 2G 연결을 사용했다. 또한 API를 제공해서 개발자가 (앱이나 온라인으로) 나만의 사물인터넷 솔루션을 만들 수 있도록 하고 모듈의 가능성을 높였다.

씽킹 씽 프로젝트의 기본 아이디어는 중소기업에게 비싸지 않은 사물인터넷 솔루션을 제공하고자 하는 바람에서 나왔다. 후라도는 문제가 린 스타트업 프로젝트가 성공하기 위한 핵심 요인 중 하나라고 말했다.

"우리는 이미 문제를 발견했습니다. 임시변통도 아니고 비싸지도 않은 사물인터넷 솔루션에 대한 니즈가 분명히 있었죠."

기술 전문가인 하비에르 조르자노 미어(Javier Zorzano Mier)는 이렇게 말했다.

"우리는 많은 곳에서 전화를 받았고, 쉽게 사물인터넷 솔루션을 구축하는 것이 필요한 사람들과 대화를 나누었습니다. 디자이너들과 함께 작업하면서 브릭스를 고안해냈고 다양한 시장의 공통적인 문제를 해결할 방법을 알아냈죠."

조르자노는 프로젝트에 린 스타트업을 어떻게 적용했는지

이야기했다.

“우리는 최대한 빨리 프로토타입을 만들고 가급적 빨리 고객을 찾아서 제품을 제공하고 판매하려고 노력했습니다. 다양한 시도를 했고 각 단계에서 솔루션을 정의하고 시험했습니다.”

솔루션 설계를 위해 3D 프린터와 다른 하드웨어로 만든 랩에 고객을 데려오기도 했다. 마리아 올라노(Maria Olano)가 말했다.

“시장이 진정 필요한 것을 설계하는데 있어 고객은 정말 중요한 열쇠였습니다.”[14]

씽킹 씽 팀은 프로젝트 초기 단계에서 린 스타트업을 적용하고 B2B 고객을 대상으로 실험하는 가장 좋은 방법은 대기업 1곳보다는 중견기업 5곳을 대상으로 제품이나 아이디어를 테스트해서 ‘주요 고객에게 솔루션을 판매하기보다는 배울 수 있는 기회’를 얻는 것이라는 것을 알게 되었다.

2015년, 씽킹 씽 프로젝트는 교차기능팀(cross-functional team)이 가치 제안을 다듬고 시장 진출 경로를 정의하는 사내 스타트업이 되었다. 고객과 함께 아이디어를 테스트하고 검증하는 데 초점을 맞췄다.

조르자노는 린 스타트업을 수행하면서 겪은 문제들을 돌아보았다.

“저에게는 아주 어려운 일이었어요. 저는 극히 기술만 다루던 사람이거든요. 그러나 시간이 흐르면서 고객과 대화하기 시작했고 내가 고객에게 하는 질문이나 고객이 내게 하는 질문에서 경험을

14. Susana Jurado 와 Maria Olano, ‘Lean Elephants: Addressing the Innovation Challenge in Big Companies’, Innovation and Research Telefonica, http://www.tid.es/sites/526e527928a32d6a7400007f/assets/53bfe9f128a32d6733001f37/Lean_Elephants.pdf, p. 13.

얻었어요. 이런 일은 기술만 다루던 저에게 쉬운 일은 아니었습니다. 이제 다른 동료가 이런 방법론에 익숙하지 않은 것을 보게 되면 그들의 고객과 고객의 니즈에 대해 물어요. 저는 이제 일할 때 증거 기반과 고객 기반에 초점을 맞춰서 접근합니다."

IAMMY는 린 엘리펀트 프로세스의 실패한 프로젝트이고, 씽킹 씽은 보다 성공적인 프로젝트이다. IAMMY는 프로젝트가 시작할 때 사고(thinking)의 초기 단계를 보여주며 많은 시간과 자원을 투자하기 전에 프로젝트를 중단했다는 점에서 칭찬할만하다. 대기업에서 상당히 어려운 일일 수 있기 때문이다. 애정이 있는 프로젝트는 강력한 내부 지원 네트워크를 만들며 중단됐던 후에도 오랫동안 지속된다. 씽킹 씽은 초기 사물인터넷 활용 기술이며, 텔레포니카의 린 엘리펀트 프로세스는 사물인터넷 사용자 공간에서 씽킹 씽이 진짜 시장과 진짜 고객을 찾게 돕는다. 소비자 사물인터넷(Consumer IoT)은 이제야(2019년 봄) 진짜 사용처와 시장을 찾았다. 하지만 2011년 이미 텔레포니카는 소비자 사물인터넷의 초기 사용에 대해 연구하고 있었던 것이다.

린 엘리펀트의 확장

2014년부터 CCDO(최고상업디지털조직(Chief Commercial Digital Organization), 텔레포니카 그룹 직원의 5%인 7,000명 규모이며 텔레포니카 그룹 연구개발부서의 10배 규모)는 혁신 프로젝트를 제출 받기 시작했다. 아이디어 제출자는 프로젝트를 주도할 의지가 있어야 했다. 이것은 연구개발부서가 '사내기업가(intrapreneurs)'를 찾고, 모으고, 보유하기 위한 방법이었다. 아이디어가 채택된 사람은 기존의 일자리를 잃지 않고, 90일 동안 텔레포니카의 연구개발 부서 와 함께 아이디어를 추진할 수 있다. 아이디어화 단계가 끝나고, 작업이 잘 진행되지 않아도 추진자는 이전의 자리로 돌아갈 수 있다.

"이것은 텔레포니카와 같은 기업이나 텔레포니카에서 일하는 사람들에게 대단한 일입니다. 기업가에게는 90일 동안 자리를 비우는 것이 쉬운 일이겠지만, 우리에게는 원하는 유형의 사람인지 확인하기 위한 의도적인 테스트이죠. 자기 자리를 보장하는데 집중하면서 모든 시간을 거기에만 쏟는 사람은 우리에게 맞는 사람이 아니거든요."

이안 스몰이 말했다.

실제로 이안 스몰은 말한 대로 행동한다. 그는 정기적으로 직원들에게 보낸 메일에서 중단된 혁신 프로젝트를 맡았던 한 직원을 칭찬했다. 프로젝트는 중단됐지만 업무 실력은 최고였고 결국 인정받아 이제 새로운 중요 과제를 맡았다고 전했다. 이것은 대기업에서 린 스타트업을 다루는 중요한 조치 중 하나이다. 실패는 린 스타트업 프로세스에서 필수적인 부분이고 조기 실패는 해고가 아니라 인정받아야 할 것이다. 직원들은 일자리가 위험에 처해 있다고 인식하면 위험성이 낮고 확장성이 큰 프로젝트를 하기로 결정한다. 앞에 놓인 커다란 위험을 마주하는 대신 성공의 가능성이 가장 큰 (그래서 자리를 유지할 수 있는) 프로젝트를 추구한다. 이것은 린 스타트업 이론에 완전히 반하는 것이다.

텔레포니카에서는 린 엘리펀트를 확장하면서 혁신활동을 구체화하기 위해 세 가지 린 스타트업 원칙을 참고했다.

1. 시작은 작게 목표는 높게 잡는다 :

혁신 프로젝트의 목표는 높아야 한다. 전 세계로 뻗어 나갈 가능성과 매일매일 삶과 일에 영향을 미치는 잠재력이 있다고 생각해야 한다. 이 말은 시작할 때부터 엄청난 자원을 투입해야 한다거나, 첫날부터 완전한 잠재력을 보여줘야 한다는 뜻이 아니고 오히려 그 반대다. 특히 프로젝트는 초기에 최소한의 자원으로만 작업을 진행하고 프로젝트가 진행됨에 따라 검증된 학습(validated learning)으로 투자를 늘려야 한다. 불확실성이 현저히 줄어들고 시장 기회가 충분히 검증되었을 때에만 예산을 더 배정한다.

2. 각 성숙 단계에서 효율성을 달성하기 위해 빠르게 반복한다 :

너무 이르거나 미성숙하거나 목적이 불분명한 프로젝트는 축소하고, 외부 고객을 끌어당기는 프로젝트에 박차를 가한다는 의미이다. 따라서 린 엘리펀트 프로세스에 따라 수행되는 제품 투자 결정은 기술 동향뿐만 아니라 향후 디지털 고객이 어떤 시장을 형성할 것인가에 대한 심오한 이해를 바탕으로 해야 한다. 이 원칙은 프로젝트에 대한 예산 편성 과정을 연간 프로세스에서 이정표(milestone) 중심 프로세스로 크게 변화시킨다.

3. 빨리 실패하고, 저비용으로 실패하고 그 과정에서 반드시 배운다 : 텔레포니카는 프로젝트의 성공 확률을 높이기 위해 많은 에너지와 자원을 투입하는 대신 여러 개의 탐색 프로젝트를 시작하고 프로젝트별 실패 비용을 최소화함으로써 전체적인 위험을 낮추는 편이 현명하다고 생각한다.[15]

지금까지 린 엘리펀트는 성공적이었다. 텔레포니카가 추산하는 신제품 출시 속도는 2.6배 빨라졌다. 45% 더 많은 R&D 프로젝트를 진행하면서(이전과 예산 수준은 동일) 프로젝트당 지출은 48% 줄였다. 비용과 시간 절감은 린 스타트업 프로세스가 대기업의 환경에 맞게 적절히 수정되면 사업적 이점을 제공한다는 것을 보여준다.

그러나 텔레포니카는 조직 전체에 린 사고방식을 반영하기 위해 문화를 바꾸는 과정이 아직 끝나지 않았다는 것을 알고 있다. 이안 스몰은 이렇게 말한다.

“최종 목표는 200명이 구석에서 혁신을 생각하는 것이 아니라 회사 전체가 혁신에 대해 생각하도록 하는 것입니다. …

15. Ibid., p. 6.

우리 부서에서는 린 스타트업과 그 사고방식을 이해하고 있지만 텔레포니카의 14만 명의 직원들이 그것을 이해하고 있을까요? 아직은 아닐 겁니다. 운영 사업부서에 테스트 단계를 넘어 제품을 확장하기 위해 시장에서 배우고 수정한 것들을 이야기하면 여전히 외국어를 말하는 것 같거든요."[16]

린 엘리펀트 방식은 시간이 지나도 텔레포니카에서 지속가능할 것인가? 아직은 초기 단계이다. 지금까지는 많은 비용을 쓰고 있지 않다. 만약 다시 한 번 경기 침체가 텔레포니카를 덮친다면 (2009~2012년 금융위기 당시 회사는 상당한 피해를 입었다) 연구개발 예산은 큰 타격을 입을 가능성이 높다. 다만 낮은 비용을 고려하면 린 엘리펀트 방식이 전통적인 방식보다 더 나을 수도 있다. 전통적인 혁신방식을 지지하는 사람들은 그들의 예산과 일자리를 지키려고 노력할 것이다. 그래서 린 엘리펀트는 초기의 영예에 안주하지 말고 앞으로 더 많은 사업성과를 내야 한다.

결론

에릭 리스와 스티브 블랭크는 린 스타트업라는 개념으로 기업가정신의 연구와 실천에 근본적인 기여를 했다. 이들은 8년 동안

16. 이안 스몰은 2018년 10월, 텔레포니카를 떠나 에버노트(Evernote)의 CEO가 되었다.

이 분야의 발전을 위해 지난 20년 동안 기업가정신 분야의 학자들이 창출해낸 것보다 더 많은 기여를 했다. 그들이 가르쳐 준 것처럼 스타트업은 대기업의 작은 버전이 아니다. 대기업의 사업계획서 방식은 기업가가 새로운 비즈니스를 시작하기에는 좋지 않은 방법이다.

이 장에서는 대기업이 단순히 스타트업의 큰 버전이 아니라는 당연한 개념을 이야기했다. 대기업에게 간단하게 '스타트업처럼 되라'고 말하는 것은 잘못이다. 대기업은 기존 비즈니스를 가지고 있으며 이미 비즈니스 모델을 확장해서 대부분의 스타트업이 꿈꾸는 규모로 사업을 집행할 수 있는 프로세스를 만들었다. 따라서 이런 사실을 무시한 조언이다. 기존 사업과 관련한 프로세스가 존재한다는 것은 기업 내에서 린 스타트업을 수행하는데 있어 전혀 다른 상황을 만들어낸다.

린 스타트업 프로세스는 수정을 거쳐야만 대기업에서 활용할 수 있다. 텔레포니카의 린 엘리펀트 접근방식은 주의 깊은 수정을 보여주는 한 예다. 프로세스뿐만 아니라 대기업의 문화, 심지어는 조직의 사고방식까지도 변해야 한다. 오픈 이노베이션은 이런 변화의 중요한 측면을 구성한다. 그리고 제4장에서 본 것처럼 성공을 유지하려면 혁신 프로세스의 프론트 엔드에서 빛나는 초기 목표를 달성한 이후 혁신 프로세스의 백 엔드, 즉 사업부서와 시장으로 결과를 전달하는데 집중해야 한다. 혁신 부서는 수정된 린 스타트업 방식을 통해 내부 사업부서가 참여하도록 하기 위해 필요한 초기 고객을 찾을 수 있고, 프로젝트가 죽음의 계곡을 통과하게 할 수 있다.

5장의 주요 내용이다.

1. 린 스타트업은 새로운 비즈니스 기회와 비즈니스 모델을 발견하는 새롭고 흥미로운 프로세스이다.
2. 스타트업이 대기업의 작은 버전이 아닌 것처럼 대기업도 단순히 스타트업의 큰 버전이 아니다. 린 프로세스가 효과적으로 운영되려면 대기업에 맞게 수정해야 한다.
3. 대기업 내 린 스타트업은 고객을 찾기 위해 회사 밖으로 나가야 할뿐만 아니라 고위 경영진과 세심한 내부 협상을 해야 한다.
4. 오픈 이노베이션은 린 스타트업 프로세스를 보완하고 확장할 수 있다. 둘 다 자원을 효율적으로 사용하지만 오픈 이노베이션은 다른 사람들의 자원을 활용하고 위험을 분산한다.
5. 린 스타트업 프로세스가 특히 새로운 유료 고객을 확보하는데 도움이 된다면 내부 혁신 프로젝트가 대기업 안에서 죽음의 계곡을 건너게 하는데 도움이 될 수 있다.
6. 텔레포니카는 대기업에서 수행하는 린 스타트업의 좋은 사례를 제공한다. 텔레포니카는 프로젝트 당 48%의 비용을 절감했고, 시장 진출 속도는 260% 높였으며, 같은 예산 안에서 45% 더 많은 혁신 기회를 추구하게 됐다.

6장

기업 혁신 강화를 위한 스타트업과의 협력

《◇》

6장

기업 혁신 강화를 위한 스타트업과의 협력

오늘날 혁신의 세계는 스타트업에 열광하고 있다. 대기업이 자체적인 혁신 어젠다를 진척시키기 위해 스타트업과 협업하려는 경우가 많다. 예를 들어 존 챔버스(John Chambers)는 최근 저서 <점들을 연결하라(Connecting the Dots)>에서 24년 동안 시스코(Cisco)를 이끈 CEO로서 대기업은 하기 힘들지만 스타트업은 할 수 있는 일을 선전한다. 대기업의 자원과 규모에 스타트업의 에너지와 집중력을 결합하는 것은 이상적인 조합처럼 보인다.

그러나 챔버스의 열정에도 불구하고 이런 종류의 협업에는 많은 위험이 있다. 대기업과 스타트업이라는 양측의 상호보완성을 활용하려 했던 많은 노력들이 그간 기대에 부응하지 못했고 조용히 버림받았다. 기업의 혁신 부서와 다운스트림 사업부서 사이에 죽음의 계곡이 있는 것처럼(4장에서 자세히 설명되어 있음) 외부 스타트업과 기업 사이에는 커다란 격차가 있다. 기업과 스타트업의 작업방식 차이는 양측을 하나로 모으는데 어려운 문제를 야기한다. 기업은 스타트업에 접근하기가 어렵고, 문화적 차이는 종종 오해를 불러일으키며, 의사결정 속도의 차이는 악영향을 미친다.

6장에서는 스타트업과 협업하는 대기업의 기회와 과제에 대해 살펴볼 것이다.[1] 우리는 이미 이 책에서 새로운 기술을 찾거나 그것에 접근하는 것만으로는 충분하지 않다는 것을 확인했다. 새로운 기술에서 제대로 된 사업성과를 얻으려면 기술을 조직에 가져와서 흡수시켜야 한다. 이것은 스타트업과 협업하는 기업도 마찬가지이다. 최근 몇 년 동안 스타트업 생태계에 손을 뻗으려는 기업들의 노력이 증가했다. 특히 속도와 혁신을 추구하는 기술 산업계는 스타트업과 협력하는 다양한 방법을 고안해냈다. 이제 기업형 벤처캐피털(corporate venture capital)처럼 이미 확립된 모델은 적어도 두 세계 사이의 차이를 더욱 잘 메워주는 새로운 모델들로 보완이 되고 있다. 앞으로 논의하겠지만 하나 혹은 그 이상의 스타트업과 협력하기 위한 만병통치약과 같은 모델은 없다. 대신 스타트업과 협력할 때는 목표에 잘 맞는 모델을 선택해야 한다.

1. 이 장을 이룬 아이디어의 초기 버전은 바이블렌과 체스브로 (Weiblen and Chesbrough) (2015)을 참고해라.

기업에 기회를 가져다주는 스타트업

먼저 스타트업이 혁신 프로세스에서 대기업에게 가져오는 기회부터 시작해보자. 파괴적 혁신을 만드는 것은 스타트업이 특히 잘 하는 분야이다. 페이스북이든 테슬라모터스이든 '이 다음 혁신(next big thing)'을 찾아내서 새로운 시장을 창출하고, 다양한 산업 분야에서 오래도록 자리를 지켜왔던 기업을 몰아내는 것은 주로 기성기업이 아닌 스타트업이다. 게다가 이것은 몇 가지 뛰어난 사례에 국한된 이야기도 아니다. 리타 맥그래스(Rita McGrath) 등 영리한 학자들은 변화가 빠른 산업 분야에서 더 이상 지속가능한 경쟁 우위를 달성하는 것은 불가능하다고 말한다.[2] 이미 1장에서도 폭발적으로 성장하는 기술로 인해 빨라지는 혁신 속도에 대해 살펴보았다. 이런 시각은 혁신 경쟁에서 뒤처지지 않으려면 대기업이 익숙한 속도보다 훨씬 빨리 움직여야 한다고 넌지시 전한다.

최근 몇 년 동안 이렇게 빠른 속도로 움직이는 기업가적 활동이 급증했다. 오늘날 기술 벤처 창업자들은 20년 전보다 훨씬 낮은 비용으로 시장에 아이디어를 내놓을 수 있다. 게다가 새로운 벤처기업이 초기 단계를 헤쳐 나가도록 도움을 주는 인큐베이터, 액셀러레이터, 법률 및 금융 전문가, 금융 투자자, 마케팅 컨설턴트와

2. 대기업이 더 이상 장기간의 지속적인 경쟁우위를 누리기 힘들다고 보는 이유는 리타 맥그레이스(Rita McGrath), <경쟁우위의 종말(The End of Competitive Advantage)> (Boston, MA: Harvard Business School Press, 2013)을 참고해라. 맥그레이스는 변동성, 불확실성, 복잡성, 모호성(VUCA) 세계에서 기업들이 바랄 수 있는 최선은 일련의 일시적인 경쟁우위라고 말한다.

기술 컨설턴트 등 전체적인 지원제도도 마련되었다. 많은 기업이 스타트업과의 협업을 고려하거나 사내 벤처를 만들어 스타트업을 모방할 때 이러한 주변 생태계를 간과한다. 스타트업을 위한 활발한 지원체계가 있으면 스타트업은 지원체계의 경험과 축적된 지식을 활용할 수 있어 작은 규모에 비해 더 큰 역량을 가진다.

스타트업이 대기업으로부터 받을 필요가 없는 한 가지가 바로 기업자본이다. 스타트업 인큐베이터, 코워킹 스페이스, 정부 출연 지원제도처럼 엔젤투자자와 벤처캐피털도 충분히 많다. 예를 들어, 미국 벤처캐피털 협회(US National Venture Capital Association)에 따르면 2017년 벤처캐피털 투자액은 700억 달러였다.[3] 미국 비즈니스 인큐베이터 협회(National Business Incubator Association)는 미국에만 1,250개가 넘는 스타트업 인큐베이터가 있으며 전 세계적으로는 7,000개 이상이 있는 것으로 추산된다고 보고했다.[4] 최근에는 인디고고(Indiegogo)나 킥스타터(Kickstarter)와 같은 크라우드펀딩 사이트도 있어서 스타트업은 외부 자본을 모으기도 전에 시드머니와 초기 시장 검증을 제공받을 수 있다. 즉, 기업가가 새로운 벤처를 시작할 때 이용할 수 있는 자금원은 풍부하다.

요즘 스타트업 창업자들은 지원제도 외에도 벤처를 창업하기 위한 새로운 방법론과 도구들을 쉽게 접할 수 있다. 우리는 이미 5장에서

3. the Yearbook of the NVCA, www.nvca.org (최종접속일 2019년 2월 15일)에서 다운로드 가능.
4. the archives of the National Business Incubator Association, http://www.innovationamerica.us/innovation-daily/archives (최종접속일 2019년 2월 15일).

린 스타트업 방법론에 대해 살펴보았다. 전 세계 경영대학원이 기업자정신에 대해 가르치고 스타트업 클리닉을 제공하며 스타트업 대회를 개최한다. 오늘날 많은 일류 경영대학원 졸업생이 창업하기 위해 전통적인 투자은행이나 컨설팅회사에 취업하려 하지 않는다. 2013년 스탠포드 MBA 졸업생의 18%가 창업하기로 결정했다. UC 버클리 캠퍼스에는 학생들이 이용할 수 있는 다양한 창업자금 지원처가 적어도 10개는 있다. 자체적인 혁신기업 프로그램을 운영하는 미국국립과학재단(National Science Foundation) 등의 연구기관은 엔지니어와 과학자에게 5장에서 논의했던 린 스타트업 방법론을 받아들여 그들의 기초연구 결과를 가지고 시장에 나가라고 권장한다.[5]

건실한 스타트업을 지원하는 환경에서 나오는 결과는 3가지다. 첫째, 기업은 이전보다 더 많은 스타트업을 선별하고, 식별하고, 협력하고, 모니터링 할 수 있어야 한다. 어떤 경우에 기업은 동시에 여러 스타트업과 협력해야 한다. 기업이 더 많은 관계에서 더 빠른 의사 결정을 내려야 한다는 것을 의미한다. (스타트업계 용어로 표현하자면, 기업은 여러 스타트업과 협력하기 위해 확장 가능한 협력 프로세스가 필요하다.) 둘째, 기업은 스타트업에 대한 매력적인 가치 제안을 개발해야 한다. 즉, 스타트업이 이미 독립

5. NSF I-Corps는 스티브 블랭크와 앙드레 마르퀴스의 주도 하에 UC 버클리 하스 경영대학원에서 시작되었다. (일반적으로 8~10주 동안) 모든 스타트업은 매주 아이디어에 대해 최소한 10건의 고객 인터뷰를 진행해야 한다. 이 과정의 결과를 분석해보니 일반적인 SBIR 지원자는 지원 프로그램에 선정되는 비율이 18%였지만 I-Corps 졸업생은 일반 지원자에 비해 3배나 높은 약 60%의 선정률을 보였다. 론다 슈라이더(Rhonda Shrader)가 현재 I-Corps 프로그램을 맡고 있다. 여러 해 동안 수백 개의 스타트업 팀이 버클리에서 교육을 받았고 1백여 개가 넘는 대학들이 I-Corps 방법론으로 교수들을 교육해왔다. 이후 이 교수들이 가르친 스타트업 팀까지 포함하면 보수적으로 추정해도 수 만개의 스타트업 팀들이 이 혹독한 8~10주 과정을 거쳤다고 볼 수 있을 것이다.

벤처캐피털, 인큐베이터, 기타 지원기관을 이용할 수 있는 상황에서 기업은 스타트업에 가치를 더할 수 있는 방법을 보여줘야 한다. 앞서 말한 것처럼 단순히 스타트업이 기업 투자를 원한다고 가정하는 것은 잘못이다. 스타트업 주변 생태계가 풍부한 덕분에 유망한 스타트업이라면 이미 쉽게 자본을 획득할 수 있다.[6]

마지막으로 기업은 스타트업과 협력하면서 얻고 싶은 것을 명확히 할 필요가 있다. 즉, 스타트업과 협력할 때 채택할 적절한 협업모델을 기업의 전략적 목표에 맞게 결정해야 한다. '어디에나 다 맞는' 조직 모델은 존재하지 않는다. 기업이 원하는 협력에 적합한 모델을 선택해야 한다.

전통적인 스타트업 협력모델

기업들이 스타트업과 협력하기 위해 사용했던 전통적인 모델부터 살펴보자. 전통적인 모델에는 기업형 벤처캐피털(CVC)과 새로운 벤처나 스핀오프를 시장에 내놓는 인사이드아웃 인큐베이터(inside-out incubator)가 있다. 두 가지 모델 모두 스타트업에 대한 지배력을 확보하기 위해 지분 투자를 한다.

6. 중국은 상황이 다르다. 기업, 특히 빅3 기업(알리바바, 바이두, 텐센트)의 투자가 전체 스타트업 지분 투자의 절반 가까이를 차지한다. https://techcrunch.com/2018/07/05/china-vc-has-overtaken-silicon-valley/ (최종접속일 2019년 2월 15일)

1) 기업형 벤처캐피털(CVC)

기업이 기업활동에 참여하는 확실한 방법은 자금을 투자하는 것이다. 유망한 외부 스타트업의 지분을 갖고 있으면 기업은 흥미로운 기술과 시장을 계속 주시할 수 있다. 지분을 가지고 있으면 포트폴리오 기업의 의사결정에 영향을 미칠 수 있고, 추후 벤처기업이 높은 가격으로 매각되거나 기업공개(IPO)를 통해 상장될 경우 금전적 이익을 얻을 수도 있다. 경우에 따라 기업형 벤처캐피털은 (공동)투자자로서 얻은 우선적 이해를 이용해 특별히 유망한 스타트업을 인수하기도 한다. 투자한 스타트업을 인수한 최근 사례로 구글 벤처스(Google Ventures)가 네스트(Nest)에 투자하여 결국 32억 달러에 인수했다.

구글 벤처스는 네스트에 초기 투자함으로써 초기 사물인터넷 시장에 발을 들여놓으려고 했을 것이다. 사물인터넷 시장에서 하드웨어는 기술 실현에 중요한 역할을 하지만, 하드웨어를 생산하는 것은 구글의 핵심역량이 아니었다. 사물인터넷은 전례 없는 양의 데이터를 생산할 것으로 예상됐고, 구글에게 이러한 데이터를 채굴하는 것은 전략적으로 중요했다. 구글은 벤처 부문의 투자 덕분에 시장에 대한 통찰력과 보다 나은 이해도를 갖췄다. 그래서 구글은 네스트의 하드웨어가 사물인터넷이 만드는 새롭고 유망한 데이터풀에 접근하는 최고의 수단이라는 결론에 도달했을지도 모른다. 이러한 통찰의 결과로 이후 구글은 네스트를 전부 인수했다.

기업형 벤처캐피털에 대한 개념은 1960년대부터 있었다. 하지만 그 이후로 몇 차례 성쇠가 있었다.[7] 대부분의 기업은 모기업으로부터 독점적으로 자금을 지원받는 별도의 기업형 벤처캐피털을 만든다. 변화가 빠른 벤처캐피털 업계에서 이런 구조는 성공적으로 사업을 운영하기 위해 경영진이 요구하는 유연성과 속도, 자유를 제공한다. 하지만 동시에 기업형 벤처캐피털(CVC)의 임무는 독립된 벤처캐피털의 임무보다 여러 가지 면에서 더 복잡하다. 기업형 벤처캐피털은 재무적 성과를 달성해야 할 뿐만 아니라 모기업의 전략적 목표도 지원해야 한다(가령, 모기업의 제품이나 서비스를 보완하는 제품이나 서비스를 만드는 스타트업을 지원해야 한다). 또한 상호협력이 관련 당사자에게 유용해 보이는 경우 연구개발 부문과 운영 부문의 상호 협력을 확인하고 장려해야 한다.[8]

젊은 기업가에게 대기업과의 유대관계는 기업형 벤처투자를 양날의 검으로 만든다. 대기업의 기술과 시장에 대한 안목은 성공을 순조롭게 만들 수 있지만, 업계의 거물에게 구속당하면 스타트업은 피봇할 자유 또는 대기업의 경쟁사와 협업하거나 경쟁사에 인수될 가능성을 제한받을 수 있다. 게다가 기업의 어젠다는 시간이 지나면서 바뀔 수 있기 때문에 전략적 투자로 시작된 것이 나중에는 관련성이 없어질 수도 있다. 그러나 긍정적인 측면도 있다. 대기업의 후원을 받을 경우 스타트업의 시장 신뢰도를 높일 수 있고 대기업이 가진

7. Paul Gompers, 'Corporations and the Financing of Innovation: The Corporate Venture Capital Experience', in Economic Review (Federal Reserve Bank of Atlanta), Q4 (2002): 1-17.

8. CVC 투자와 기업 전략을 연결하는 것에 대한 보다 자세한 논의는 다음을 참고해라. Henry Chesbrough, "Making Sense of Corporate Venture Capital", <Harvard Business Review>, 80.3 (2002): 90-9

전문가와 전문장비를 이용할 수 있다. 최근 연구는 기업형 벤처캐피털 투자가 전문화된 보완 자산이 필요하거나 특히 불확실한 환경에서 운영되는 스타트업일 경우 긍정적인 영향을 미친다는 것을 보여준다.[9]

미국 벤처캐피털 협회에 따르면 기업형 벤처캐피털은 2018년 전체 벤처캐피털 투자의 약 47%를 담당하며 중요한 시장 참가자가 되었다.[10] 중국의 경우 기업형 벤처캐피털이 벤처캐피털 투자에서 차지하는 비중이 미국보다도 커서 알리바바(Alibaba), 텐센트(Tencent), 바이두(Baidu) 등 기업형 벤처캐피털이 몇 년 동안 전체 벤처캐피털 투자의 절반을 차지하고 있다.

다만 스타트업의 혁신 잠재력을 활용하는 기업형 벤처캐피털의 가능성은 앞서 언급한 스타트업의 기업 투자수용 타당성을 위한 경계 조건 때문에 제한된다. 기업형 벤처캐피털의 투자 과정은 투자 후보를 살펴보고, 투자하기 전에 실사를 하고, 스타트업 이사회 비용을 모니터링 하고, 가능한 출구전략을 논의하느라 실행까지 오래 걸린다. 투자 실행이 오래 걸리면 대기업은 스타트업과 보조를 맞추기 어려워지고 특히 동시에 여러 스타트업과 협업할 수 있는 능력이 제한된다. 달리 말하자면 여러 스타트업에 걸쳐 확장하지 못하는 것이다.

9. Haemin Park 과 Kevin Steensma, 'When Does Corporate Venture Capital Add Value for New Ventures?', Strategic Management Journal, 33.1 (January 2012): 1-22.

10. 벤처캐피털 협회(National Venture Capital Association)의 피치북을 참고해라. https://files.pitchbook.com/website/files/pdf/3Q_2018_PitchBook_NVCA_Venture_Monitor.pdf (최종접속일 2019년 2월 27일). 이 보고서에 따르면 2017년 기업형 벤처캐피털은 1,403건의 투자에 참여해 총 363억 달러를 투자했으며 2017년 전체 벤처캐피털 투자의 44%를 차지했다. 2018년 3분기까지 기업형 벤처캐피털은 1,096건, 총 393억 달러를 투자했고 전체 벤처캐피털 투자의 47%를 차지했다

2) 인사이드 아웃 기업형 인큐베이터 (Inside-out Corporate Incubators)

스마트한 아이디어와 유망한 기술이 외부에만 있는 것은 아니다. 경우에 따라서는 기업 환경에서 탄생했지만 기업의 현재 핵심 비즈니스나 비즈니스 모델과 맞지 않는 경우도 있다. 이렇게 '맞지 않는' 내부 혁신 프로젝트(2장에서 본 부정오류)에서 이익을 얻기 위해 이들을 새로운 기업으로 시장에 내놓는 기업형 인큐베이터가 등장했다. 독립 인큐베이터와 마찬가지로 기업형 인큐베이터도 초기 벤처에게 자금, 코로케이션(co-location), 전문지식, 인맥을 제공한다. 느리고 관료주의적인 모기업의 환경을 탈피하여 혁신적 스타트업을 위한 환경을 사내벤처에게 제공하는 것이 목적이다. 성공한다면 사내벤처는 독자적으로 새로운 시장을 정복하거나 별도의 사업부로 재통합될 것이다. 5장에서 본 것처럼 린 스타트업 프로세스는 기업이 현재 영위하는 사업의 외부를 탐색해 새로운 비즈니스 모델을 발굴하는 정밀하고 효과적인 방법이다.

일반적으로 기업형 스타트업 인큐베이터의 장·단점은 엇갈린다. 긍정적인 면으로는 고가의 장비와 고객 접근(customer access) 등 여러 자원을 잠재적으로 공유할 수 있다는 것이다. 또한 기업 내부에 인큐베이터를 갖춤으로써 사업부서 중 어느 하나에 포함되지 못한 프로젝트를 시장 기회가 명확해질 때까지 계속해서 개발할 수 있다. 부정적인 면으로는 기업의 지원으로 과보호의 위험이 있어 추후 실패 가능성이 높아질 수 있다. 더욱이 모기업과의 유대가 긴밀할 경우 인큐베이터 기반 스타트업은 종종 모기업의 경쟁사와 파트너십을 구축하지 못하거나, 모기업의 사업에 지장을 주는 경쟁제품을 개발하지 못하기도 한다.

기업형 인큐베이션의 초기 사례는 1970년 설립되어 쓰리콤(3Com)이나 어도비(Adobe) 같은 성공적인 기업을 분사한 제록스 PARC 연구소에서 찾아볼 수 있다. 루센트 뉴 벤처 그룹(Lucent New Ventures group)도 비슷한 성공 사례이다. 1997년, 벨 연구소 내 비핵심 부문 발명품을 상업화하기 위해 설립된 이 숨겨진 보석은 2002년 초 긴급한 현금 확보를 위해 루센트에 매각되었다.[11]

2014년 중반 보쉬(Bosch)는 자체적인 인큐베이터 '스타트업 플랫폼(Startup Platform)'을 만들었다.[12] 스타트업 플랫폼은 보쉬의 기존 사업과 관련성이 없어 표준적인 혁신 프로세스에서 퇴출되는 연구부서나 기타 부서의 아이디어를 계속 개발하기 위해 만들어졌다. 유망한 아이디어를 계속 추진하기 위해 팀은 보완적인 서비스와 코칭, 자금을 지원받을 수 있는 인큐베이터로 이동한다. 필요에 따라 보쉬의 기존 부서와 전문가의 지원도 받을 수 있다. 인큐베이터는 스타트업의 초기 시장 노출과 피봇을 용이하게 하고 기업의 복잡성으로부터 스타트업을 보호한다.

스타트업이 인큐베이터에서 초기 단계를 성공적으로 보내고 시장에서 견인력을 얻은 후에는 기존 사업부로 재통합하거나,

11. 제록스 스핀오프 기업의 역사와 자금 조달 방법에 대한 자세한 내용은 Henry Chesbrough (2002)를 참고해라. 루슨트의 뉴벤처 프로그램은 Chesbrough and Socolof (2000)에서 자세히 논의된다.
12. https://www.bosch.com/stories/bosch-start-up-platform/ (최종접속일 2019년 3월 22일).

기업 내부의 새로운 사업부로 신설해 아이디어를 상업화하는 것이 보쉬의 목표다. 분사하거나 다른 기업에 매각하는 것은 '도저히' 맞지 않는 프로젝트를 위한 2차적인 선택사항이지만, 일단 제품과 비즈니스 모델을 확장할 준비가 되면 스타트업을 재통합해 기업 혁신을 추진하는 것이 일반적이다.

인사이드 아웃 인큐베이터는 기업의 건강한 혁신 프로세스에서 중요한 역할을 한다. 인큐베이터는 프로젝트가 기업의 핵심사업과 관련성이 떨어진다 해도 기술직원들에게 시장에서 프로젝트를 테스트할 기회를 더 많이 제공한다. 그러나 기업형 벤처캐피털처럼 회사를 시작하고 추후 프로세스를 검토하고 프로젝트를 통합할지 스핀아웃할지 결정하는 데는 여러 차례의 미팅과 많은 시간을 필요로 한다. 따라서 이것 또한 확장이 쉽지 않다.

스타트업과 협력하는 가벼운 모델 : 확장성(built to scale)

최근 몇 년 사이 대기업이 스타트업과 협력하는 새로운 방식이 부상했다. 이 모델은 일반적으로 기업이 지분을 소유하지 않는다는 점에서 이전 모델과 다르다. 또한 기업이 동시에 더 많은 스타트업과 협력할 수 있도록 만들어졌다. 새로운 프로그램은 기존 스타트업 지원 생태계가 제공하는 것을 보완하도록 설계되었으나 인큐베이터 수준의 서비스는 제공하지 않는다. 그 결과 스타트업과 협력하는 기업이 더 빠르게 움직일 수 있는 보다 가벼운 거버넌스 프로세스(governance process)가 탄생했다. 기업은 개발에 대한 영향력은 유지하지만 스타트업에 대한 지배권은 포기한다. 바로 이것이 기업이 스타트업과 협력하면서 훨씬 빠르게 움직이는 비결이다. 이 프로세스는 확장이 가능하며 깊이보다는 폭에 초점을 맞춘다.

스타트업의 관점

스타트업과 협업을 추진하는 데에는 한 가지 문제점이 있는데 스타트업이 대기업과의 협업을 고려할 때 어떤 생각을 하는지 이해하지 못한다는 것이다. 협업의 초기 단계에서 스타트업은 기업에게 아이디어를 뺏길까 봐 걱정한다. 이후 단계에서는 기업 파트너가 중요한 의사결정을 하는 데 너무 오랜 시간을 끌어서 좌절하는 경우가 많다.

스타트업의 우려를 예상하고 이에 대응하는 프로그램이 마련되어 있다면 스타트업이 대기업과 협업을 시작하는 문제는 매우 간단해진다. 이 프로그램에서 기업은 스타트업과 협력하고 그들의 우려를 누그러뜨릴 인터페이스를 구축해야 한다. 또 오랜 시간이 걸리는 공급자 검증 절차나 엄격한 인증 요건 등 대기업과 관계를 맺을 때 흔히 겪게 되는 관료적 프로세스를 포기한다. 대신 개념

증명(proofs of concept(POCs))을 위한 더욱 간단한 프로세스를 구축한다. 프로젝트에 기반한 접근방식은 혁신활동에 초점을 맞추고, 기업이 부담할 위험을 줄이며, 기업형 벤처캐피털의 투자방식과는 달리 스타트업의 향후 향방에 영향을 미치지 않는다. 프로그램이 갖는 이런 특징 덕분에 스타트업은 일부 두려움을 해소하고 대기업과 터놓고 협력할 수 있다.

가벼운 스타트업 프로그램에는 두 가지 종류가 있다. 하나는 아웃사이드 인(outside-in) 유형으로 기존 스타트업의 기술을 발견하고 협력 기업에 가져다 줄 유용성을 평가한다. 다른 하나는 인사이드 아웃(inside-out) 유형이다. 이 유형은 다른 스타트업에 의한 기업의 기술 플랫폼 이용을 확립하기 위한 것이다.

1) 아웃사이드 인 스타트업 프로그램

이 모델은 복수의 스타트업이 아이디어를 구상하고 이행하도록 하여 후원 기업이 흥미로운 스타트업 제품 및 기술을 이용할 수 있도록 하는 데 초점을 맞춘다. 기업은 경쟁사보다 앞서가 이익을 얻고 외부의 스타트업 혁신을 이용해 기존 사업을 '핫'한 분야로 확장할 수 있다. 아웃사이드 인 프로그램으로 기업은 육성하는 다수의 스타트업을 통해 흥미로운 접근 방식을 동시에 추구할 수 있다. 이로써 자체 자원에만 의존했을 때보다 더 빠른 상호 학습이 가능해지고 새로운 마켓스페이스(market space)를 더욱 철저히 탐색할 수 있다.

- **AT&T 파운드리(Foundry)**

AT&T 파운드리는 아웃사이드 인 스타트업 프로그램의 좋은 사례이다. 2011년 미국의 거대 통신업체인 AT&T가 시작한 프로그램으로 현재 5개의 코워킹 로케이션(미국 4곳, 이스라엘 1곳)이 있다.[13] 파운드리는 직원 27만 명의 복잡한 AT&T와 역동적인 스타트업 생태계를 연결하는 대리인 역할을 한다.

파운드리의 운영 방식은 스타트업의 운영 방식과 가능한 가깝게 설계됐다. 파운드리가 다양한 문제 영역에서 해결책을 제안해달라고 요청(Call for Proposal)하면서 프로세스가 시작된다. 이 요청에 응답한 스타트업은 파운드리 이벤트에서 아이디어를 발표할 기회를 얻는다. 발표 후 약 10% 정도가 파운드리와 공동 프로젝트를 진행하게 되며, 2쪽짜리 프로젝트 문서에 프로젝트의 범위와 목표를 기록한다. 파운드리는 계약과 서류작업을 신속히 처리하기 위해 빠른 업무진행 환경에서 일해 본 경험이 있는 변호사나 계약 팀을 포진시킨다.

파운드리 모델은 빠른 속도를 내기 위해 만들어졌다. 프로젝트는 12주로 정해진 기한 안에 개념검증(POC)까지 해야 한다. 이 단계에서 AT&T는 스타트업의 지분을 취득하지 않으며 어떠한 지적 재산권도 주장하지 않는다. 기밀정보공개 협정서(confidential disclosure agreement)도 작성하지 않는다. 기한을 맞추기 위해 파운드리 직원, 가외의 AT&T 전문가, 스타트업 창업자로 이루어진 합동 프로젝트 팀이 공동의 목표를 달성하고 AT&T 정규 사업부에 제시할 수 있는 POC를

13. https://foundry.att.com/ (최종접속일 2019년 3월 22일).

만들어내기 위해 협력한다.

AT&T 사업부서는 파운드리 프로세스에서 나온 POC 중 약 80%를 거절한다. 프로젝트가 거절당한 경우 기업가는 협업을 통해 얻은 지식과 모든 지적 재산권 및 벤처 지분을 소유한 채 파운드리를 떠난다. AT&T 사업부서가 프로젝트에 좋은 반응을 보이면 원래의 계약 절차가 시작된다. 이 단계에 이르러서야 스타트업은 기밀유지협약(NDA), 벤더 자격인증, 그 밖의 원래 계약에 필요한 프로세스를 거치게 되며 기술을 전달받는 AT&T 사업부서의 고정적인 기술 공급회사로서 역할을 하게 된다.

선데이스카이(SundaySky)라는 스타트업이 이런 프로세스를 보여주는 사례이다. 파운드리 피치 세션에서 비디오 스트림에 개인 맞춤화된 쿠폰을 삽입하는 기술에 대해 발표하던 중, 이 기술을 AT&T의 무선서비스 사용 고객을 위한 개인 맞춤화된 비디오 요금 청구서에 도입하자는 아이디어가 떠올랐다. 그래서 선데이스카이는 파운드리로 왔다. 12주 후에는 AT&T 경영진에게 이 기술의 가능성을 설득하기 위한 프로토타입을 발표하고 시험 사용했다. 이제 고객들은 각자의 전화요금에 대해 맞춤화된 오디오와 비디오 설명을 들을 수 있게 되었다. 파일럿 사용 결과, 시험 대상 고객의 85%가 이 기술이 유용하다고 생각했으며, AT&T 측에도 지원 비용을 절감하는 효과가 있었다. 이제는 아이디어의 타당성을 증명하기 위한 실험을 해야 했다. AT&T는 12주 만에 이 실험을 끝냈다. 실험을 할지 말지 결정하는 데만 12주가 필요한 기업도 많은데 말이다! 한편, 스타트업은 자체 기술을 초기에 의도했던 시장으로 개척해 나아갈 수 있고 이제는 AT&T가 핵심적인 참조 고객이 된 덕분에 평판도 향상되었다.

또 다른 사례는 인투셀(Intucell)이다. 인투셀은 4인 스타트업으로 AT&T 무선 네트워크의 안정성과 속도를 획기적으로 향상하는 방법을 알고 있지만 그 사실을 입증하기 위해 필요한 장비는 없다고 주장했다. 파운드리 프로젝트를 시작하고 12주 후 인투셀의 기술은 유효성을 입증했고 현재 AT&T의 모든 네트워크에 적용되고 있다. 속도와 안정성은 10% 상승했고, 타워 과부하는 30% 감소했다.

선데이스카이와 인투셀의 경우 모두 AT&T 정규부서와 스타트업이 파운드리 프로토타입을 보완해서 최종 제품을 내놓기까지는 수개월이 더 필요했다. 그러나 이 기간은 AT&T의 통상적인 혁신 사이클보다 훨씬 빨랐다.

인텔은 웨어러블 기술에서 이런 접근방식을 탐색해왔다. 인텔은 웨어러블 기술이 가속화되고 있다는 사실을 알았지만 웨어러블 제품에 필요한 칩을 알 수 없었다. 인텔은 학습을 강화하기 위해 50개 기업을 자체 인큐베이터로 초대해 가까운 곳에서 협업하고 함께 학습할 수 있도록 했다. 안드레 마퀴스(Andre Marquis)와 마나브 수보드(Manav Subodh)가 쓴 <하이퍼시프트(Hypershift)>에 이런 경험이 기록되어 있다.[14]

14 Andre Marquis 과 Manav Subodh, Hypershift: How Established Companies can Work with Makers, Inventors and Entrepreneurs to Leverage Innovation, Enter New Markets, Establish Brand Leadership, and Unlock Value, (Hypershift Advisory Press, 2014).

2) 인사이드 아웃 플랫폼 스타트업 프로그램

아웃사이드 인 스타트업 프로그램에서는 기업은 새로운 기술을 이용하고 스타트업은 공급자 역할을 맡는다. 플랫폼 모델은 아웃사이드 인 방식과는 반대이다. 플랫폼 모델의 목표는 스타트업이 기업에서 제공하는 기술로 제품을 만들도록 하고, 기업의 시장을 확장하는 것이다. 인사이드 아웃 오픈 이노베이션 접근방식이다. 플랫폼은 오늘날 매력적인 혁신 모델이 되었다. 플랫폼 혁신은 기업의 생태계가 보완적인 혁신을 만들어내고 그로 인해 공동의 플랫폼을 강화할 때 발생한다.[15] 이상적인 경우, 대기업은 스스로를 플랫폼 리더로 포지셔닝하고 플랫폼에서 팔리는 모든 혁신에서 이익을 얻을 수 있다. 애플 iOS와 구글 안드로이드 운영체제가 만든 앱 경제를 생각해 봐라. 앱 경제는 판매되는 모든 앱에 대해 두 기업에게 30%의 수익을 배분한다.

- **SAP 스타트업 포커스(Startup Focus)**

소프트웨어 벤더업체인 SAP는 인사이드 아웃 접근방식의 좋은 사례를 보여준다. SAP는 선도적인 기업형 소프트웨어 제공업체로서 원래 대기업의 사업 운영에 도움이 되는 소프트웨어 솔루션을 생산했다. 하지만 2010년 말 신제품 HANA를 출시했을 때는 조금

15. 아나벨 가워(Annabelle Gawer)와 마이클 쿠수마노(Michael Cusumano)가 플랫폼에 대해서 잘 소개하고 있다. 다음을 참고해라. "Industry Platforms and Ecosystem Innovation", <Journal of Product Innovation Management>, 31.3 (May 2014): 417-33, Geoffrey Parker, Marshall VanAlstyne, and Sangeet Chaudory, <Platform Revolution: How Networked Markets Are Transforming the Economy and How to Make Them Work for You> (New York: Norton and Co., 2016)

달랐다. HANA는 엄청난 양의 데이터를 놀라운 속도로 처리할 수 있는 혁명적인 인메모리 기술을 기반으로 만들어졌다. SAP는 엄청난 속도 향상이 자사 기술을 채택할 새로운 기회를 창출할 것이며, SAP만으로는 모든 기회를 찾을 수 없다는 사실을 인식했다. SAP는 더 빠르고 새로운 방법으로 시장에 제품을 제공하기 위해 HANA를 사용할 스타트업을 많이 유치해야만 했다. SAP는 HANA를 사용하는 스타트업이 많이 모인 플랫폼 기업이 되기를 바랐다.

이런 상황에서 SAP는 2012년 봄 사파이어 고객 컨퍼런스에서 스타트업 포커스를 출시하기로 결정했다. SAP 경영진은 6개월 후 가을 컨퍼런스가 열릴 때까지 HANA를 이용하는 개발자를 최소 100명 이상 유치하고, 그 이후에는 더 많은 스타트업을 유치해야 한다고 생각했다. 이것은 SAP가 한 두 개의 스타트업과만 긴밀하게 협업할 수만은 없다는 의미였다. SAP는 단기간에 필요한 활동 규모와 응용 규모에 다다를 수 있도록 표준화된 접근방식을 개발해야 했다.

스타트업 포커스는 효과가 있었다. 2년 만에 1,500개 이상의 스타트업이 스타트업 포커스 프로그램에 가입했다. 이 중 60%가 게놈학, 스포츠 분석, 타깃 광고 등 SAP가 이전에 서비스를 제공하지 않았던 분야에 속해있었다. 한편, 개별 스타트업의 실패에 따른 SAP의 비용과 위험은 매우 낮았다. 모든 신규 스타트업은 약간 더 많은 상호작용 지원(support interaction)과 아마존 AWS 클라우드의 개발 시스템의 시간 제한적인 추가 이용만 요구했을 뿐이었다.

스타트업 포커스 프로그램이 빨리 진행된 것은 다행이었다. SAP가 또 다른 대형 소프트웨어 벤더업체인 SAS와 첫 번째 HANA 플랫폼 계약을 협상하는 데는 18개월밖에 걸리지 않았다. 2012~2013년 같은 기간 동안 거의 1,000개의 스타트업이 SAP프로그램에 추가되었다. HANA가 대형 소프트웨어 기업에 채택되지 않았어도 많은 스타트업이 참여하고 있다는 사실은 HANA에 중요한 에너지와 신뢰성을 더해주었다. 그리고 여러 스타트업이 참여하고 있다는 사실은 SAP가 HANA를 쓰는 내부고객을 다수 확보하기 전에 대기업에게 HANA가 실제로 좋다는 것을 확신시키는데 도움이 되었다.

여기에서 지분투자와 합작투자라는 고도의 통제 전술은 역효과를 냈을 것이라고 주장하는 사람도 있을 수 있다. SAP는 많은 스타트업을 서둘러 유치해야 했기 때문에 기업 몇 곳을 골라 직접 투자하는 것이 스타트업 가운데 일부만 '편애하는 것'으로 보일 수 있었다. 한두 개 스타트업이 SAP에서 투자를 받으면 다른 스타트업은 왜 투자를 받지 못했는지 궁금해 할 것이다. 실제로 프로그램에 참여한 다른 스타트업의 고객이나 투자자가 투자를 받지 못한 스타트업에게 "왜 당신은 SAP로부터 투자 받지 못했는가?"라고 물을 수 있다. SAP는 단기간에 원하는 규모를 달성하기 위해 이런 투자는 피하는 게 나았다. 달리 말하자면 SAP는 시장을 통해 HANA가 가장 잘 활용될 수 있는 곳을 알아내고자 했고, HANA의 사용처가 어디일지 자신 있게 베팅할 만큼 충분히 알지 못한다는 사실을 이해하고 있었다.

그림 6.1은 스타트업과 협업하는 전통적인 모델과 확장성이 더 좋은 새로운 방식의 조합을 보여준다. 기업은 먼저 협업을 통해 달성하고자 하는 목표가 무엇인지 가장 기본적인 질문에 답해야 한다. 스타트업과의 협업을 통해 기업가적 창의성을 인소싱(insource,[아웃소싱의 반대말로 조직에 필요한 서비스나 기능을 내부에서 자체적으로 조달하는 일 - 옮긴이])하고 싶은가(아웃사이드 인 이노베이션), 스타트업의 기민함(agility)을 활용해 기업의 자체적인 혁신을 시장으로 내보내고 싶은가(인사이드 아웃 이노베이션)? 지분을 소유함으로써 얻을 수 있는 통찰력과 통제력, 상승 잠재력을 원하는가, 위험을 분산하길 원하는가? 그림 6.1은 이 두 가지 관점에서 네 가지 모델의 목표를 보여준다.

	혁신의 방향	
	아웃사이드 인	**인사이드 아웃**
지분 참여	**기업형 벤처** 성공적인 외부 혁신에 참여해 비핵심 시장에 대한 전략적 통찰을 얻는다.	**기업형 인큐베이션** 기업이 창출한 비핵심 분야의 유망한 혁신을 시장에 내놓기 위해 실행 가능한 경로를 제공한다.
	스타트업 프로그램(아웃사이드 인) 외부 이노베이션을 인소싱해 기업 혁신을 촉진하고 창출한다.	**스타트업 프로그램(플랫폼)** 보완적인 외부 혁신에 박차를 가해 기존 기업의 혁신(플랫폼)을 추진한다.

그림 6.1 - 스타트업과 기업 협업모델의 유형 및 주요 목표

지분 소유에 따른 분류

여기에서 논의한 전통적인 두 가지 모델은 지분을 소유하지만, 새로운 모델 두 가지는 지분을 소유하지 않는다. 주식 기반형 모델 중 첫 번째 유형은 기업형 벤처캐피털로 기업 외부에 있는 흥미로운 스타트업의 영향력을 사들인다. 두 번째 유형은 기업형 인큐베이션으로 기업의 기존 사업과 '적합하지 않은' 내부 아이디어나 기술을 가지고 스핀오프한 새로운 스타트업을 만든다. 두 가지 유형 모두 명목적 투자금 외에 조직적 비용을 수반한다. 지분 소유로 인한 추가적인 비용은 검색 및 정보 비용(투자 결정 전 실사 비용 포함), 협상 비용(창업자 및 추가 투자자와의 협상 비용 포함), 모니터링 및 집행 비용(정기 이사회 및 거버넌스 활동에 드는 비용 등)으로 요약된다.

기업형 벤처캐피털의 경우 협업 스타트업이 기업 전략과 직접 관련이 있는 장기 목표를 추진하는 데 중요한 역할을 한다면 이러한 비용은 정당화될 수 있다. 지분과 이사회 의석을 가진 기업형 벤처캐피털은 직접적인 통찰력을 얻을 수 있고 벤처기업의 향후 방향에 발언권을 갖는다.

기업형 인큐베이션에서 지분을 소유하는 것은 전략적 이유도 있지만 재무적 동기도 있다. 기업형 인큐베이션을 추진하는 경우, 이유가 무엇이든 기업의 연구개발 부서는 현재 핵심 비즈니스에 적합하지 않는 기술이나 아이디어를 이미 갖고 있다. 새로운 기술이나 아이디어를 찾아내는 비용이 이미 발생했기 때문에 (이미 사용된 연구개발 비용을 상각처리 하는 대신) 미래 수익을 창출할 수 있는 기회로 전환한다면 아주 환영할 것이다. 기업은 다른 기업에 지적 재산권을 판매할 것인지[16] 추가로 자본을 투자해 기업형 인큐베이터의 스핀오프로 시장성 있는 단계까지 가지고 갈 것인지를 결정해야 한다. 향후 벤처를 새로운 사업부서로 다시 데려올 가능성이 있는지 등의 전략적 고려가 선택을 좌우한다.

대조적으로 지분을 소유하지 않는 두 가지 모델에서 통제력의 문제는 부차적이다. 지분을 소유하지 않는 모델의 전체적인 목표는 주변 환경에서 나타나는 기회에 기업이 더 빨리 대응할 수 있도록 하는 것이다. 스타트업 하나하나는 중요하지 않지만 집단적으로 기업의 시장 지위를 바꿔놓는다. 기업이 사용할 수 있는 프로그램(아웃사이드 인 프로그램)이 늘어나면 기업이 고려할 수 있는 옵션도 더 많아진다. 기업의 기술 플랫폼에 속한 스타트업 덕분에 기업 고객은 전체적인 플랫폼을 더 유능하고 매력적으로 생각하게 된다.

생각을 한 차원 높여보면, 전통적인 협업 모델은 통제력의 논리에 근거한다. 대기업은 종종 처음부터 끝까지 프로그램을 통제할 수 있기를 원한다. 그러나 통제력을 갖는 데는 실질적인 비용이 필요하다. 각 스타트업과의 협업을 평가, 실행, 모니터링 하는 데는 상당한 시간과 노력이 필요하고, 대기업의 실행 속도와 환경 변화에

16. 제약업계에서는 미사용되거나 버려진 컴파운드를 위해 사내 실험실에서 밖으로 경로를 만드는 활동이 늘고 있다. 다음을 참고해라. H. Chesbrough and E. Chen, 'Recovering Abandoned Compounds Through Expanded External IP Licensing', California Management Review, 55.4 (Summer 2013): 83-102.

적응하는 속도를 더욱 늦출 수 있다. 새로운 모델은 통제력의 논리를 영향력의 논리와 맞바꾼다. 영향력의 논리는 스타트업이 기업의 기술과 플랫폼을 이용하면서 기업의 방식대로 협력한다면 스타트업을 통제하지 않고도 이익을 얻을 수 있다는 것이다. 특히 이것은 협력할 스타트업이 많이 필요할 때 그렇다. 대기업은 언제나 스타트업에 대한 완전한 통제력을 가져야 한다고 고집하지 말고 스타트업과 협력하는 전략적 목적에 영향력의 논리가 더 잘 부합할 때를 고려해 보는 편이 좋을 것이다.

6장의 주요 내용이다.

1. 스타트업은 기업의 혁신 전략을 달성하는 데 강력하고 효과적인 요소가 될 수 있다. 그러나 스타트업은 기업에게 아이디어를 도둑맞거나 의사결정을 하는데 너무 시간을 끌까봐 걱정한다.
2. 스타트업은 기업 자본을 환영하지만 종종 진정 필요한 것은 기업의 최신 도구, 기술, 채널, 고객을 이용하는 것이다. 대기업은 자금 외에도 스타트업과 협력할 수 있는 자원을 많이 가지고 있다.
3. 전통적으로 대기업은 기업형 벤처캐피털처럼 지분을 소유하는 협업모델을 활용해왔다. 기업형 벤처캐피털은 중요한 역할을 하지만 관리하는데 상당한 시간과 노력이 든다. 지분을 소유하는 모델은 통제력을 제공하지만 확장성이 적다.
4. 대기업과 스타트업의 새로운 협력모델은 영향력의 논리를 이용한다. 그 결과 대기업은 더 빨리 움직이고 동시에 더 많은 스타트업과 협업할 수 있다. 이 모델은 통제력은 없지만 확장성이 좋다.

7장

스마트 시티와 스마트 빌리지에서의 오픈 이노베이션의 결과

《◇》

7장

스마트 시티와 스마트 빌리지에서의 오픈 이노베이션의 결과

우리는 이 책을 통해 오픈 이노베이션에서 실제적 성과를 얻기 위한 창출, 보급, 흡수의 역할을 살펴봤다. 7장에서는 이러한 문제를 공공부문의 맥락에서 고찰해본다. 특히 공공부문에서 오픈 이노베이션을 도입해 어떻게 유익한 결과를 가져왔고 또 가져오지 않았는지 알아본다.

스마트 시티에서의 오픈 이노베이션 가능성

2009년 오바마 행정부의 첫 번째 활동 중 하나는 연방정부의 여러 기관이 관리하는 공공 데이터에 대한 접근을 확대하는 행정명령에 서명하는 것이었다. 아이디어를 모으는 대회를 열고,

시민의 기여를 구했다. 솔루션을 가진 시민과 그들을 필요로 하는 기관을 연결해주는 중개인을 고용했다. 시민 기여자를 모집하기 위한 해커톤도 조직되었다. www.data.gov 웹사이트를 만들고 코드 포 아메리카(Code for America)를 출범했다. 연방정부는 이런 프로그램을 오픈 이노베이션이라고 이름 붙였다. 이러한 대다수 정부 활동은 스마트 시티(Smart Cities)라는 개념에 초점이 맞춰져 있었다.

스마트 시티는 강력한 개념적 토대에 기초하고 있다. 리처드 플로리다(Richard Florida) 등 학자들은 혁신에서 도시의 중요성이 증가하고 있음을 밝혀왔다.[1] 임계 인구, 도시 내 거주민의 다양성, 도시의 연결 밀도(density of connections)는 혁신을 위한 비옥한 토양을 만든다. 초기 오바마 행정부의 활동은 이런 이해를 확장하고 시민들을 위해 더 접근하기 쉽고, 개방적이며, 잘 이해할 수 있는 정부를 만들려는 의도를 가지고 있었다.

이 시기 연방정부가 가졌던 열정은 유럽과 북미 여러 주요 도시를 휩쓸던 흥분과도 맞아떨어졌다. 스마트 시티 운동은 비옥한 혁신의 토양에 사는 사람들을 모아서 시민들에게 더 유용하고, 개방적이고, 투명한 지역 서비스와 지역 내 의사결정을 만들고자 했다. 암스테르담, 바르셀로나, 코펜하겐 등의 도시와 미국의 뉴욕, 보스턴, 샌프란시스코가 스마트 시티 운동의 선두주자였다.

스마트 시티에는 또 다른 추동력이 있었다. 첨단 정보기술 기업은

1. Richard Florida, Cities and the Creative Class (New York: Routledge, 2005).

스마트 시티가 기업의 제품과 서비스에 대한 공공 지출을 늘릴 수 있는 좋은 방법이라고 생각했다. 스마트 시티의 수많은 '스마트'가 더 좋은 IT 장비, 더 좋은 네트워킹, 더 좋은 애플리케이션, 더 좋은 데이터 관리에서 비롯될 것이었다. 시스코, IBM, 마이크로소프트, 오라클, SAP 등 다양한 기업이 공공부문 IT 예산 관리자에게 스마트 시티라는 이름으로 자사 상품을 강력히 설득했다. 도시 인프라를 업그레이드 하는 일은 스마트 시티가 가져올 혜택을 실현하고 첨단 정보기술 기업의 매출을 신장시킬 것이었다.

보스턴에서 개발된 앱은 시민들이 보다 스마트한 인프라로 어떻게 혁신의 혜택을 누릴 수 있는지를 보여준다. 이 앱은 보스톤의 교통흐름을 추적해 시민들에게 교통체증이 발생한 곳과 교통이 원활한 곳에 대한 정보를 제공했다. 흥미롭게도 이 앱은 알려진 공사나 다른 물리적 장애물이 없는데도 일정한 장소에서 교통흐름이 둔화되는 것을 감지할 때마다 도시 도로 관리 공무원에게 경보를 울렸다. 그곳에는 움푹 패인 곳이 있을 확률이 높았으며, 이것이 교통 체증을 유발했다. 앱은 도로 보수팀에 경고를 보내 패인 곳이 더 커지기 전에 고치도록 했다. 빠르고 효율적이며 효과적인 정부가 된 것이다.

스마트 파킹, 스마트 라이팅(smart lighting)도 더욱 똑똑한 인프라를 구축하는 애플리케이션이다. 스마트 파킹은 운전자에게 이용 가능한 주차공간을 안내함으로써 도시의 수익을 높이는 한편 주차공간을 찾기 위해 시내를 돌아다니는 시간을 감소시킨다. 스마트 라이팅은 센서를 사용해 가로등 주변에 사람이 있는지 감지하고 사람이 있으면 조명을 켜서 안전을 높이고 범죄를 줄인다. 그러나 주변에 사람이 없으면 빛을 낮춰 도시의 전력과 돈을 아낄 수 있다. 또 다시 빠르고 효율적이고 효과적인 정부가 되는 것이다.

스마트 시티의 미미한 성과

하지만 초기의 이런 노력에도 불구하고 이후 스마트 시티는 약속했던 결과를 제대로 내지 못했다고 말할 수 있다. 유럽과 북미 8개 주요 도시의 스마트 시티 활동을 검토하는 일련의 보고서에서 에사데 경영대학원(Esade Business School)의 에스티브 알미랄(Esteve Almirall)과 조나단 웨어햄(Jonathan Wareham), 그 외 저자들은 스마트 시티 활동이 초기에는 긍정적인 흐름을 기록했지만 이후에는 실망스러운 결과가 이어졌다고 보고했다.[2] 여러 가지 실험들이 좋은 의도를 가지고 시행되었지만 전체적인 결과는 긍정적으로 평가해도 '보통' 정도였다. 스마트 파킹(다행히 추가 수익을 내서 비용만큼 돈이 절약됨)이 늘어나고, 스마트 라이팅(안타깝게도 추가 수익은 거의 없음)도 늘어났지만 이들 8개 도시가 스마트 시티에 열중하고 투자한 결과로 눈에 띄게 나아진 점은

2. Melissa Lee, Esteve Almirall와 Jonathan Wareham, 'Open data and civic apps: first-generation failures, second-generation improvements', Communications of the ACM, 59.1, January 2016. An earlier, more hopeful assessment can be found in T. Bakici, E. Almirall, and J. Wareham, 'A Smart City Initiative: The Case of Barcelona', Journal of the Knowledge Economy, 4.2 (June 2013), pp. 135-48.

없었다. 심지어 바르셀로나에서는 스마트 시티 활동이 중단되었고 시민에게 사회적, 경제적 포용을 제공하는 프로그램으로 대체되어 더 이상 기술에도 투자하지 않게 되었다.

알미랄과 웨어햄, 그 외 공동 저자들은 실망스러운 결과에 대해 수많은 이유를 제시한다. 그러나 우리는 이 책에서 스마트 시티의 결과를 창출, 보급, 흡수라는 렌즈를 통해 살펴볼 수 있다. 스마트 시티는 여러 가지 기술적 가능성을 창출했지만(창출), 해당 도시의 소수 개발자와 열혈 지지자를 넘어 넓게 확산되지 않았고, 해당 도시를 넘어 멀리 확장되지 못했다(보급). 스마트 시티 프로그램이 시행된 도시 안에서도 대다수 시민들은 프로그램의 존재를 전혀 몰랐다. 결국 개발자는 기꺼이 앱을 다운로드하고 적극적으로 활용할 수 있는 사용자를 거의 발견하지 못했다(흡수).

이 글을 쓰는 현재에도 시민들이 스마트 시티 애플리케이션에 접속해서 다운로드하도록 하는 '킬러 앱(killer apps)'은 거의 없다. 실제로 이 앱들을 앱스토어나 구글 플레이에서 찾기는 쉽지 않다. 게다가 한 도시에서 인기 있는 앱이 다른 도시에서는 별로 사용되지 않아 지역시장을 넘어 확장할 수 있는 능력이 크게 제한적이다. 그 결과 여러 도시로 결과가 확대되지 않고 매우 제한적으로 확산됐을 뿐이었다. 스마트 파킹을 제외하고 이 도시들에 흡수된 혁신은 아주 적었다.

이제는 더욱 유망한 2세대 스마트 시티가 등장하고 있다. 그 일환으로 지방정부는 개발자가 각 도시의 활동 및 프로세스의 상황에 대해 더 많은 정보를 이용할 수 있도록 조치를 취하고 있고, 개발자는 더 자세한 상황을 반영한 앱을 만들 수 있게 되었다. 보급에 대한 새로운 접근방식은 개발자가 더 효과적이고 유용한 반응을 만드는데 도움이 될 것이다. 다만 한 가지 아직 해결하지 못한 과제는 도시의 데이터를 널리 공유하기 위한 공통의 데이터 포맷을 만드는 것이다. 가령 한 도시에서 한 가지 목적으로 만든 앱을 다른 도시에서도 관련 데이터에 쉽게 접근할 수 있도록 하여 잘 실행될 수 있어야 하는 것이다. 일부 사려 깊은 도시 IT 리더가 데이터 접근을 용이하게 하는 조성자 역할로 발전하고 있어 흡수 과정을 향상시킨다.

요컨대 이 책 전체에 걸쳐 살펴본 패턴을 스마트 시티에서도 확인할 수 있다. 새로운 기술적 가능성을 창출하는 것만으로는 사업적 가치나 사회적 가치를 거의 만들어내지 않는다. 그 가치가 실현되려면 새로운 기술적 가능성이 사회 전체에 널리 보급되고 수많은 사람들의 비즈니스 모델과 활동에 흡수되어야 한다.

우리는 이제 이런 기술적 가능성 중 일부를 더욱 도전적인 경제환경에 적용하는 새로운 프로그램으로 눈을 돌리고 있다. 여기에서도 지속적으로 사회적 편익을 얻으려면 창출, 보급, 흡수의 과정이 필요하다.

스마트 빌리지,
마을 수준으로 축소된 오픈 이노베이션

스마트 시티 계획이 서구 선진국에서 제2세대 개발 및 흡수 과정으로 전환되고 있을 때 환경이 매우 다른 농촌 마을에서 오픈 이노베이션 개념을 이용해 성과를 얻고자 하는 새로운 사업이 있다. 유럽과 북미의 주요 도시와는 달리 농촌 지역은 스마트 시티가 제공하는 것에서 이익을 얻기에는 인구 밀도도 낮고 부유하지도 않으며 인프라도 부족하다. 현재 세계 인구의 절반 이상이 도시에 살고 있지만 나머지는 여전히 농촌에 살고 있다. 이곳에서 오픈 이노베이션은 무엇을 할 수 있을까?

전통적인 농촌 개발 방식은 지역의 소득과 부가 부족하다는 점에 초점을 맞추고, 정부 지원 및 박애주의적인 원조를 투입해 생활을 개선하려는 것이었다. 기술을 쌓고, 지역경제를 개선하고, 소득 증대의 선순환을 만들어 생활수준을 높이고, 교육수준과 기술을 향상해 또 다른 개선의 순환을 시작하자는 의도였다.

그러나 최근 농촌 개발에 대한 지원 중심 방식을 비판하는 이들은 이러한 방식이 의도했던 결과를 내지 못하고 있다고 주장한다. <죽은 원조(Dead Aid: Why Aid is Not Working and How There is a Better Way for Africa)>의 저자이자 경제학자인 담비사 모요(Dambisa Moyo)는 전통적인 지원 프로그램이 종종 의도하지 않은 결과와 부정적인 성과, 경제 성장 감소로 이어졌다고 말한다. 그는 “원조는 지속가능한 경제

성장을 이루고 빈곤을 감소시키겠다는 약속을 지키지 못했고 … 기대에 부응하지 못했다. 원조가 빈곤의 순환을 영속시키고 지속가능한 경제 성장을 저해한다는 것을 보여주는 매우 설득력 있는 이유가 있음에도 원조는 여전히 개발의제의 핵심에 남아 있다."[3]고 말했다.

원조를 통한 전통적인 농촌 개발 방식의 가장 큰 문제점 중 하나는 의존성을 주입한다는 것이다. 모요는 구체적인 목표를 해결하는 유한하고 제한된 원조 프로그램은 중요한 문제를 해결하는데 도움이 되지만, 저소득 국가에는 지나친 원조가 구석구석 스며있으며 본질적으로 계속되고 있다고 썼다. "아프리카 정부는 원조가 중단될지도 모른다는 내재된 우려나 어느 날 모든 것이 끝날 수 있다는 의식 없이 원조를 영구적이고, 신뢰할 수 있으며, 변함없는 수입원으로 보고 있다. 그리고 그 흐름이 미래에 계속되지 않을 것이라고 믿을 이유도 없다. 편안히 앉아서 수표를 받기만 하면 되는데 장기적인 경제 계획을 세울 인센티브도 없고, 개발자금을 조달할 대안을 모색할 이유도 없는 것이다."[4]

원조는 성공한 지역 비즈니스에 오히려 해를 끼칠 수도 있고 역설이지만 그 필요성을 더 높일 수도 있다. 모요는 10명의 직원과 직원의 가족들까지 총 150명을 먹여 살리는 아프리카의

3. 담비사 모요의 날카로운 비평을 참고해라. <죽은 원조(Dead Aid: Why Aid is Not Working and How There is a Better Way for Africa)> (New York: Farrar, Strauss and Giroux,2009), p. 28. 모요는 아프리카 원조에 대해 이야기하고 있지만, 그녀의 비평은 인도 등 다른 저개발국의 농촌마을에도 마찬가지로 해당된다.

4. Ibid, p. 28.5. Ibid, p. 44. 모요는 아프리카에서 일하는 가족구성원 한 명이 무려 15명의 친척을 부양하는 사례는 드문 일이 아니라고 쓰고 있다.

모기장 제조업자의 이야기를 사례로 든다.[5] 선의로 시작된 원조 프로그램으로 무상 모기장이 유입되어 그 지역의 몇몇 사람들에게 도움을 주었다. 결국 모기장 제조업자는 사업을 접게 되어 모기장 사업에 딸려 있던 150명도 갑자기 원조에 의존하게 되었다는 이야기이다.

게다가 원조는 기부자와 정책 입안자들이 그 나라에 필요하다고 생각하는 것을 제공한다. 모요는 "따라서 원조에 의존하는 것은 아프리카인들이 그들에게 가장 좋은 경제, 정치 정책을 결정할 수 있는 능력을 더욱 약화시킬 뿐이다."라고 말한다.[6] 하지만 모요에 따르면 "지난 50년간 부유한 나라에서 가난한 나라로 2조 달러 이상의 해외 원조가 이루어졌다."[7]고 강조했다. 한 가지 이유는 원조 프로그램의 평가는 주로 단기적으로 이루어지며 원조 대상 지역의 장기적 문제 해결에 미치는 영향과는 대체로 무관하기 때문이다. 원조의 효과는 장기적으로 지속 가능한 성장에 기여했는지, 많은 이를 지속가능한 방법으로 빈곤에서 벗어나게 했는지를 기준으로 평가해야 한다. 이 렌즈를 통해 봤을 때 현재의 원조는 질적인 면에서 부족하다.[8]

그렇다면 지방의 경제적 가능성을 촉발시킬 수 있는 더 좋은 방법이 있을까?

5. 6. Ibid, p. 67.
7. Ibid, p. 28.
8. Ibid, pp. 44-5.

스마트 빌리지 실험

스마트 빌리지 이니셔티브(Smart Villages initiative)[9]는 인도 안드라프라데시 주, 모리 마을에 스마트 빌리지를 개발하기 위해 시작되었다. 찬드라바부 나이두 (N. Chandrababu Naidu) 안드라프라데시 주정부 수상은 최근 총 6,000만 명 중 3,500만 명이 농촌 지역에 살고 있는 안드라프라데시 주의 지방 마을을 모두 돌아보았다. 나이두 주정부 수상은 유권자의 여러 가지 충족되지 않은 요구를 해결할 수 있는 새로운 정책 메커니즘을 만들고자 했다. 그는 UC버클리 하스 경영대학원 교수 등 외부 전문가와 협의해 스마트 빌리지(Smart Village)라는 실험을 시작했다. 솔로몬 다윈(Solomon Darwin) 교수에 따르면 "스마트 빌리지는 디지털 기술과 오픈 이노베이션 플랫폼으로 글로벌 시장에 접근할 수 있는 커뮤니티다."라고 말했다. 앞으로 보겠지만 스마트 빌리지 이니셔티브는 주로 민간단체에서 자금을 조달받았다. 주정부는 리더십을 보태고 지지적인 역할을 하였으나 자금 지원은 미미한 수준이었다. 이런 접근방식은 인도 농촌 사람들의 필요를 충족시키기 위한 이니셔티브의 확장성과 경제적 지속가능성을 증대할 것으로 보인다.

이니셔티브는 2016년 여름, 모리에서 시작됐다. 인도의 농촌 마을 사람들에게는 충족되지 않은 니즈가 많은데, 이 프로젝트는

9. 이 장은 솔로몬 다윈과 헨리 체스브로의 광범위한 사례 연구와 교수노트에서 나온 것이다. "Prototyping a Scalable Smart Village to Simultaneously Create Sustainable Development and Enterprise Growth Opportunities", HBS case B5886-PDF-ENG, 2017를 참고하라.

긍정적인 선순환을 만들어 기술, 소득을 끌어올리고 개방된 시장을 창출하여 힘을 가진 주민들이 지역에 만연한 농촌 빈곤의 덫에서 벗어날 수 있게 하는 것이 목표다.

주민들의 니즈

모리 마을 주민 8천 명은 5km²에 퍼져 살고 있다. 그 중 다수가 쌀, 코코넛, 섬유 산업에 종사하고 나머지 주민들은 캐슈를 가공하거나 새우나 망고를 기른다. 마을에서의 삶은 의료서비스, 위생, 깨끗한 물과 같은 기본자원조차 쉽게 구할 수 없는 등 주민들에게 끊임없는 어려움을 안겨준다. 예를 들어 마을에 화장실이 총 800개 밖에 없어 노상 배변이 빈번히 이루어지고 여기에서 모기가 활발히 번식한다. 모기들은 말라리아와 뎅기열을 퍼뜨리는데 열대지방과 아열대지방에서 질병과 사망의 주요 원인이며 아직 감염을 예방할 백신이 없다.[10]

마을의 의료접근성은 제한적이고 많은 주민이 감당하지 못할 정도로 비용이 높다. 한 모리 주민은 이렇게 상황을 설명했다.

"의료서비스는 비싸요. 우리는 많이 배우지 못했기 때문에 마을 의사가 하는 말에 의문을 제기하지 못하죠. 저희 같은 몇몇 마을

10. 출처: US CDC: https://www.cdc.gov/dengue/

사람들은 병을 치료하려고 종교인(영적 치료사)을 찾아갑니다. 부적절한 진단과 잘못된 치료를 받고, 의료시설이 부족해서 건강이 나빠진 사람들 이야기를 들었어요."

모리에 작은 진료소가 있기는 하지만 가장 가까운 병원은 마을에서 25km나 떨어져 있다. 시골 지역에서 의료서비스 접근성이 떨어지는 것은 모리 마을만의 문제는 아니다. 사실 인도에서 의료서비스 제공자의 80%는 도시 중심지나 그 주변에 있다.[11]

괜찮은 경제적 기회가 부족한 것도 문제다. 예를 들어 한 주민은 직업에 대해 이렇게 말했다.

"저는 섬유 공장의 열악한 환경에서 일당을 받는 노동자로 일했습니다. 풀타임으로 일하고 하루에 30루피(대략 500원)를 벌었죠."

게다가 기계화와 자동화가 직조, 도예, 수공예, 금세공 분야의 일자리를 다수 파괴했다. 농부들은 관개용수 사용을 예측할 수 없었기 때문에 만족스러운 수확량을 계획하고 생산하기 어려웠다. 모리에는 수로로 물을 방류하는 수문 체계가 있었지만 농민들은 필요할 때 물을 방류하지 않아 물을 전혀 사용할 수 없는 때가 있다고 이야기했다. 게다가 마을에는 냉장 보관 시설이 없어 농부들이 생산하는 식량은 결국 많은 양이 버려졌다. 농부들은 농작물의 시장가격에 대한 현재 정보에도 접근하기가 어려웠다. 따라서 농작물을 가능한 가격보다도 낮은 가격에 파는 경우가

11. 출처: 'Reverse Innovation': GE Makes India a Lab for Global Markets, Knowledge@Wharton, http://knowledge.wharton.upenn.edu/article/reverse-innovationge-makes-india-a-lab-for-global-markets/

많았다. 농부의 80%가 땅을 소유하지 못하고 빌려서 경작했기 때문에 이윤이 적다는 것은 씨앗이나 비료 등에 돈을 쓰고 나면 이익을 남기기 힘들다는 뜻이었다.

이윤이 더 높은 작물을 재배하고 싶어 하는 농부들도 있다. 모리의 환경은 렌틸콩, 땅콩, 참깨, 아보카도를 재배하는 데 매우 적합하다. 하지만 이런 작물의 재배법에 대한 지식은 제한적이며, 지식 기반을 늘리기 위한 교육과 정보에 대한 접근성도 마찬가지로 제한적이다. 게다가 이런 농작물을 수확하는 일은 노동집약적인데 이민으로 인해 충분한 노동자를 찾기도 어렵다. 정부 프로그램은 오히려 노동력 부족을 악화시키고 있다. 예를 들어 모리의 일자리 프로그램은 주민을 고용해 수로를 파고 보수작업을 한다. 이 프로그램이 마을에 경제적 가치를 제공하기는 하지만 지속가능하며 수요에 기반한 고용 성장을 가져오지는 않는다. 게다가 이 프로그램 때문에 주민들은 신체적으로 더 힘들지만 임금은 더 낮은 농사일을 하러 가지 않게 된다.

어떤 농부들은 마을의 인공 연못에서 이윤이 높은 새우를 수확한다. 그런데 새우를 기르기 위해 인공 연못에 소금을 넣으면 토양의 염도가 높아진다. 토양에 염분이 과해지면 농작물이 물을 빨아들이지 못해 제대로 성장하지 못한다.[12] 게다가 새우를 잘 기르려면 연못이 깊어야 한다. 문제는 새우 연못을 깊게 파면

12. 출처: Soil Quality Information Sheet, Soil Quality Resource Concerns: Salinization, United States Department of Agriculture Natural Resources Conservation Service, http://www.nrcs.usda.gov/Internet/FSE_DOCUMENTS/nrcs142p2_053151.pdf

바닷물이 대수층까지 스며들어 토양의 염도가 더욱 높아지고 쌀과 같은 다른 농작물의 수확량이 감소하게 되는 것이다. 토양 염분화의 피해를 막기 위해 논 근처에서 새우를 양식하지 못하게 되어 있다. 하지만 마을 주민들의 조사에 따르면 여전히 논 근처에서 새우를 기르는 사람들이 있다.

이런 마을 환경 때문에 많은 주민이 더 나은 삶을 찾아 인도의 대도시나 중동으로 떠난다. 다시 모리와 같은 마을의 사정으로 돌아가 보면, 주민들의 이주는 단순히 노동력의 부족을 초래할 뿐만 아니라 교육받은 숙련 노동자까지 부족하게 만든다. 고향에서 기회가 부족하기 때문에 마을 생활을 개선할 수 있는 잠재력을 가진 사람들이 많이 떠나고 있는 것이다. 이러한 추세는 지역의 교사와 의사를 부족하게 만드는 등 많은 문제들을 악화시킨다. 한 의사는 이렇게 말했다.

"의사가 시급히 필요하지만 여기서 일하려는 의사가 거의 없습니다. 저 역시 가족들은 여전히 도시에 살고 있어요. 기초적인 교육과 의료서비스, 위생시설이 부족하기 때문에 여기에 정착할 수가 없죠. 또 도시 병원에서 일하거나 개원의로 일했을 때 벌 수 있는 수입에 비해 이곳에서 버는 수입은 아주 작습니다."

과거의 농촌 개발 사업

모리와 인도의 다른 마을들은 앞서 설명한 일자리 프로그램을 통해 정부 지원을 받아왔다. 출석을 장려하기 위해 학교에서 모든 아이들에게 무상 급식을 제공하는 원조 프로그램도 있다. 이런 프로그램은 단기적으로는 마을 사람들에게 도움이 되지만 지속가능한 경제 발전의 토대를 마련하지는 않는다. 예를 들어 일자리 프로그램은 주민들의 지식이나 기술을 향상시키지는 않는다. 무상 급식은 굶주린 아이들에게 영양을 공급해주지만 이렇게 광범위한 프로그램은 정부의 자금 지원이 없으면 지속가능하지 않다. 부모가 직접 자녀를 부양할 수 있도록 경제적 기회를 만들어주는 것이 마을과 정부 모두에 도움이 될 것이며, 마을 사람들의 삶을 향상하는 동시에 원조에 대한 지출을 줄일 수 있을 것이다.

많은 기업이 오랫동안 개발도상국에 기부해왔지만 자선적 기부는 석유 회사가 건강과 안녕을 향상하기 위해 기부하는 경우처럼 기업의 계획이나 핵심 역량과 아무 연관 없이 이루어지는 경우가 많았다. 그 결과 기부의 효과는 지속가능하지 않았고 기업은 노력을 확대할 동기가 없었다. 많은 경우에 정부와 기업은 지원 프로그램을 설계할 때 마을 주민들을 참여시키지 않았고, 그 결과 프로그램이 마을 주민의 실제적인 니즈를 해결하지 못하는 때가 많았다(표 7.1).

스마트 빌리지 프로젝트

스마트 빌리지라는 용어의 정의는 앞서 언급한 솔로몬 다윈 교수의 정의를 따른다. 다윈 교수는 구체적으로 스마트 빌리지가 6가지 기준을 충족한다고 말한다.

- **생태계 :** 마을은 자체 자원은 물론 주변 마을, 먼 마을, 기타 단체의 자원을 활용하여 수익을 창출하고 비용과 위험을 낮춘다.
- **경제 개발 플랫폼 :** 마을은 기업과 마을 주민 모두가 이익을 얻을 수 있도록 외부 기업이 마을의 자원을 이용할 수 있게 한다.
- **브랜드 :** 마을만의 정체성을 만들어 독특한 가치로 알려진다.
- **공동체** : 마을은 아이디어, 정보, 자원을 공유하며 협력하는 사람들이 모인 자체 네트워크로 강력한 생태계를 구축한다. 프로젝트가 실패해도 공동체는 남아서 스스로 재건한다.
- **비즈니스 모델** : 마을은 린(lean)하고 비용 효율적인 최신 기술을 활용해 마을 안팎의 사람들을 위한 가치를 창출한다. 마을은 스스로 창출하는 가치의 일부를 획득한다.
- **지속가능한 단위** : 마을은 사람, 이익, 지구에 초점을 맞춘 트리플 바텀 라인(triple-bottom-line) 접근방식을 활용해 운영한다.

개발 주도 원조	스마트 빌리지
상당한 원조기간 동안 지역경제는 종종 인플레이션을 겪으며 이미 가난한 주민들이 여러 가지 기본적인 상품들을 살 수 없게 된다.	마을에 지원인력을 최소한으로 투입하고 현지 가격에 미치는 영향을 최소화한다.
마을 주민들은 생산성을 높일 기술을 거의 습득하지 못한다.	기술 개발과 훈련에 집중한다.
주민들은 넓은 시장에서 여전히 유리되어 생산가치의 많은 부분을 중간상인들에게 가로채인다.	디지털 기술 플랫폼이 현지, 지역, 국가, 심지어는 세계시장과 직접 연결될 수 있게 한다.
부패가 만연해 지역주민들에게 실제로 전달되는 자금이 줄어들고, 지원이 끝난 후에도 조성된 정치적 장벽이 오래도록 계속된다.	디지털 기술 플랫폼은 투명성을 높이고 부패의 기회를 줄인다.
어떤 성공도 해당 농촌 지역을 넘어서 확장할 방법이 없다.	재능과 자원을 기부하는 기업은 시장 확대를 모색하고 있다. 일단 마을 사람들이 원하는 것을 파악하고 그것에 기꺼이 비용을 지불하기로 결정하면 확장을 시작할 것이다.
일단 지원이 종료되면 경제적 이익은 거의 남지 않는다.	마을과 기업을 위한 비즈니스 모델이 지속 가능하기 때문에 마을에서 시장 자본주의적 인센티브가 계속 유효할 것이다.

표 7.1 - 개발 주도 원조와 스마트 빌리지의 비교

다윈 교수의 정의는 스마트 빌리지 프로젝트를 설계하는 기초가 된다. 나이두 주정부 수상은 프로젝트를 강력히 지원하지만 자금적인 부분에 기여하는 바는 적다. 지원 혜택을 받는 사람들은 마을 주민들이며, 디지털 기술이 서비스의 전달 수단이다. 주목할 점은 스마트 빌리지 프로젝트는 스마트 시티와는 달리 마을 내 디지털 연결 이상의 인프라에 대한 공공 투자는 거의 없다는 것이다.[13]

13. 모리 마을 의회의 총 예산은 연간 약 8천 달러로, IT인프라에 투자를 지원하기에는 턱없이 부족하다.

오픈 이노베이션의 역할

오픈 이노베이션은 2장에서 본 것처럼 외부에서 유입된 지식의 흐름을 활용하고 미사용 된 지식은 다른 사람이 사용할 수 있도록 외부로 유출한다는 개념에 기초한다. 모리 마을과 같은 농촌 환경에서 프로젝트 참가기업들은 '피라미드의 밑바닥'[14]을 위한 새로운 제품과 서비스의 혁신을 도모하고 가장 하단에 있는 사람들에게 서비스를 제공하기 위한 효과적인 비즈니스 모델을 찾기 위해 노력한다. 모리 마을은 이런 기업이 연구에 활용할 수 있는 전형적인 시험대이다. 주민들의 니즈는 많지만 가진 자원은 적다. 그래서 기업은 주민들이 어떤 제품과 서비스를 구매할 수 있고, 구매할 의지가 있는지 알기가 어렵다.

하지만 기업들이 농촌 주민의 니즈를 파악할 수 있다면, 많은 다른 마을들(안드라프라데시에 4만 개, 인도 전체에 65만 개 이상, 개발도상국 전체에 백만 개 이상) 역시 비슷한 니즈를 가지고 있을 것이며 마찬가지로 구매도 할 수 있을 것이다. 이 실험의 가설은 모리 마을에 사는 주민들의 니즈가 안드라프라데시 주의 다른 농촌 주민들의 니즈와 비슷할 가능성이 높다는 것이다. 기업이 주민들의 니즈를 충족하면서 동시에 이익을 내는 방법을 알아낸다면 정부 지원 없이도 민간 시장을 통해 다른 마을로 솔루션을 확장할 시장 인센티브를 갖게 될 것이다.

14. C. K. Prahalad's helpful analysis, The Fortune at the Bottom of the Pyramid:Eradicating Poverty through Profits (Wharton Publishing), 2006.

스마트 빌리지 프로젝트는 시범 단계에서 40여 개 이상의 기업과 단체를 모리 마을로 유치하는데 성공했다. 그러나 이 기업들은 자선 활동을 하지 않는다. 기업은 자사 상품과 서비스에 대한 농촌 주민들의 니즈를 파악하기 위해 소규모로 사업 개발을 위한 투자를 진행하고 있다. 중요한 점은 이러한 투자로 마을 사람들이 직접 비용을 지불할 만큼 가치 있게 여기는 것이 무엇인지를 밝혀낼 것이란 사실이다. 이것은 5장에서 나왔던 비즈니스 모델 혁신에 대한 린 스타트업 접근방식에서 우리가 확인했던 일종의 비즈니스 모델 발견과 같다.[15]

프로그램 참여 기업들은 주민들로부터 선불로 돈을 거의 받지 않고 자원을 제공한다. 그러나 스마트 빌리지 이니셔티브의 결과로 농촌 주민들에게 판매를 확대할 기회를 엿본다. 스마트 빌리지 이니셔티브는 가난한 사람을 위한 기업의 자선 기부 활동이 아니다. 기업에도 나이두 주정부 수상의 관점에서도 오픈 이노베이션을 적용한 하나의 표본이다. 과거 접근법은 정부 주도로 민간 부문의 투입과 지원이 적었다. 게다가 민간 부문의 참여라고 해도 사업 중심이라기보다는 주로 자선을 베푸는 것이었다. 오픈 이노베이션 접근법은 더욱 확장가능하고 지속가능하다.

스마트 빌리지 프로젝트에서는 추가적인 생태계 효과도 나타난다. 40개 기업 중 약 절반은 인도에 본사를 둔 기업이고 나머지 절반은

15. 이러한 접근방식을 기술 스타트업의 맥락에서 이해하고, 이 책의 5장에서 나온 논의를 더 자세히 살펴보려면 에릭 리스의 <린 스타트업(The Lean Startup)>, 2011을 참조하라.

다국적 기업이다. 한 기업이 어느 마을에 들어가 있다면 이후 기업들은 그 마을에 직원을 파견하는 것을 더 매력적으로 느낀다. 그 결과 지역주민이 이용할 수 있는 제품과 서비스가 활기찬 생태계를 형성한다. 단일 기업이나 단체가 이 모든 이질적인 자원들을 갖출 수는 없다. 이런 오픈 이노베이션 생태계를 만들려면 주민들의 니즈와 지불 의사를 이해하려는 조직들의 생태계가 필요하다. 따라서 모리 마을에서의 경험은 실험에서 창출 단계 중 한 부분인 개념검증(Proof of Concept)인 셈이다.

스마트 빌리지의 보급

스마트 빌리지 프로젝트에는 안드라프라데시 주의 다른 마을이나 인도의 다른 주로 프로그램을 확산하기 위한 자금은 지원되지 않았다. 다만 그럼에도 불구하고 보급에 대한 중요한 아이디어는 있었다. 보급은 다음의 세 가지 주된 방법으로 이루어졌다.

1) 프로그램 참여 기업 스스로가 다른 마을로 프로그램을 확장할 의지와 능력이 있는 경우가 많았다.
2) 나이두 주정부 수상 휘하에서 일하는 지방정부 공무원들은 특히 다른 마을에 대해서도 책임이 있는 경우 다른 마을로 프로젝트를 보급하고 싶어 했다.

3) 지역의 비정부기구(NGO)가 다른 지역사회와 대학에 스마트 빌리지 프로젝트를 홍보했으며 더 많은 정보를 원하는 사람들을 위한 지원센터 역할을 했다.[16]

마을별로 자원봉사자를 모집하여 각자 마을에서 스마트 빌리지 팀을 위한 안내인 역할을 맡기는 것도 프로젝트를 설계할 때 계획되어 있었다. 자원봉사자는 프로젝트 직원으로부터 교육을 받고 마을을 담당하는 지방정부 공무원과 연락을 취한다. 이런 식으로 스마트 빌리지는 아프리카 개발 원조에 대해 담비사 모요가 비판했던 경제 왜곡을 일으키지 않고도 각 마을에 들어가게 되었다.

이 글을 쓰는 현재, 스마트 빌리지 프로젝트는 안드라프라데시 주 400개 이상 마을에서 활발히 운영되고 있다. 이는 안드라프라데시 주 전체 마을의 약 1%로 보급 단계는 이제 막 시작되었을 뿐이다. 인도의 다른 3개 주에도 스마트 빌리지 프로젝트에 관심을 가진 사람들이 있었다. 그래서 안드라프라데시 밖으로도 프로젝트의 확장이 이루어지기 시작했다.

다만 이 이상의 보급은 마을 사람들의 삶을 개선하는 프로젝트의 성공에 달려 있다. 마을 사람들은 프로젝트의 결과를 흡수할 수 있을까?

16. 스마트 빌리지를 인도와 다른 농촌 지역에 보급하기 위해 애쓰는 지역 NGO의 예는 http://smartvillagemovement.org/ 을 참고해라.

농촌 지역의 스마트 빌리지 흡수

지금까지 스마트 빌리지 프로젝트의 결과는 다양했지만 전반적으로 상당히 고무적이었다.

한 가지 중요한 사건은 구글이 모리 마을에 구글 프리 스페이스 옵틱스(Google Free Space Optics)를 설치하기로 결정한 것이었다. 모든 주민이 저렴하고 부담 가능한 가격으로 인터넷에 접속하게 되었다. 현지 인턴과 구글 직원이 주민들에게 인터넷 사용 방법을 교육해서 주민들은 사용법도 완전히 익힐 수 있었다. 인터넷은 주민들에게 새로운 오락원이 되었을 뿐 아니라 풍부한 정보통신 서비스를 제공했다. 주민들은 온라인으로 일자리를 신청하거나 서비스 요금을 납부하기도 하고 송금을 받을 수도 있게 되었다.

스마트 빌리지 프로젝트가 달성한 한 가지 소소하지만 상징적인 성취는 모리 마을의 지역 섬유 산업이 확장했다는 사실이다. 모리 마을에서 생산되는 사리는 좋은 품질과 독특한 디자인으로 유명했지만 과거 사리 시장은 매우 지역제한적이었기 때문에 대부분의 이익을 중간 상인이 가로채며 유통되었다. 그러다 인터넷에 접속할 수 있게 되면서 지역의 사리 제조업자들은 중간 상인들을 우회해 사리를 판매할 수 있게 되었다. 마을 내 사리 판매량은 10배가량 늘었고 사리 제조업자에게 돌아가는 수익은 기존보다 5배가량 증가했다. 이것은 사리 제조업자의 수입에 현저한 영향을 미쳤다. 이 사건은 섬유 제조업자들이 경제적으로 나아진

이야기를 다른 사람들에게 전하면서 마을 내 인터넷의 유용성을 검증하는 데 도움이 되었다. 모리 마을의 섬유 산업에서 일어난 초기의 성공은 마을이 실험을 받아들이는 데 결정적인 역할을 했다.

모리 마을의 또 다른 지역 산업인 캐슈 가공업에서도 성공 사례가 나타났다. 캐슈 가공업자들이 중간 상인을 건너뛰고 지역 캐슈 시장과 인도 국내시장의 정보를 더 빠르고 정확하게 얻게 되면서 생산량이 10배나 늘어났다. 이 일도 마을에서 인터넷 사용의 유효성을 입증했다. 더 많은 이야기가 주민들 사이에서 공유되었고 캐슈 가공업의 성공을 본 다른 농부들은 인터넷이 무엇을 가능하게 할 수 있는지 시험해보고 싶어졌다.

그러나 문제가 있었다. 시골 마을에서는 변화가 일어나기 어려운 데다가 만약 결과가 만족스럽지 않을 수도 있다. 그런데 '새로운 기술을 채택하는 위험을 누가 부담해야 하는가'라는 심각한 의문이 제기되었기 때문이다. 설사 아무 금전적 위험이 없더라도 생계가 위험에 빠진다면 새로운 기술을 맨 먼저 시도할 주민은 거의 없다. 전에 본적 없는 기술에 한 해의 수확을 걸고 거대한 믿음의 도약을 해야 하는 것이다. 실패는 그들에게 재정적으로 치명적이다. 주민들이 필요로 하지 않거나 사용법을 이해하지 못하는 제품 혹은 서비스를 소개하는 것은 전체 프로그램의 신뢰도를 약화시킨다.

인터넷으로 전자상거래 기업의 서비스에 가입하는 도전적인 경험도 등장했다. 인도 기업 스토어킹(StoreKing)은 농촌 상점 주인들에게 재고 보충 서비스를 제공했다. 상점 주인들이 스토어킹에서 온라인으로 주문해 가게를 떠나지 않고도 재고를 다시 채울 수 있게 했다. 이것은 시골 상인들에게 스마트 빌리지 프로젝트를 매우 매력적으로 만드는 '킬러 앱'이었다.

제공하는 온라인 서비스에 대한 긍정적인 반응이 이어지자 스토어킹은 더 많은 회원을 확보하기 위해 가입비를 면제하기로 결정했다. 신규 가입 상인은 가입비 면제 제도를 아주 좋아했지만, 이미 수수료를 낸 사람들은 환불을 요구했다. 스토어킹은 환불 요청을 거절하면서 대신 고객들에게 스토어킹 계정으로 크레딧을 주겠다고 제안했다. 하지만 고객들은 현지 마스터 프랜차이즈가 더 이상 스토어킹과 계약 관계가 아니며 크레딧을 제공할 책임은 마스터 프랜차이즈에 있다는 이야기를 들었다. 스토어킹은 환불 문제를 책임지거나 해결하기를 거부했고 주민들은 빈손으로 남겨졌다.

이 사건은 다른 효과를 가져왔다. 마을의 '외부인'이었으며, 주민들이 스토어킹 서비스에 가입하도록 도왔던 스마트 빌리지 인턴이 스토어킹의 실패에 대해 직접 책임을 지게 된 것이다. 인턴은 스마트킹과 아무 관련이 없었음에도 책임을 져야 했다. 주민들은 인턴과 스마트킹을 하나로 생각했다. 사실 그는 특정 지역에서 신체적 위험을 느낄 정도로 심각한 위협을 받았다.

또 다른 시범 프로그램에서는 농부들에게 논에서 쓰는 예초기를 영상으로 소개했다. 농부들은 중간 상인을 거치지 않고 직접 장비를 구입해 상당한 비용을 절약할 수 있었다. 그러나 장비가 너무 늦게 배송되어 주민들은 인내심을 잃었으며 배송된 장비의 특징(색상 등 사소한 세부 사항)마저도 홍보영상에서 본 것과 일치하지 않았다. 주민들은 속았고, 사기 당했다고 의심했다. 그들은 직접 경찰서에 가서 제조사를 사기로 고발하고 싶어 했다.

스토어킹과 예초기 판매 사례에서 보는 것처럼 스마트 빌리지 프로그램에 참여하는 40개 기업 중에는 프랜차이즈 방식으로 기회를 잡으려는 기업도 있었다. 기업은 현지 마을 주민(또는 근처에 사는 사람)을 현지 프랜차이즈 가맹점으로 지정했다. 가맹점이 일을 잘 수행하면 흡수도 잘 이루어졌다. 하지만 업체와 가맹점이 이견을 보이거나 업체가 소급조정을 허용하지 않고 마을 주민에 대한 방침을 바꾸는 상황에서는 마찰이 생겼다.

유통채널 문제도 흡수 과정에 부정적인 영향을 미친다. 인터넷을 활용한 직접 마케팅은 중간 상인을 없애는 실질적인 효과가 있었다. 그러나 중간 상인은 지역사회 및 지방정부 공무원과 끈끈히 유착한 경우가 많았다. 중간 상인들은 금방이라도 공급망에서 빠질 위기에 처하자 자신들을 '보호'하지 않을 공무원들에 대한 정치적 기여를 중단할 정도로 적대감을 갖게 되었다.

일부 지방정부 공무원에게도 다소 필연적인 문제가 있었다. 안드라프라데시 주 공무원 중 많은 이가 스마트 빌리지 프로젝트의 든든한 실질적인 지지자였지만, 이들 외의 다른 공무원들은 지역 사업가가 일자리와 호의를 얻도록 돕는 자신들의 전통적인 역할이 인터넷 때문에 약화되었다고 불평했다. 이들은 스마트 빌리지를 활용해 자기에게 돌아오는 이익이 없으면 프로젝트의 발전을 지연시키고 방해할 방법을 많이 가지고 있었다. 이런 문제들이 스마트 빌리지 프로젝트로 생겨나는 새로운 가능성을 농촌 마을이 흡수하는데 큰 영향을 미친다.

스마트 빌리지 프로젝트는 진정한 가능성을 보여준다. 이것은 40개 독립 사업체(약 절반은 인도기업이고 나머지 절반은 다국적기업이다)가 프로젝트에 참여하기로 결정한 것만 보아도 알 수 있다. 스마트 빌리지 개념은 현재 보급 중이며 안드라프라데시 주와 인도의 다른 주에서도 확대되고 있다. 섬유업, 소매업, 농업과 같이 다양한 산업에 종사하는 주민들이 더 높은 수입과 판매를 올리게 된다는 사실을 깨닫고 이를 이웃들에게 소문내면서 프로젝트는 뿌리를 내리고 흡수되고 있다. 하지만 프로젝트가 과거 마을 시스템에서 번창했던 특정 그룹에 미치는 부정적인 영향과 일부 프로젝트 참여기업의 프랜차이즈 시장 진출 전략 때문에 저항의 조짐도 나타나고 있다.

공유 가치(Shared Value)가 미치는 영향

공유 가치는 스마트 빌리지 프로젝트를 설계하는 데 영향을 미치는 또 다른 개념이다. 마크 크레이머와 마이클 포터 교수가 정의하듯이 공유 가치는 이미 창출된 가치를 공유하는 것이 아니다. 다시 말해, 재분배가 아니다. "공유 가치는 사회적, 경제적 가치의 전체 풀을 확대하는 것이다."[17] 즉, 공유 가치란 기업이 사회의 니즈와 문제를 해결하여 사업을 성장 및 지속하고 사회적 가치를 창출하는 방법을 모색하는 혁신에 대한 접근방식이다.

크레이머와 포터 교수는 공유 가치 접근법을 공정무역 운동과 대조한다. 공정무역 운동은 같은 작물에 대해 농부들에게 더 높은 가격을 지불하는 것에 초점을 맞춰 커피 로스터의 이익을 감소시킨다. 재분배의 한 형태이다. "반면 공유 가치는 농부들의 효율성, 수확량, 상품의 품질, 지속 가능성을 높이기 위해 성장기법을 개선하고, 공급자와 다른 기관의 지역 클러스터를 강화하는 데 초점을 맞춘다. 이것은 매출과 이익의 파이를 크게 만들어 농부는 물론 작물을 구매하는 기업 모두에게 이익을 가져다준다." 크레이머와 포터 교수는 코트디부아르 코코아 농부에 대한 연구를 인용해 공정무역은 농부들의 수입을 약 10~20% 증가시켰지만 공유 가치 투자는 수입을 300% 이상 증가시켰다는 것을 보여준다.

실제로 인도에서 공유 가치의 효과를 보여주는 사례는 이미 하나 있다. 크레이머와 포터 교수는 이렇게 설명한다.

"톰슨 로이터는 1년에 평균 2천 달러를 버는 농업인을 위한 월간 서비스를 개발했다. 이 서비스는 분기당 5달러의 수수료를 받고 날씨, 농작물 가격정보, 농사일에 대한 조언 등을 제공한다. 약 200만 명의 농업인이 서비스를 이용하고 있으며, 초기 연구에

17. Mark Kramer and Michael Porter, 'Creating Shared Value: How to Reinvent Capitalism—and Unleash a Wave of Innovation and Growth' , Harvard Business Review, January-February 2011.

따르면 서비스 사용자의 60% 이상이 소득 증가에 도움을 받았다고 보고했다. 어떤 경우에는 소득이 세 배까지도 늘었다."

공유 가치가 가져다주는 기회를 얻기 위해 기업이 밟아야 할 첫 번째 단계는 어떻게 사회적 니즈를 해결하고 사회적 이익과 손해를 창출할 것인가 하는 측면에서 제품과 서비스를 평가하는 것이다. 기업은 공급자와의 관계에 대한 관점을 바꾸어 공유 가치의 원천을 파악할 수도 있다. 크레이머와 포터 교수에 따르면, "전통적인 전술은 기업이 중소기업이나 생계형 농업인으로부터 구매하는 경우에도 가격을 낮추기 위해 최대한 협상력을 발휘해 매매할 것을 요구한다." 하지만 소외된 공급자의 생산성과 품질 수준은 오히려 성장을 멈추거나 하락하기 시작하는 때가 많다. 기업은 공급자가 능력을 향상할 수 있게 힘을 보탬으로써 추세를 반전하고 자원에 대한 이용을 확보하고 제품이 환경에 미치는 전체적인 영향을 줄일 수 있다. 우리는 1장에서 네슬레와 커피 재배업자들과의 사례를 이미 살펴보았다.

시장에서 공유 가치를 구축하지 못하는 기업은 머지않아 성장 능력이 떨어진다. 기업은 시간이 지남에 따라 더 많은 제품을 판매할 수 있도록 파이를 키우려고 해야 한다. 모리 마을에서 프로젝트에 참여하고 있는 기업들은 파이를 키우는 데 도움이 되는 매우 유용한 기술과 지식을 가지고 있다. 그것이 센서로 물을 관리하는 에릭슨의 기술이든, 의료서비스를 전달하는 히로의 특별 고안된 자전거이든, 농부들이 언제 작물을 심고, 비료를 주고, 수확해야 하는지 알 수 있도록 더 좋은 날씨 데이터를 제공하는 IBM의 기술이든 말이다.

7장의 주요 내용이다.

1. 창출, 보급, 흡수의 측면은 민간 부문뿐만 아니라 공공 부문과 사회 부문에도 적용된다.
2. 스마트 시티 프로그램은 많은 가능성을 창출했지만 현재까지는 사회적·사업적 가치를 많이 내놓지 못했다. 잘못된 부분은 기술 창출에 있다기보다는 프로그램이 좁은 전문가 집단을 넘어 보급과 흡수가 제대로 이루어지지 않았다는 데 있다.
3. 오픈 이노베이션은 이윤을 추구하는 기업이 농촌 시장에서 사업 개발 연구에 참여하도록 유인함으로써 농촌 주민들의 니즈를 해결하는 데 중요한 역할을 할 수 있다. 성공할 경우 연구에 참여한 기업은 시장을 통한 보급과 확대의 주체가 된다.
4. 스마트 빌리지는 가난하고 낙후된 농촌 지역 주민들의 니즈를 해결하기 위한 새롭고 가능성 있는 프로그램이다. 창출, 보급, 흡수의 세 가지 측면은 여기에서도 적용된다.
5. 지금까지 스마트 빌리지는 보급이 어느 정도 이루어졌지만 흡수는 제한적인 수준으로 이루어졌다. 스마트 빌리지는 승자와 패자를 만들어냈다. 때때로 패자는 스마트 빌리지와 같은 새로운 혁신의 보급과 흡수를 좌절시킬 수 있다.
6. 공유 가치는 스마트 빌리지가 다루는 곳처럼 서비스가 부족한

시장에 진출할 기회를 평가할 때 기업이 사용할 논리적인 프레임워크를 제공한다. 공유 가치를 고려하지 않는 기업은 신흥 시장에서 성장이 제한적이거나 사업 운영권을 지속할 수 없다.

8장

오픈 이노베이션의 우수사례

8장

오픈 이노베이션의 우수사례

여기까지 읽었다면 혁신은 단순히 새로운 기술의 창조나 발견 이상이 필요하다는 사실을 분명히 알았을 것이다. 8장에서는 창출에서 보급, 흡수까지 전체적인 혁신 시스템을 보여주는 선두기업의 오픈 이노베이션 사례를 간략히 살펴본다. 실제로 혁신 시스템은 유망하고 새로운 아이디어 및 기술을 창조하거나 찾아내는 다양한 메커니즘에서 시작된다. 그러나 이 시스템은 조직 안으로 기술이 철저히 보급되어야만 계속될 수 있고 기업 내 하나 이상의 사업부서로 기술이 통합된 후 시장에 출시되어야 마무리된다.

다음의 사례를 살펴봄으로써 조직 내에서 오픈 이노베이션을 지원하고 유지하는 몇 가지 기본 원칙을 파악할 수 있다. 또한 오픈 이노베이션을 지속하는 데 필요한 경계조건도 확인할 수 있다. 이런 조건이 존재하지 않는 경우 오픈 이노베이션은 조직에 약속한 결과를 전달하지 못할 것이다.

P&G: 연계개발(Connect and Develop)

2000년대 초 P&G에서 가장 이르고 성공적인 오픈 이노베이션 사례가 등장했다. P&G는 2000년 목표 수익을 달성하지 못하고 불과 몇 달 만에 150달러가 넘던 주가가 54달러로 떨어져 재정위기에 직면했다. 그러자 P&G는 뷰티케어 사업부를 이끌던 래플리(A. G. Lafley)로 CEO를 교체했다. 래플리는 오픈 이노베이션이 뷰티케어 부문에서 새로운 사업을 성장시키는 데 어떤 도움을 주었는지를 보았고, 비슷한 접근법이 기업 전체에 이익을 가져다 줄 것이라고 확신했다. 이렇게 해서 연계개발이 탄생했다.

P&G의 래리 휴스턴(Larry Huston)과 나빌 삭카브(Nabil Sakkab)가 2006년 <하버드 비즈니스 리뷰>에 기고한 것처럼[1] 오픈 이노베이션은 상당한 비용과 시간을 절감하도록 해준다. 프링글스 프린트(Pringles Print)가 그 좋은 예이다. P&G는 프링글스 칩마다 그림과 글자를 새겨 넣고 싶었다. 그러나 시간과 돈을 들여 식용염료와 인쇄기술을 연구하는 대신 이탈리아 볼로냐의 한 빵집에서 케이크와 쿠키에 메시지를 인쇄하는 잉크젯 방식을

1. Larry Huston and Nabil Sakkab, 'Connect and Develop: Inside Procter and Gamble's New Model for Innovation', Harvard Business Review, March 2006, 58-67.

찾아냈다. P&G는 이 빵집과 협력해서 프링글스에 식용 인쇄기술을 적용했다. 그 결과 아주 적은 비용으로 제품을 개발할 수 있었고 시장에 출시하는 시간도 기존의 절반밖에 걸리지 않았다.

P&G는 전 세계 여러 회사에서 라이선스를 가져온 기술로 새로운 브랜드를 만들었고, 그 결과 크레스트 전동칫솔(Crest SpinBrush), 올레이 리제너리스트(Olay Regenerist), 스위퍼 먼지털이(Swiffer Duster)와 같은 제품을 탄생시켰다. P&G 밖에서 제품의 기초기술을 가져온 올레이 리제너리스트, 스위퍼 먼지털이는 현재 10억 달러짜리 브랜드가 되었다.

P&G는 자사 기술을 다른 기업에 라이선스 해주고 수익을 얻기도 한다. 클로록스(Clorox)와의 합작회사인 글래드(Glad)가 그 예이다. P&G는 제조기술을 제공하고 클로록스는 브랜드와 제품을 제공해서 10년 넘게 지속적인 파트너십을 만들었다. 글래드 역시 10억 달러 브랜드가 되었다.[2] 보다 일반적으로 P&G는 모든 신규 특허에 대해 사내 사업부서가 9개월 안에 특허 신기술을 신제품에 사용해야 한다는 제도를 도입했다. 신기술을 사용할 사업부서가 하나도 없다면 특허권은 라이선스를 줘서 외부로 내보낸다. 이 제도 때문에 내부 사업부서들은 신기술을 더욱 신중하게 평가할 동기를 갖게 되었다. 한 내부 관리자는 이 프로그램을 설명하면서 "이용하지 않으면

2. 글래드와의 합작투자를 비롯해 오픈 이노베이션 전반에 대한 P&G의 초기 사례와 '이용하지 않으면 잃는(use it or lose i)t' 내부 지적 재산권 정책에 대해 더 자세한 내용은 H. Chesbrough, <오픈 이노베이션 모델(Open Business Models: How to Thrive in the New Innovation Landscape)> (Boston, MA: Harvard Business School Press, 2006), 8장을 참고해라.

잃는다."고 말했다. 래플리 회장은 오픈 이노베이션이 성장에 미치는 영향을 확인하고 5년 안에 P&G 혁신의 최소 50%를 외부에서 유입되게 하라고 지시했다. 2002년 당시 외부로부터 유입된 혁신은 약 10% 정도였다. 따라서 래플리 회장의 지시는 조직 전체에 아주 도전적인 목표였다. 하지만 P&G는 2007년 이 목표를 달성했다.

P&G는 최근 심각한 성장과제를 안고 있는데 이 문제는 오픈 이노베이션을 지속하기 위해 필요한 경계조건에 대해 생각하면서 이 장의 후반부에 논의하겠다.

• P&G의 교훈

1) 외부 기술을 1조 브랜드로 만들기 위해 P&G의 브랜드 마케팅을 활용한다. 이익을 얻기 위해 반드시 기술을 창출할 필요는 없다.
2) 미사용된 내부기술을 경쟁사를 포함한 타인이 사용할 수 있게 하고, 다른 1조 브랜드를 만든다. '사용하지 않으면 잃게 하는(Use it or lose it)' 정책은 내부 조직이 무시하거나 간과했을 새로운 특허 기술에 더욱 많은 관심을 기울이게 한다.
3) 새로운 특허를 직접 사용하지 않는다면 다른 사람들이 라이선스를 받을 수 있게 한다. 이것은 신기술을 사용하는 방법에 대해 내부적으로 더 많은 고민을 하도록 하며(위의 2번), 추가적으로 수익성이 높은 라이선스 수입을 가져오고, 기술을 사용하기 위해 생각지도 못한 새로운 비즈니스 모델을 찾아내게 한다.

GE: 에코매지네이션(Ecomagination)

요즘 GE[3]는 심각한 곤경에 처해 있지만 여러 해 동안 수많은 혁신의 모범사례를 보여주었다. 그런 사례 중 하나가 그린에너지와 재생에너지 시장에서 오픈 이노베이션을 적용한 에코매지네이션 챌린지(Ecomagination Challenge) 프로그램이었다. GE는 이미 규모가 큰 (당시 거의 400억 달러에 가까운) 에너지 사업을 영위하고 있었지만 주요 고객들은 MW(메가와트)로 전력 생산이 가능한 대규모 설비를 갖춘 유틸리티 기업이었다. 한편 그린에너지와 재생에너지 분야에서는 kW(킬로와트)로 전력을 생산하며 거주지나 상업지에서 '계량기 뒤의 시장(behind the meter)'을 만드는 새로운 기술이 많이 등장했다. GE는 이 시장에서 존재감이 없었고, 실제로 이 시장에 대해서 아는 것도 거의 없었다. 그래서 신재생에너지 사업을 시작할 아이디어 있는 기업가를 유치하기 위해 에코매지네이션 챌린지를 발표했다. GE는 아이디어가 마음에 들면 기업가에게 초기 투자를 하기로 했다. 총 1억 달러의 투자 자본이 마련되었다.

GE는 단독으로도 에코매지네이션 챌린지를 운영할 수 있었다. 그러나 이미 이 분야에 투자경험이 풍부한 벤처캐피털의 네트워크가 있으며 이들과의 협업으로 많은 것을 배울 수 있다는 사실을 깨달았다. 또한 GE는 작은 스타트업의 일상적인 현실에 대해

3. 이 부분에 대해서는 더 자세한 사례 연구가 있다. H. Chesbrough, "GE's Ecomagination Challenge: An Experiment in Open Innovation", <California Management Review>, 54.3 (April 2012).

아는 것이 거의 없고, 이들에게는 벤처캐피털이 제공하는 코칭, 멘토링, 기타 서비스가 필요하다는 사실도 알았다. 그래서 GE는 다른 4개 벤처캐피털을 설득해 에코매지네이션 챌린지에 1억 달러를 투자하도록 하여 총 2억 달러의 투자 펀드를 만들었다.

챌린지에는 GE가 예상했던 것보다 10배나 많은 3,800개 이상의 제안이 들어왔다. 제안을 모두 검토하는 데는 시간과 노력이 들었다. 가장 마음에 드는 아이디어에 투표하려고 챌린지에 로그인 한 7만 명의 코멘트도 평가에 도움이 됐다. 심지어 GE는 외부 투표자들이 뽑은 가장 인기 있는 아이디어를 위해 '피플스 초이스 어워즈'를 만들기도 했다. GE의 내부 연구개발 팀이 제안에 대한 기술적 검토를 이끌었고 그 과정에서 신재생에너지라는 새로운 세계에 대해 많은 것을 배웠다.

GE는 17개 벤처에 자금을 지원했고, 파트너 벤처캐피털들은 다른 벤처들에 투자해 총 23개의 새로운 벤처기업이 투자를 받게 되었다. 또한 GE는 챌린지가 없었다면 몰랐을 매력적인 인수대상도 찾아냈다. 게다가 코멘트를 달아준 7만 명이 기업의 잠재적인 자산이라는 것도 알게 되었다. 그래서 챌린지를 종료했을 때 재생에너지 기술에 대한 관심과 참여를 유지하기 위해 커뮤니티 참여 관리자(Community Engagement Manager)라는 새로운 직책을 만들었다.

GE는 이 경험으로 운송, 헬스케어 등 다른 사업분야에서도 챌린지를 시작했으며, 중국에서도 챌린지를 시작했다. 이 사실만 보아도 GE가 대중 속에서 많은 지혜를 찾았고 아무리 크고 (당시에는) 성공한 기업이어도 외부에서 많은 가르침을 얻을 수 있다는 것을 알 수 있다.

- **GE의 교훈**

1) 새로운 사업영역을 개척할 때는 외부인에게 아이디어를 물어본다.
2) 그 아이디어를 다른 외부인에게 보여주고, 어떤 것을 가장 마음에 들어 하는지 확인한다.
3) 내부 연구개발 직원에게 외부 아이디어를 검토하게 함으로써 가르침을 얻게 한다.
4) 핵심사업과 거리가 먼 신규 사업분야에 대해서는 때로 형세를 잘 아는 사람과 함께 투자하는 것이 더 낫다.

에넬(Enel): 오픈 이노배빌리티(Open Innovability)

또 다른 오픈 이노베이션 모범사례는 이탈리아에 본사를 둔 선도적인 에너지 기업, 에넬[4]이다. 유틸리티 산업은 전통적으로 혁신이 아니라 안정성을 위해 만들어진다. 그러나 2000년대에 이탈리아와 유럽은 재생가능 에너지 투자를 위한 매력적인 인센티브를 고안해냈다. 에넬은 다양한 재생가능 에너지 관련 활동을 하나로 묶기 위해 에넬 그린 파워(Enel Green Power (EGP))를 설립해서

4. 이 부분에 대해서는 더 자세한 사례 연구가 있다. H. Chesbrough, "Innovation @ENEL: From Monopoly Power to Open Power", Harvard Business School case # B5866-PDF-ENG, July 1, 2016.

주식시장에 스핀아웃 했다. 오랫동안 에넬의 임원이었던 프란체스코 스타레이스(Francesco Starace)가 새 회사의 CEO로 임명되었다.

얼마 되지 않아 EGP는 GE가 그랬던 것처럼 재생가능 에너지 시장과 에넬의 전통적인 유틸리티 시장이 매우 다르다는 것을 깨달았다. 재생가능 에너지 관련 기술은 덜 성숙했고 새로운 접근방법도 자주 등장했다. 생산되는 전력량은 작은데 비해 의사결정 속도는 훨씬 빨라야 했으며 자금조달은 유연성과 창의성을 요구했다. EGP는 새로운 조건에 적응했고 단기간에 매우 성공했다. 실제로 EGP는 아주 성공적이어서 2014년, 스타레이스는 에넬 그룹의 CEO로 임명되었고 EGP도 에넬로 편입되었다.

일단 에넬 그룹의 CEO가 된 스타레이스는 단순히 전통적인 유틸리티 기업의 리더가 되지 않았다. 그는 에넬의 경쟁상대는 다른 유틸리티 기업이 아닌 화석연료이며 조직의 미래는 재생가능 에너지에 달려있다고 과감히 선언했다. 이러한 과감하고 새로운 생각을 보여주는 획기적인 순간은 스타레이스 회장이 그린피스 회원들을 초대해 에넬의 최고 경영진과 함께 조직의 재생가능 에너지 계획을 논의한 것이었다. (불과 몇 년 전만 해도 그린피스는 에넬은 적이라고 쓰인 플래카드를 들고 로마에 있는 에넬 본사에 '난입'했었다.) 에넬은 원자력발전소를 매각하고 석탄발전소를 폐쇄하는 한편 재생가능 에너지 발전소를 열고 크게 확장하기 시작했다. 에넬은 디젤 발전기에 의존할 수밖에 없는 원격지에 전력을 공급하기 위해 마이크로 그리드(micro-grids)를 실험하기 시작했고, 발전 프로세스를 시작할 때는 태양을 이용하고 발전을 지속하기 위해서는 지열을 이용하는 미국의 독특한 태양열발전소에 투자하기 시작했다.

마케팅 컨설턴트(그리고 출판 시인이기도 한)였던 에르네스토 쵸라(Ernesto Ciorra)의 주도 하에 에넬 그룹은 오픈 이노베이션(Open Innovation) 활동과 지속가능성(Sustainability) 목표를 결합한 오픈 이노배빌리티(Open Innovability) 정책을 도입했다. 스타트업 및 대학과의 관계를 확대하는 것도 오픈 이노배빌리티에 포함된다. 에넬은 현재 전 세계 4개 지역에 부트캠프를 두고 스타트업과 협업하고 있으며, 그 결과를 사업부서와 내부적으로 공유한다. 또한 전 세계 12개 일류 대학과 보다 전략적이고 집중적인 관계를 맺어 수백 개의 개별적인 대학 연구 프로젝트를 간소화했다. 다양한 핫스팟(유럽, 실리콘밸리, 이스라엘, 보스톤)에 위치한 에넬의 새로운 협력 네트워크는 재생가능 에너지 분야에서 최신 혁신이 일어나는 곳으로 자리 잡았다. 이제 에넬은 더 많은 신기술 소스를 갖게 되어 어느 때보다도 재생가능 에너지에 대해 많이 알게 되었다. 에넬은 자사 고객을 보다 친환경적인 에너지 환경으로 이끌 수 있게 된 것이다.

- **에넬의 교훈**

1) 신기술이 성공하려면 때로 새로운 비즈니스 모델이 필요하다. 에넬 그린 파워처럼 외향형 오픈 이노베이션의 한 형태인 분할회사(spin off)는 모회사가 내부적으로 시행하려면 고군분투 했을 새로운 비즈니스 모델에 더 집중할 수 있다.

2) 전 세계의 기술 핫스팟에 시설을 조성하면 초기 단계의 스타트업과 협력이 촉진된다. 스타트업이 있는 곳으로 가라. 스타트업이 당신에게 찾아오게 하지 마라.
3) 우리 사회의 더 나은 미래를 위해서는 환경적 지속가능성(Environmental sustainability)이 중요하다. 오픈 이노베이션은 이러한 비전을 실행하는 강력한 방법이며, 따라서 오픈 이노배빌리티는 사업적 수완을 많이 갖는다.

바이엘(Bayer) : 제약회사의 종합적인 접근방법

바이엘은 혁신활동에 있어서 세계에서 가장 앞선 기업 중 하나이다. 이것은 그리 놀라운 일이 아니다. 기업 역사를 연구하는 학자에 따르면 바이엘은 19세기 중반 기업 내부에 연구개발 시스템을 만든 최초의 기업이기 때문이다.[5] 현대에 이르러 제약산업은 화학적 접근법에서 생물학적 접근법, 유전체학적 접근법에 이르기까지 여러 가지 기술적 변화를 겪어 왔다. 과학 기반이 바뀌면서 새로운 기술의 원천도 발달했다. 처음에 새로운 기술의 원천은 기업 안에 있었다. 이후에는 대학 연구소가 새로운 가능성의 중요한 원천이 되었다. 그 다음에는 젊은 생명공학 기업이 혁신 생태계에서 중요한 부분을 차지했다. 오늘날에는 스타트업과 벤처캐피털까지 이질적인 기술의

5. D. Hounshell and J. Smith, <Science and Strategy: Dupont 1902-1980>, (Cambridge, UK: Cambridge University Press, 1988). 하운셀과 스미스는 듀퐁이 최초의 R&D 시설을 만들면서 어떻게 바이엘을 따라했는지 보여준다.

원천 사이에서 한 자리를 차지하게 되면서 광범위한 제품군을 다루는 제약회사는 새로운 아이디어와 기술을 개발하고 이용하기 위해 '상기한 모든' 전략을 채택할 필요가 있게 되었다.

바이엘은 이 문제를 해결하는데 능력을 발휘했다. 바이엘은 2017년 매출의 14% 이상을 연구개발에 투자하며 강력한 내부 R&D 역량을 유지하고 있다. 또한 에넬과 마찬가지로 다수 대학과 광범위한 협력을 통해 새로운 아이디어와 기술에 대한 접근성을 높인다. 제약산업의 유망한 새 동향을 파악하기 위해 벤처캐피털과도 점점 더 긴밀하게 협력하고 있다. 내부직원과 외부인을 위한 해커톤을 준비해 현재 사업활동에서 벗어난 분야를 탐사하기도 한다. 신약 포트폴리오를 확장하기 위해 젊은 생명공학 기업들도 자주 인수한다.

다양한 아이디어와 기술 소스를 관리하려면 그림 8.1[6]에서 보는 것처럼 여러 가지 조직적 접근법이 필요하다. 인큐베이터처럼 지원은 하되 개입은 하지 않는 arm's length 합의, 즉 제3자의 객관적인 시각으로 접근하는 것을 통해 관리되는 접근법도 있다. 바이엘은 캘리포니아 주 샌프란시스코의 미션베이 시설에 이런 인큐베이터를 열었다. (6장에서 스타트업과 협력하는 확장가능한 조직적 접근방식을 살펴보면서 이런 방식에 대해 알아보았다.) 다른 접근법은 라이선싱이나 기부를 통해 자산을 이전할 것을 요구한다. 바이엘은 라이선스 형태로 개발 초기단계의 학술

6. 출처: David Tamoschus, Christoph Hiererth, and Monika Lessl, "Developing a Framework to Manage a Pharmaceutical Innovation Ecosystem", 2015년 12월 캘리포니아주 산타클라라 세계 오픈 이노베이션 컨퍼런스에서 최우수 신진 논문상(Best Emerging Scholar Paper Award) 수상.

연구 병원과 후기 단계의 생명공학 기업으로부터 적극적으로 컴파운드를 제공받는다. 다른 접근법은 공동 연구 프로젝트, 개발 컨소시엄, 전략적 혁신 파트너십 등 그림 8.1에서 왼쪽으로 이동할수록 보다 광범위하고 지속적인 상호작용을 요구한다.

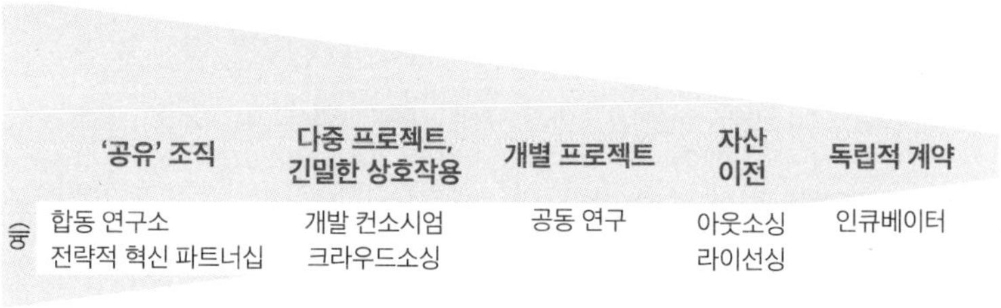

	'공유' 조직	다중 프로젝트, 긴밀한 상호작용	개별 프로젝트	자산 이전	독립적 계약
예)	합동 연구소 전략적 혁신 파트너십	개발 컨소시엄 크라우드소싱	공동 연구	아웃소싱 라이선싱	인큐베이터

그림 8.1 - 바이엘의 다양한 조직적 접근방법

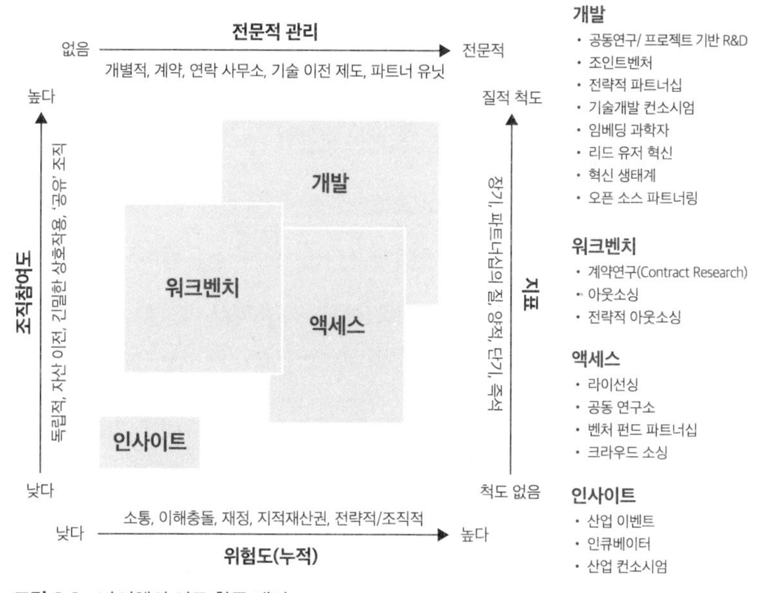

그림 8.2 - 바이엘의 연구 활동 매핑

그림 8.2에서 볼 수 있듯이 바이엘은 다양한 오픈 이노베이션 활동의 업무를 위한 별개의 프로세스 세트를 개발했다.

그림 8.2[7]는 혁신 프로세스와 느슨하게 결합된 인사이트 활동부터 워크벤치, 액세스, 개발처럼 더 긴밀하게 연결된 유형까지 바이엘의 네 가지 다른 협력 유형을 보여준다. 워크벤치 활동은 개발과정의 일부를 다른 사람에게 위탁하는 것을 포함하는 반면 액세스 활동은 자금, 권리, 지식의 이전을 요구한다. 개발 활동은 가장 집중적인 유형으로 여러 지식 소스가 모여 신약을 개발한다. 그림 8.2에서는 프로젝트 위험도가 왼쪽에서 오른쪽으로 갈수록 높아지며, 조직 참여는 아래에서 위쪽으로 갈수록 더 높아진다.

- **바이엘의 교훈**

1) 오픈 이노베이션에는 '모든 상황에 적용되는' 접근방식은 없다. 대신 구체적인 조직화 접근방식이 프로젝트의 목표와 일치해야 한다.
2) 바이엘과 같은 다국적 제약회사는 혁신의 새로운 원천을 추적하고 유망한 혁신을 시장에 내놓기 위해 '상기한 모든' 접근방식을 채택한다. 크라우드소싱부터 연구 협력, 라이선싱과 개발까지 다양한 실천사례를 이용한다.
3) 오픈 이노베이션의 내부 관리자는 혁신목표를 달성하기 위해 다양한 형태의 협업에 능숙해야 한다. 바이엘에서 이 역할은 시간이 지나면서 전문화되고 있다.

7. Ibid

쿼키(Quirky) : 크라우드에서 발전시키기

때로는 성공사례를 연구했을 때보다 실패사례를 연구했을 때 오픈 이노베이션에 대해 더 많은 것을 배울 수 있다. 쿼키가 그런 사례다. 쿼키는 2009년 연쇄 창업가 벤 카우프만(Ben Kaufman)이 설립한 회사로 1억 5천만 달러가 넘는 자금을 모집했다.

쿼키의 멋진 점은 아이디어를 발견하는 방식이었다. 쿼키는 홈페이지를 통해 개인 발명가가 제품 아이디어를 제출하도록 초대했다. 발명가의 제품아이디어를 선택해 상업적으로 개발한다면 발명가는 수익의 일부를 로열티로 받게 된다. 게다가 제품을 개선하고 개발하는 데 도움을 준 쿼키 커뮤니티의 다른 일원도 적지만 로열티를 지불받는다. 쿼키는 제품 판매를 촉진하기 위한 추가적인 개발, 판매, 유통, 광고를 담당한다. 실제로 쿼키는 신제품의 초기 콘셉트 개발을 아웃소싱하고 대신 제품을 판매할 수 있는 강력한 마케팅과 유통 역량을 구축했다. 이 모델은 개인 발명가를 존중하고 로열티를 지불함으로써 그들의 독창성에 보답했다.[8]

쿼키는 이 모델로 많은 관심을 받았고 홍보 효과도 누렸다. 다양한 직업의 다양한 사람들이 아이디어를 냈고 쿼키는 여러

8. 쿼키의 모델에 대해서는 Cara Wrigley and Karla Straker "Designing innovative business models with a framework that promotes experimentation", <Strategy & Leadership>, 44.1 (2016), pp. 11-19를 참고해라. 쿼키의 파산은 다음 링크를 확인해라. https://www.nytimes.com/2015/09/23/business/the-invention-start-up-quirky-files-forbankruptcy.html

가지 제품을 제안 받았다. 수백만 달러의 수익을 창출하는 파워피봇(PowerPivot(모양을 변형할 수 있는 멀티탭))처럼 빅 '히트' 제품도 있었다. 쿼키는 대규모 벤처캐피털 금융을 유치하는 것 외에도 일부 제품의 제조와 마케팅을 위해 GE와 파트너십을 체결하기도 했다(GE도 쿼키에 투자했다). 쿼키는 후원도 잘 받았고 연줄도 든든했다. 게다가 제품 아이디어를 모두 외부 커뮤니티에 의존함으로써 특히 광범위한 오픈 이노베이션 모델을 실천하고 있었다.

그러나 모든 것이 엉망이 되고 말았다. 2015년 쿼키는 파산신청을 했고 창업자 카우프만은 회사에서 쫓겨났다. 오픈 이노베이션은 이 사례에서 분명히 효과가 없었고 그 이유는 자금 부족도, 최고 경영진의 지원이 부족해서도 아니었다. 그렇다면 대체 무슨 일이 있었던 걸까? 혁신을 돕는 오픈 이노베이션의 능력에 대해 이 사례는 무엇을 이야기하는가?

쿼키의 실패이유에 대해서는 논쟁이 있다. 카우프만은 분명히 '아이디어 맨'이었지만 벤처기업을 키우는 운영적 측면에서는 능숙하지 않았다. 즉 카우프만은 창출에는 뛰어났지만 보급과 흡수에는 뛰어나지 않았다. 많은 소비재 기업이 그렇듯 쿼키의 사업은 매년 히트 상품을 내놓는 것에 의존했다. 따라서 오픈 이노베이션의 일반적인 함의가 거의 없는 경영능력의 문제로 쿼키의 실패를 해석하는 사람도 있을 수 있다.

그러나 이것은 오픈 이노베이션을 잘 모르는 말랑한 해석이다. 히트 상품이 필요하다면 그것을 공급하는데 쿼키 커뮤니티보다 더 나은 곳이 어디 있겠는가? 사실 파워피봇처럼 히트상품이 된 아이디어의 뒤에는 수백, 수천 개의 형편없는 아이디어가 존재했다. 이 모든 아이디어를 쿼키 내부에서 검토해야 했다. 카우프만은 쿼키로 제출하는 모든 제안을 검토하기 위해 상당한 인원을 늘려야 했지만 제출된 아이디어 대부분은 형편없었다. 이것은 크라우드소싱을 시도한 많은 기업에서 발견되는 문제이다. 학계 동료들은 크라우드소싱의 장점을 칭송하지만, 경험에 의거한 크라우드소싱의 진실은 쿼키가 알게 된 사실대로다. 제출된 대부분의 크라우드소싱 아이디어는 형편없다.[9] 그러나 모든 제출안은 응답을 줘야 하고(이상적으로 제출 후 2~4주 이내) 아무리 나쁜 아이디어라도 아이디어를 하나하나 검토하려면 시간과 노력이 든다. 많은 오픈 이노베이션 지지자들이 이 점을 충분히 인정하지 않는다.[10]

쿼키의 경험에서 배울 수 있는 또 다른 가르침은 제품 아이디어를 제출한 개인들이 해당 아이디어에 대한 비즈니스 모델은 전혀 제출하지 않았다는 것이다. 따라서 쿼키의 사업초반에는 제출된 아이디어는 있었지만 당시 서서히 구축되고 있던 마케팅 역량과 유통 역량을 활용할 프로세스는 없었다. 이것은 오픈 이노베이션을

9. GE의 에코매지네이션 챌린지에서도 이렇게 형편없는 아이디어가 제출됐다. 전기장어를 연못에 넣은 다음 그들이 발생시킨 전기를 추출하는 장치를 설치하는 아이디어도 있었고, 트럭 뒤에 풍차를 설치해 발생하는 풍력 에너지를 모으자는 아이디어도 있었다. (두 번째 아이디어가 왜 나쁜지 모르겠다면 열역학 제2법칙에 대해 찾아봐라!)

10. 사빈 브런스윅 교수와 함께 수행했던 대기업의 오픈 이노베이션 활용에 대한 두 가지 대규모 표본 조사에서 크라우드소싱은 10가지 아웃사이드 인 오픈 이노베이션 유형 중 가장 적게 활용되었다. 크라우드소싱의 활용도가 이렇게 낮다는 것은 학계와 달리 대기업들은 크라우드소싱의 한계를 충분히 인식하고 있다는 의미이다.

실천하려는 많은 조직이 직면하는 또 다른 문제다. 비즈니스 모델을 통해 제품화되기 전까지 아이디어나 기술은 경제적 가치가 거의 없다. 다르게 말하면, 동일한 아이디어라도 서로 다른 비즈니스 모델이 적용되면 서로 다른 경제적 결과가 나온다.[11] 쿼키의 프로세스는 이 모든 것을 무시했다. 쿼키는 제출된 아이디어가 제품화 프로세스에 연결될 수 있는지 여부를 상관하지 않고 모든 참가자들에게 아이디어를 얻으려고 했다.

- **쿼키의 교훈**

1) 크라우드소싱은 오픈 이노베이션의 만병통치약이 아니다. 크라우드소싱으로 좋은 아이디어가 나올 수도 있지만, 제출된 아이디어 대부분은 중요하지 않거나 형편없을 것이다.
2) 일반적으로 크라우드소싱 된 아이디어는 조직의 비즈니스 모델과 관련성이 부족하다. 보급이나 흡수를 위한 메커니즘이 없는 것이다. 이는 제출된 아이디어가 처음에는 상당히 긍정적으로 보이더라도 경제적 가치를 창출하지 못할 위험이 크다는 뜻이다.
3) 자본이 풍부하고 헌신적인 CEO가 있는 오픈 이노베이션 기업이라도 (4장에서 본 것처럼) 혁신 프로세스의 프론트 엔드와 백엔드를 연결하는 프로세스를 구축하지 못하면 여전히 실패할 수 있다.

11. 이 점은 체스브로와 로젠블룸 (Chesbrough and Rosenbloom(2002)에서 제록스와 PARC의 스핀오프 된 기술을 예시로 자세히 설명하고 있다.

CERN: 어트랙트(ATTRACT) 이니셔티브

CERN은 세계에서 가장 선도적인 과학 연구기관 중 하나이다. 이름은 프랑스어(Conseil Européen pour la Recherche Nucléaire)에서 나왔으며 시설은 프랑스와 스위스의 국경에 있다. 2013년 노벨 물리학상을 받은 힉스 입자의 발견으로 잘 알려져 있다. 직원은 약 3천 명이며, 연구 프로젝트에 참여하는 1만 2천 명 이상의 회원국, 관계국, 관찰국의 외부 사용자가 있다.[12]

그러나 3장에서 논의한 것처럼 이런 우수한 과학 자원도 스스로 혁신을 일으키지는 않는다. CERN에 있는 어마어마한 과학기반을 상용화하기 위해서는 오픈 사이언스 공동체 너머로 확장하는 새로운 종류의 기관이 필요하다. 또 CERN에서 창출된 여러 기술을 어떻게 사업적으로 응용할 수 있는지 이해해야 하고 더불어 기업가나 투자자가 응용의 타당성과 매력을 평가할 수 있는 충분한 기술 개발이 이루어져야 한다. 게다가 오픈 사이언스 공동체에서 만들어진 기술이 어떤 지적 재산권을 받게 될 것이며, 언제 받게 될까라는 민감한 질문도 있다. 이 모든 고민이 어트랙트의 출범에 포함되어 있다.

어트랙트 ATTRACT(breAkThrough innovaTion pRogrAmme for the deteCtor/infrastructure ecosysTem) 이니셔티브는 구체적인 연구개발에 대한 필요와

12. http://usersoffice.web.cern.ch/sites/usersoffice.web.cern.ch/files/pdf/Users-Stat/Users_Statistics_2017.pdf (최종접속일 2018년 12월 27일)

CERN에서 개발하고 있는 세계적 수준의 발전된 검출 및 영상 기술의 상업화 가능성을 결합하기 위해 만들어졌다. 협력적인 오픈 이노베이션 접근방식, 특히 외향형 오픈 이노베이션 방식을 통해 목표를 달성하려고 한다.

어트랙트 이니셔티브는 명쾌하게 CERN에서 나온 신기술의 상업화를 지원하는 제도적 체계를 만들고자 한다. 초기에 상업화하려는 세 가지 핵심 분야를 확인했다.

- 혁신적인 ICT 기술 및 응용
- 고성능 재료 및 응용
- 의료 물리학 기술 및 응용

각각의 영역은 다양한 동인과 규제 체계를 가진 매우 큰 시장이다. ICT 분야는 셋 중 가장 변화가 빠른 분야로 단기간에 새로운 혁신이 이용되고 확장되는 경우가 많다. 소재 분야는 큰 시장으로 확장해 나가는데 더 많은 시간이 걸린다. 먼저 소재가 입증되어야 하고 그 다음 응용이 다양하게 시도되어야 하며 결국 신소재의 다양한 사용 여부에 시장 규모가 결정되기 때문이다. 보건 분야는 규제가 가장 심하며 업계의 승인을 받아야 함은 물론 규제기관과 의료체제 관리자가 채택해야만 시장에서 성공할 수 있다.

어트랙트에 참여하는 산업 파트너들은 각 분야에서 검출 기술을 상업화하는데 중요한 역할을 한다. 산업 파트너는 연구자에게 각 사업의 맥락을 깊이 이해시켜 후속 기술개발이 각 분야의 핵심 요구사항을 해결할 수 있도록 하는 주체이다. CERN이 확립한 자유로운 지식 교환의 문화에서는 이니셔티브에 참여하는 다양한 산업 분야에 걸쳐 콘텍스트(context)의 광범위한 타가수정이 일어날 확률이 높다.

어트랙트는 CERN이 성공적으로 구축한 오픈 사이언스 문화를 지속시키기 위해 지적 재산권 부여를 신중하게 고려하는 동시에 향후 상업적 파트너에게 충분한 지적 재산권을 제공해 파트너들이 기술을 시장에 내놓기 위해 필요한 투자 위험을 감수하도록 동기를 부여한다. 핵심 구조는 다음과 같다.

- 연구 공동체의 중요한 배경 지식을 로열티 없이 광범위하게 이용할 수 있어 상업적 파트너는 CERN 내의 다른 당사자가 지적 재산권을 행사해 프로젝트를 '가로막지' 않을 것이라고 확신하며 일을 진행할 수 있다.
- 지식을 적용하기 위해 유용한 콘텍스트를 발견하는 것은 CERN의 연구 과학자 및 엔지니어와 산업 엔지니어 및 개발자 사이의 광범위한 상호 작용에서 비롯된다. CERN에는 많은 과학자와 엔지니어가 있고 산업 개발자도 비슷하게 많다는 점을 고려했을 때 모든 참가자는 초기 단계에서 만들어지는 지식에 대해서는 지적 재산권을 포기하기로 동의한다. 이것은 응용 방법을 더 빠르게 탐색할 수 있도록 하고 훨씬 더 많은 사람을 프로세스에 참여시킨다.
- 일단 구체적인 응용 방법을 찾게 되면 산업 참가자는 이후 개인적으로

창출한 전경 지식을 자유롭게 보호할 수 있다. 프로젝트에 직접 참여하고 기여한 사람만이 수행된 작업을 깊이 있게 이해할 수 있으므로 다운스트림에서의 응용 개발에 유리함을 주는 것이다. 하지만 이것은 어트랙트에서 나가 기업의 자체적인 영역에서 이루어져야 한다.[13]

- 어트랙트는 1,700만 유로의 EU 보조금을 지원받았으며, 이 자금은 CERN에서 나온 100가지 다른 기술 프로젝트에 사용될 것이다. 이 보조금은 산업계와 공유할 수 있는 최초의 프로토타입을 만드는 초기 개발 작업에 쓰일 예정이다. 추가적인 개발 작업은 각 프로젝트의 기술적 위험을 감소시킬 것이며 각 기술에 대한 업계의 사려 깊은 대응을 가능하게 할 것이다. 결정적으로 이 단계에서는 어떠한 지적재산권도 부여되지 않기 때문에 기업가들은 광범위한 응용 가능성을 탐색할 수 있다.

CERN 기술을 성공적으로 상업화하려면 초기 과정에서 '작은 승리'가 실현되어야 한다. 이런 작은 성공들이 새로운 기술의 궁극적인 성과는 아니지만 기술 응용의 상업적 가치를 처음 가시적으로 입증한다. 작은 승리의 초기 수익은 대기업의 재무성과에 전혀 영향을 미치지 않을 정도로 작기 때문에 대기업은 종종 이런 작은 승리를 좇는데 불리하다. 그러나 소규모 기업과 스타트업은 작은 수익원에 상당히 효과적으로 집중할 수 있기

13. 지적 재산권을 배경과 전경으로 나눠서 접근하는 방식은 다른 곳에서도 효과가 있었다. 루벤대학교의 국제 마이크로일렉트로닉스 컨소시엄(International Micro Electronics Consortium (IMEC))이 그 예로 지적재산권에 대한 이런 접근방식이 수년 동안 시행되어왔다. 다음을 참고해라. Interuniversity MicroElectronics Center (A), by H. Chesbrough, W. Vanhaverbeke, and L. Odusanya, Berkeley Haas Case Series, 2009.

때문에 3장과 4장에서 기술한 연구와 개발 사이에 놓인 죽음의 계곡에 다리를 놓는 데 중요한 역할을 한다.

• **CERN의 모범사례**

1) 위대한 과학은 저절로 위대한 혁신이 되지 않는다. 새로운 기술을 잘 활용하는 방법은 명확하지 않을 때가 많다. 그러므로 (너무 이르게) 지적 재산권을 주장하지 않고 과학자들과 산업 엔지니어들이 아이디어를 교환하고 협력할 수 있는 구조를 만들어야 한다.
2) 검출, 영상, 컴퓨터 사용(computation) 등 분야의 연구 결과를 잘 응용하려면 기업가적인 위험 감수가 필요하다. 상업적인 규모로 가치를 창출하고 확보할 수 있는 효과적인 비즈니스 모델을 개발하려면 상당한 시행착오가 필요하기 때문이다. 이때는 지적 재산권을 부여할 필요가 있다. 다만 지적 재산권이 보다 큰 조직에서 이용하는 배경지식을 차단하는 것이어서는 안 된다.
3) 작은 자금으로도 유망한 신기술에서 지적 재산권을 성급하게 부여하지 않고 위험을 유효하게 제거할 수 있다. 이것이 과학과 혁신 사이에 있는 죽음의 계곡을 더 쉽게 건너게 해줄 것이다. 공적 자금과 비영리 자금의 유용한 역할이다.[14]

14. 기술의 후속개발을 막지 않는 방식으로 새로운 치료법을 발전시키려고 하는 비영리단체의 예는 H. Chesbrough, 'NeuroTherapy Ventures: Catalyzing Neurologic Innovations,' HBS case 602124-PDF-ENG (2002)를 참조하라.

별첨: P&G 성장의 특이 사례와 오픈 이노베이션

오픈 이노베이션의 등장은 <오픈 이노베이션>이 처음 출판된 2003년 P&G의 성공과 밀접한 연관이 있었다. P&G는 이 책에서 다룬 주요 사례 연구대상은 아니었지만 이 무렵 연계개발(Connect & Develop) 프로세스를 공공연하게 홍보했고 곧 오픈 이노베이션 모델을 수용했다. (최근까지도 P&G의 연계개발 페이지에는 오픈 이노베이션을 눈에 띄게 표시하고 있다.)[15] 심지어 법률, 재무 등 지원 기능을 담당하는 P&G 최고 경영진의 보너스 제도에도 연계개발 도입을 위한 요소가 포함되었다.

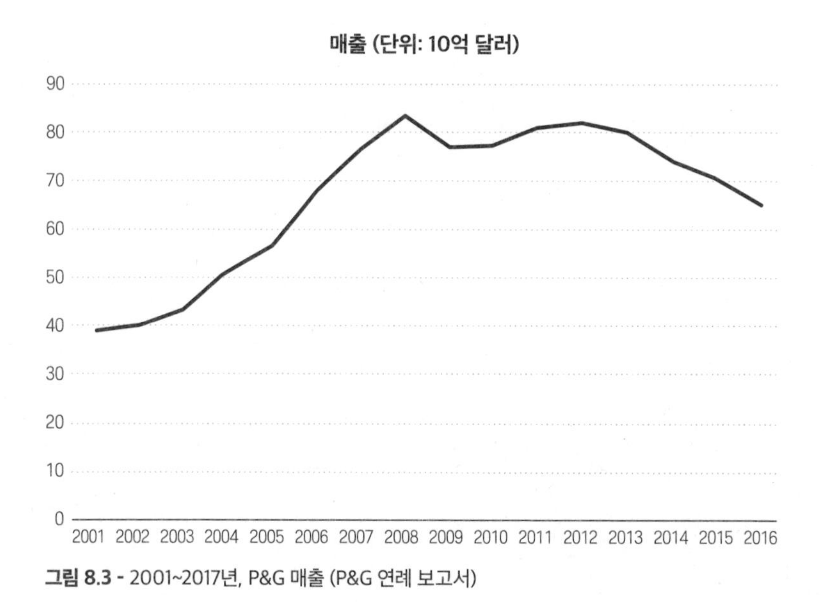

그림 8.3 - 2001~2017년, P&G 매출 (P&G 연례 보고서)

15. http://www.pgscience.com/home/connect_develop.html (최종접속일 2019년 2월 27일).

P&G는 한결같이 오픈 이노베이션을 추진해왔다. 2006년에는 <하버드 비즈니스 리뷰>에 기사가 실리며 연계개발의 성공을 자랑스럽게 알리기도 했다.[16] 2008년에는 당시 CEO였던 A.G. 래플리가 P&G의 혁신 프로세스와 기업 문화 개방에 있어 자신의 역할을 기술한 책 <게임체인저(The Gamechanger)>를 공동 집필했다.[17] 이 책에서 그는 연계개발을 자랑하며, P&G에 성공적으로 도입한 자신의 공로를 상당 부분 인정했다. 그 후, 당시 CTO였던 브루스 브라운(Bruce Brown)은 '혁신을 통해 성공률을 3배 높인' P&G의 '혁신 기계'에 대해 또 다른 HBR 기사를 공동 집필했다.[18]

그런데 P&G의 사업성과를 열정적으로 오픈 이노베이션을 도입하고 그 발전을 공공연히 자랑했던 기업의 모습과 비교해보니 특이한 점이 발견되었다. 그림 8.3은 래플리가 P&G CEO로 재직했을 때부터 최근 회계연도까지의 P&G 매출 그래프이다.

그래프를 보면 알 수 있듯이 래플리가 P&G의 CEO로 재직했던 2001년부터 2009년까지는 매출이 꽤 성장했다. 오픈 이노베이션은 효과가 있는 것 같았다. 전체 수익이 크게 증가했을 뿐만 아니라(P&G의 매출은 1990년대 내내 정체되어 있었다) 연계개발 프로세스를 통해 다음과 같은 수많은 브랜드를 성공으로 이끌었다.

16. https://hbr.org/2006/03/connect-and-develop-inside-procter-gambles-newmodel-for-innovation (최종접속일 2017년 7월 25일).
17. A. G. Lafley and Ram Charan, The Game-Changer: How You Can Drive Revenue and Profit Growth with Innovation, (New York: Crown Business, 2008).
18. https://hbr.org/2011/06/how-pg-tripled-its-innovation-success-rate (최종접속일 2017년 7월 25일).

- 올레이 리제너리스트 크림 : 세계에서 가장 많이 팔린 크림
- 올레이 리제너리스트 아이롤러 : 올레이의 글로벌 판매 2위 제품
- 올레이 데피니티 아이 일루미네이터 : 혁신적인 포장이 소비자를 열광시킴
- 스위퍼 더스터 : 세계 15개 시장에서 팔리는 시장 선도 제품
- 미스터 클린 매직 이레이저
- 클레롤 퍼펙트 10 : 소비자 대상 제품 혁신 조사 결과 2010년 올해의 제품
- 오랄B 펄소닉 칫솔
- 글래드 포스플랙스, 글래드 프레스앤실[19]

2009년을 시작하며 대침체(The Great Recession)는 분명히 P&G의 매출에 영향을 미쳤다. 그러나 P&G의 매출 하락에는 장기적인 침체 이상의 원인이 있었다. P&G가 내놓은 훌륭한 브랜드 사례를 대충 보면 알겠지만 대부분이 P&G에서 10년도 더 전에 만든 것이다. 클레롤 퍼펙트 10 외에 연계개발은 최근 회사를 위해 무슨 일을 했는가? 어째서 오픈 이노베이션은 매출 증가를 지속시키지 못했는가?

P&G의 매출 성장 둔화는 연간 성장률을 보면 더 극적으로 확인할 수 있다. 그림 8.4에서 그 결과를 확인할 수 있다.

19. 각각은 다음 페이지에 같은 순서로 올라와 있다. http://www.pgscience.com/home/connect_develop.html (최종접속일 2019년 2월 27일)

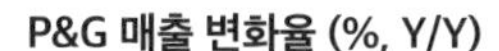
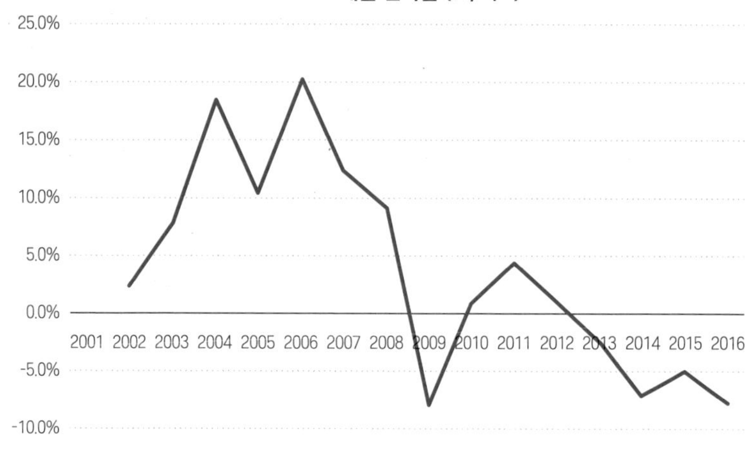

그림 8.4 - 2001-2017년, P&G의 연매출 증감 (P&G 연례 보고서)

분명한 것은 2009년 래플리가 CEO에서 물러나고 대침체가 강타한 이후 P&G의 매출이 크게 감소했다는 것이다. 이 시점까지 P&G 는 오픈 이노베이션 프로세스를 확장하고 혁신 프로세스에서 다른 주체들과 협력하는 방법을 경영진에게 광범위하게 훈련시켜왔다. 외부 협력자들은 매우 만족하는 것처럼 보였는데 P&G가 연계개발을 통해 협력했던 1,100명 이상의 외부 협력자 중 600명 이상이 다시 P&G와 여러 차례 협력했기 때문이다.[20] 이것은 연계개발의 첫 경험이 P&G와 다시 협력할 만큼 충분히 만족스러웠다는 것을 시사한다.

그러니까 본질적으로 P&G의 성장이 멈춘 시기는 기업이 오픈

20. 2013년 버클리에서 필자의 수업에 당시 P&G 연계개발 부장이었던 아쇼크 채터지(Ashok Chatterji)가 방문했다.

이노베이션에 완전히 숙달되어서 만족한 외부 파트너와 광범위한 네트워크를 개발하고 전 세계 사업 부문으로 프로세스를 확장했을 때였다. 이상하다!

이 사례를 더 흥미롭게 만드는 사실은 P&G 이사회가 2013년에 래플리를 CEO로 복귀시켰다는 것이다! 짐작컨대 래플리가 CEO로 재직하던 첫 해에 이뤘던 마법 같은 성장을 되살리는 것이 목표였을 것이다. 그러나 그림 8.3과 그림 8.4로도 알 수 있듯이 이 희망은 실현되지 않았다. 이후 래플리는 2015년 7월 다시 CEO직에서 물러났고, 2016년 6월에는 이사회 의장직에서도 물러났다. 행동주의 투자가들은 P&G의 저조한 성장을 눈치 채고 새로운 가치원을 찾으러 이사회에 입성하기 위한 위임장 경쟁을 시작했다. 오픈 이노베이션이 가져오는 성장의 이점은 어떻게 되었는가? A. G. 래플리 같은 현자가 이끄는 P&G처럼 숙달된 기업도 오픈 이노베이션을 이용해 성장을 지속시킬 수 없다면 대체 우리들에게 어떤 의미가 있을까?

또 흥미로운 것은 필자를 포함해 오픈 이노베이션을 연구하는 학자들이 이렇게 특이한 결과를 눈치 채지 못하고 그냥 지나쳤다는 사실이다! 학자들은 2000년대 초반 P&G의 성공에 주목했지만 최근 지속적인 성장에 관해 겪고 있는 어려움은 무시해 왔다.

필자에게 P&G의 오픈 이노베이션이 실패한 단 하나의 포인트를 골라낼 결정적인 증거는 없다. 하지만 전체적으로 다른 우선순위를 위해 오픈 이노베이션에 대한 집중을 감소시킨 조직적 변화에 대해서는 알고 있다. 그 몇 가지 변화들을 살펴보자.

- CEO이자 연계개발의 챔피언이었던 A. G. 래플리가 2008년 CEO직에서 물러남. 내부자인 밥 맥도너(Bob McDonough)가 회사를 맡음.
- 길 클로이드(Gil Cloyd), 래리 휴스턴(Larry Huston), 나빌 삭카브(Nabil Sakkab), 제프 위드먼(Jeff Weedman) 등 연계개발 프로그램의 황금기에 있었던 다른 핵심 내부자들이 모두 은퇴함.
- 대침체로 어려움을 겪으며 맥도너의 임기는 실망스러웠음. 2013년 은퇴했던 래플리가 CEO로 다시 복귀하지만 2015년에 한 번 더 은퇴함.
- 2016년에 연계개발팀이 합병인팀과 같은 관리자 휘하로 통합됨.
- 2017년 헤지펀드인 트라이언파트너스(Trian Partners)를 이끄는 넬슨 펠츠(Nelson Peltz)가 P&G 이사회를 재편하기 위해 위임장 경쟁을 시작함. 표 대결에서 이기기 위해 1억 달러를 사용함. 펠츠는 근소한 차이로 투표에서 졌지만 2018년 이사로 선임됨.

그래서 어떻게 된 것일까? 필자는 P&G가 오픈 이노베이션의 가치에 대한 믿음을 일부 잃어버렸다고 생각한다. 프로그램 초기에 있던 상당수 핵심 인력은 이미 회사를 떠났고 오픈 이노베이션에 대해 가졌던 기술과 신념은 그들의 자리를 대체한 이들에게 전수되지 않은 것이다. 대침체는 분명 몇 년 동안 소비재 시장을 혼란에 빠뜨렸다. 최고 경영진의 관심은 온통 불황 타개에 맞춰져 결국에는 오픈 이노베이션을 훼손시켰을 것이다. 최근에 있었던 위임장 경쟁에서도 혁신에서 관심을 돌려 현금 흐름과 단기 수익성 향상을 강조했다.

또 한 가지 짚고 넘어가야 할 점은 다른 소비재 기업들이 연계개발의 성공을 알고 조직 내에서 연계개발 프로세스를 모방하기 시작했다는 것이다. 필자는 네슬레, 유니레버, 크래프트, 델 몬테, SC 존슨, 클로록스, 제너럴 밀스, 켈로그스를 포함해 P&G의 프로세스를 모방한 여러 기업들과 개인적으로 이야기를 나눠봤다. P&G가 오픈 이노베이션 활동을 시작했을 때는 단연 업계의 선두였다. 10년 후 래플리가 CEO로 복귀했을 때는 모두가 P&G의 프로세스를 알고 있었고 대부분이 이를 모방했다. 2000년대 초반에 P&G가 쉽게 취할 수 있던 결실들은 이제 대부분 수확되었고 래플리가 CEO로 복귀한 2013년에는 새로운 결실들을 더 의식적이고 경쟁적인 오픈 이노베이션 환경에서 수확해야 했다.

- **P&G의 교훈**

1) 오픈 이노베이션은 단순한 실천이나 전술이 아니다. 오픈 이노베이션은 사고방식과 믿음에서 비롯된다. 새로운 관리자들은 재빠르게 실천을 채택할 수 있지만 기저의 공식과 그것이 작동하는 이유를 이해하지 못할 수 있다.
2) 경쟁자들도 오픈 이노베이션을 도입할 수 있다. 기업은 혁신 경쟁에서 가만히 있을 수는 없고, 계속 실험하고, 개선하고 집중해야 한다.
3) 오픈 이노베이션 리더는 상승 국면을 관리할 수 있어야 할 뿐만 아니라 침체 국면도 예상할 수 있어야 한다. 혁신 프로그램은 종종 경기 침체로 큰 타격을

받기 때문에 오픈 이노베이션 관리자들은 만일의 경우에 대응할 준비를 해야 한다.

오픈 이노베이션을 실천하기 위한 효과적인 원칙

이 장의 사례로도 알 수 있듯이 오픈 이노베이션은 크라우드소싱 기술이나 제품, 대학과의 협력, 스타트업과의 제휴 이상의 의미가 있다. 오픈 이노베이션은 자신이 가지고 있는 자산과 지식을 어떻게 최대한 활용하고, 다른 사람이 가지고 있는 자산과 지식으로부터 어떻게 이익을 얻을 수 있는지에 초점을 맞추는 독특한 사고방식이다. 이것은 혁신에 대해 훨씬 개방적이고 분산된 사고방식이다. 오픈 이노베이션 사고방식의 밑바탕에는 세상에는 이미 유용한 지식이 넘치며 유용한 지식을 찾아내서 사용하고 보급하고 흡수하는 데 능숙해져야 한다는 생각이 자리 잡고 있다. 또한 속도와 민첩성이 중요한 세상에 살고 있다는 생각도 깔려 있다. 사용하지 않는 아이디어와 기술을 처박아 두는 것은 낭비일 뿐만 아니라 이미 가지고 있는 숨겨진 가치를 놓치는 일일 수도 있다.

그렇다고 오픈 이노베이션이 만병통치약은 아니다. 사업성과를 내려면 일정한 요건이 필요하다. 이 장을 통해 알 수 있는 한 가지 요건은 리더십이다. 많은 기업이 평소와 같은 사업은 더 이상

통하지 않는다는 사실을 깨닫는 일종의 위기 순간에서 오픈 이노베이션으로의 전환을 모색했다. 이런 순간에 기업은 다른 것을 시도해야 할 필요성을 느꼈고 그 자극으로 개방적인 접근방식을 도입했으며 종종 큰 성공을 거두었다.

몇몇 기업은 효과적인 오픈 이노베이션 사례로 명성이 높아졌다. 그러나 이 기업들 중 상당수가 이후 최고 경영진과 CEO를 교체했고 그 결과 성장이 저하된 것으로 보인다. 최고 경영진의 지지는 성공을 위한 경계조건이다. 아무리 성공적인 프로그램이라 하더라도 리더십에 변화가 생겨 오픈 이노베이션 외의 다른 것을 우선순위에 두면 흔들릴 수 있다.

폐쇄형 혁신 원칙	오픈 이노베이션 원칙	이 장의 사례
업계에서 가장 똑똑한 사람들이 우리와 함께 일하고 있다.	똑똑한 대부분의 사람들은 다른 곳에서 일한다. (조이의 법칙Joy's Law)	P&G, GE, 바이엘, 퀴키
혁신에서 이익을 얻으려면 우리 스스로 혁신을 발견하고 개발해서 시장에 내보내야 한다.	외부 혁신도 가치를 창출할 수 있다. 기업은 그 가치의 일부를 획득하기 위해 내부 R&D와 비즈니스 모델이 필요하다.	GE, 퀴키, 에넬, 바이엘, 어트랙트
우리가 먼저 개발했다면, 우리가 먼저 제품을 시장에 내놓아야 한다.	반드시 우리가 개발한 연구에서만 이익을 얻을 필요는 없다.	P&G, 에넬, 바이엘
혁신적 기술을 최초로 상용화한 회사가 경쟁에서 이길 것이다.	시장에 먼저 출시하는 것보다 더 좋은 비즈니스 모델을 만드는 것이 중요하다.	퀴키, 에넬 그린 파워 바이엘, 어트랙트,
업계에서 가장 훌륭한 아이디어를 창출하면 승리한다.	내부 아이디어는 물론 외부 아이디어를 최대한 활용한다면 승리한다.	P&G, 에넬
지적재산을 잘 관리해 경쟁자들이 우리 아이디어에서 이익을 얻지 못하게 한다.	우리는 다른 사람이 우리의 지적재산을 이용하게 함으로써 수익을 얻어야 하고, 사업에 다른 사람의 지적재산이 도움이 될 때는 그것을 사들여야 한다.	P&G, 에넬, 바이엘, 어트랙트

표 8.1 - 오픈 이노베이션 원칙[21]

21. H. Chesbrough, "The Era of Open Innovation", <MIT Sloan Management Review>, 44.3, Spring 2003 참고

이 장을 마치면서 필자의 조언은 8장에서 자세히 기술한 개별적인 모범사례보다 표 8.1에 제시된 오픈 이노베이션의 원칙에 더 집중하라는 것이다. 모범사례는 고객이 변하고 경쟁자가 발전하고 새로운 기술과 기회가 등장함에 따라 진화해야 한다. 하지만 원칙과 원칙 이면의 생각은 오래 지속될 것이고 따라서 다음 번 도전에 직면해야 할 때 더 유용할 것이다.

8장의 주요 내용이다.

1. 오픈 이노베이션은 제대로만 다룬다면 강력한 성장 엔진이 될 수 있다.
2. 오픈 이노베이션은 에넬과 GE에서 보듯이 환경적 지속가능성을 가능하게 하는 도구로서 가치가 있다.
3. 효과적으로 오픈 이노베이션을 구현하는 조직도 시간이 지남에 따라 성장을 지속하는 데 어려움을 겪는다. 쿼키와 P&G가 그 예이다.
4. 오픈 이노베이션은 시간이 지나도 성장을 지속할 수 있는 일정한 사고방식을 필요로 한다. 사례를 따르는 것만으로는 경쟁자보다 앞서 갈 수 없다. 오픈 이노베이션 원칙을 따르면 더 오래 지속할 수 있다.

9장

중국적 특성을 가진 오픈 이노베이션

9장

중국적 특성을 가진 오픈 이노베이션

마지막 장에서는 세계 제2의 경제대국인 중국의 혁신에 대해 살펴본다.[1] 덩샤오핑이 중국 공산당 지도부에 오르고 40년 동안 중국 경제는 엄청나게 성장했다. 오늘날 상당한 무역 갈등이 있지만, 지난 40년을 돌아보면 중국이 이룬 경제적 기적에 깊은 인상을 받을 수밖에 없다. 10억 명이 넘는 인구가 사는 가난한 후진국이 곧 세계에서 가장 큰 경제대국이 될 정도로 급성장했다. 더 중요한 사실은 그 기간 동안 수억 명의 사람들이 가난에서 벗어났다는 점이다. 수명, 신장은 물론 기름진 식습관에서 기인하는 당뇨병까지 다양한 건강지표가 모두 중국의 생활수준이 놀랍도록 상승했음을

1. 이 장의 아이디어와 증거는 버클리 리서치 그룹(Berkeley Research Group)의 소비 레이흐(Sohvi Leih) 박사와 북경 대학의 메이 량(Mei Liang) 박사와 협업하면서 영감을 얻었다. 이 장에 수록된 논거의 초기 버전은 제5차 세계 오픈 이노베이션 컨퍼런스에 제출한 "Open Innovation with Chinese Characteristics"에 등장한다. 후 샤오란(Fu Xiaolan) 교수와 대화하면서도 영감을 얻었다. 샤오란 박사의 2015년 저서 <China's Path to Innovation>, (Cambridge, UK: Cambridge University Press)는 중국의 혁신 역량이 발전하는 과정을 추적한다.

보여준다. 세계가 놀라워하는 기념비적 업적이다.

중국은 거대한 인구와 거대한 경제 규모, 국가 통치에 있어 중국공산당의 독특한 역할로 인해 특유의 사업환경을 제공한다. 중국의 독특한 요인들은 기존 오픈 이노베이션 이론이 중국의 혁신상황에 쉽게 적용되지 않을 수 있음을 암시한다. 특히 중국의 국영기업(SOE)들은 정부와 당의 지원뿐만 아니라 상당한 규모의 이익까지 누리고 있다. 구 소련과 달리 중국공산당은 시장과 시장가격을 사회 자원 배분의 기본도구로 받아들였다. 사유재산도 허용해 현재 중국에는 수천 명의 개인이 억만장자가 되었다. 마르크스와 레닌은 그리 기뻐하지 않을 듯 하다.

한편 중국공산당은 미국이나 대부분의 서유럽 국가들과는 달리 정부 지원 및 투자 대상 산업을 선택하는데 있어 주도적인 역할을 하기로 했다. 최근 중국 정부는 일본, 한국, 미국 기업이 주도하는 기술시장에서 중국 우위를 창출하기 위해 2020년과 2050년까지 일정한 기술 목표를 달성하는 '자주 혁신(indigenous innovation)' 정책을 추진하고 있다.[2]

고작 한 챕터에서 이 모든 내용을 상세히 검토할 수는 없다. 대신 중국 내 오픈 이노베이션의 역할에 대해 살펴보고, 오픈 이노베이션이 중국의 여러 산업에서 어떻게 전개되었는지 알아보겠다. 중국의 혁신정책에 대한 논의는 대부분 전체적인

2. S. Brachman (2015). 자체 혁신에 대한 중국의 지원은 외국의 지적 재산권 소유자에게 문제가 될 수 있다. "IPWatchdod" (April 9). http://www.ipwatchdog.com/2015/04/09/chinese-indigenous-innovation-problematic-foreign-ip-owners/id=56525/.

경제수준에서 이루어졌다.[3] 그러나 경제의 특정 부분에서 일어난 혁신을 검토함으로써 우리는 많은 것을 배울 수 있다. 이 책에서는 고속철도, 자동차, 반도체산업을 특히 주의 깊게 살펴본다. 세 가지 산업 전반에서 일어난 중국의 혁신을 살펴봄으로써 '중국적 특성을 가진 오픈 이노베이션'을 설명해보고자 한다. 중국에서 중국공산당의 역할은 매우 중요하며, 서구에서 혁신정책을 입안하는 방식과도 아주 큰 차이를 보인다. 따라서 우리는 혁신에 대한 중국공산당의 접근방식이 어떤 배경에서 나왔는지부터 알아본다.

시진핑의 사상과 오픈 이노베이션

중국 집권 공산당은 2017년 10월 23일 당헌에 시진핑 국가주석의 정치사상을 편입해 그를 현대 중국의 창시자인 마오쩌둥과 같은 반열에 올렸다.[4] 시 주석의 사상은 사회, 경제, 정치, 군사, 대외 관계를 아우르는 매우 포괄적인 개념이다(연설은 3시간이었다). 시 주석의 연설에서는 이렇게 다양한 측면에 걸친 중요하고 중심적인 긴장이 나타났다. 시진핑 사상은 자원 배분에 있어 자유시장방식(market

3. 엘리자베스 이코노미(Elizabeth Economy)의 저서 <The Third Revolution>, (Oxford University Press, 2018)은 시진핑 정책의 진화과정을 기록하고 있다. 그녀는 시진핑의 정책이 전 세계적인 통합 공급망에서 벗어나 보다 자체적인 접근방법으로 변화하고 있다고 설명한다. 시진핑 정부는 덩샤오핑 정책의 연속으로 이해해서는 안 되며 '제3의 혁명'으로 이해해야 한다고 주장한다. (마오쩌둥이 첫 번째이고 덩샤오핑이 두 번째 혁명이다.)

4. M. Martina 와 P. Wen (2017), "China enshrines 'Xi Jinping Thought', key Xially to step down", Reuters. https://www.reuters.com/article/us-china-congress/china-enshrines-xi-jinping-thought-key-xi-ally-to-step-down-idUSKBN1CT0C9

forces)이 '결정적 역할'을 해야 하며, 동시에 중국공산당이 국가의 모든 분야에서 전반적인 리더십을 발휘해야 한다고 이야기한다.

"시장은 자원 배분에 결정적인 역할을 하고, 정부는 정부의 역할을 더 잘하며 새로운 산업화, IT화, 도시화, 농업의 현대화를 함께 이뤄야합니다. 우리는 경제 세계화에 적극적으로 참여하고 이를 촉진해서 더 높은 수준의 개방경제를 만들고 중국의 경제력과 국력을 지속적으로 높여야합니다."
(19차 중국공산당 전국대표대회에서 시진핑 주석의 연설 중)

같은 연설은 오픈 이노베이션의 역할을 상당히 강조하기도 했다.

"개방은 진보를 가져오지만 자기 고립은 낙오를 초래할 뿐입니다. 중국은 세계에 문을 닫지 않을 것입니다. 점점 더 개방할 것입니다. 우리는 일대일로 정책(Belt and Road Initiative)을 최우선으로 추진하고, '받아들이는 것'과 '세계로 진출하는 것'을 똑같이 중시하며 논의와 협력을 통해 동반성장을 달성한다는 원칙을 지키고 혁신 역량을 구축함에 있어 개방성과 협력을 높여야 합니다. 이런 노력으로 우리는 육지와 바다를 동서로 이어 중국을 더욱 개방하는 새로운 지평이 마련되기를 희망합니다."

'받아들이는 것'은 오픈 이노베이션에서 외부 유입 지식의 흐름을 말한다. 외국인 직접투자는 물론 대학과의 연구 협력, 기술 라이선스 인, 해외 스타트업 벤처에 대한 중국 벤처캐피털의 투자, 외부 개발제품의 리버스 엔지니어링(reverse engineering), 기술 문헌 모방

등을 통해 외부 지식에 접근하는 것이 이 유형에 해당한다. '세계로 진출하는 것'은 오픈 이노베이션에서 외부로 유출되는 지식의 흐름을 말한다. 중국 기업에서 자체 개발한 기술을 수출하는 것이 여기에 해당된다. 중국 기술의 라이선스 아웃, 중국 기업의 스핀오프, 해외로 수출하는 중국계 스타트업에 대한 중국 벤처캐피털의 투자, 기술 문헌에 대한 중국의 연구 기여 증가가 포함된다. '일대일로 프로젝트'라는 대규모 인프라 프로젝트가 기술을 중국 밖으로 진출시킨다.

시진핑 주석의 연설은 '중국적 특성을 지닌 오픈 이노베이션'이라는 혁신정책의 독특한 조합으로 볼 수 있다. 오픈 이노베이션의 기본이념을 따르기는 하지만 중국의 독특한 제도적 맥락에서 따른다. 중국은 산업기반과 기술력이 급성장하는 발전이 매우 빠른 국가이다.[5] 이제 중국의 국내 경제 규모는 엄청나게 커져서 상당한 자체 혁신을 이룰 바탕이 마련되었다.

중국 기업들이 다양한 산업 분야에서 기술 경계에 도달함에 따라 해결해야 할 새로운 혁신과제가 생겼다. 배움을 얻을 수 있는 외부 기업이 점점 줄어들고 있기 때문이다. 2017년 10월에 열린 전당대회에서 중국공산당은 향후 산업 발전을 위해 상당한 자본을 계획하는 데 중요한 역할을 할 것임을 분명히 했다. 이 독특한 역할을 보여주는 한 가지 사례는 상위 30대 기업은 경영진에 중국공산당을

5. 지난 40년간의 중국 혁신활동에 대한 권위 있는 설명은 Xiaolan Fu (2015),"China's Path to Innovation"를 참고해라.

포함시켜야 한다고 헌법에 명문화한 것이었다. 이 내용은 헌법에 직접 명시되었다. 시장자본주의 경제에는 중국공산당의 역할에 상대되는 개념이 없다. 이것은 이론적으로나 실천적으로 오픈 이노베이션에 완전히 새로운 개념이다. 당은 오픈 이노베이션의 여러 장점을 획득하며 동시에 경제 발전을 이끌려는 것이다.

이것이 어떻게 가능할까? 가능하긴 할까? 고속철도, 자동차, 반도체산업에서 중국공산당의 지도와 시장 사이의 긴장을 살펴보자. 통찰력을 얻을 수 있을 것이다. 9장의 끝 부분에서는 다시 오픈 이노베이션과 그것이 중국의 추가적인 혁신역량에 어떤 기여를 할 것인지를 알아보겠다.

중국의 산업별 혁신 성과의 차이

우리가 살펴보고자 하는 세 가지 산업 분야는 고속철도, 자동차, 반도체산업이다. 이 세 가지 산업에서 가장 먼저 주목해야 할 점은 지난 20년 동안의 혁신 성과가 산업별로 다르게 나타났다는 것이다. 국가 지도는 중국 기업들이 고속철도산업에서 입지를 굳힐 수 있게 도움을 주었다. 현재 고속철도산업의 경우 중국 기업들이 국내 시장을 장악하고 있으며, 전 세계 주요 고속철도 기술 기업들과 대등하게 경쟁하고 있다. 그러나 자동차산업의 경우 전체적으로는 세계에서 가장 큰 시장이 되었지만 중국 자동차기업들의 역량은 세계적인 기업들에 비해 크게 뒤쳐져 있다. 반도체산업의 발달 양상은 고속철도산업과 자동차산업 사이의 어디쯤에 있지만 중국 기업의 역량은 세계 주요 반도체업체들에 미치지 못하고 있다.[6] 따라서 고속철도, 자동차, 반도체의 세 가지 산업 분야를 살펴봄으로써 우리는 중국에서 일어난 세 가지 다른 수준의 혁신 성과를 관찰할 수 있다.[7]

이들 세 가지 산업 분야에는 최소한 세 가지 중요한 혁신 주체 유형이 있다. 첫 번째 유형은 국영기업(SOE)이다. 두 번째 유형은 민영기업(POE)으로 중국 경제가 비교적 최근인 덩샤오핑 집권시기부터 개방되었다는 점을 고려하면 여전히 기업의 창업주들이 경영하는 경우가 많다. 세 번째 유형은 중국에서 활동하는 외국기업으로 종종 중국에서 수행되는 연구개발 활동에 참여한다. 이 세 가지 유형의 기업들이 어떻게 서로 다른 산업에서 상호 작용하는지 살펴보자.

1) 중국의 고속철도산업

중국의 고속철도산업은 초기에 분명히 성공적이지 않았다.[8]

6. R. Zhong and P. Mozur (2018), "Tech Giants Feel the Squeeze as Xi Jinping Tightens His Grip", https://www.nytimes.com/2018/05/02/technology/china-xijinping-technology-innovation.html

7. 혁신 성과의 불균일한 패턴은 이들 3개 산업 외에서도 나타난다. 중국의 재생가능에너지 기술은 중국의 태양광 기술이 전 세계로 수출되면서 급부상했다. 하지만 평판 패널 디스플레이나 제약산업과 같은 다른 산업 분야에서 중국 기업들의 혁신 성과는 세계 일류 기업들에 비해 뒤떨어진다.

8. 2017~2018년 UC 버클리 하스 경영대학원에서 박사후 과정이었던 메이 량(Mei Liang) 박사의 연구가 이 부분을 깊이 있게 다뤘다. 그는 칭화대학교로 돌아갔고 현재는 북경대학교의 교수로 재직 중이다. 량 박사의 논문은 제4회 세계 오픈 이노베이션 컨퍼런스에서 그 해 최고 우수 논문상을 받았다. Mei, Liang (2017), "Navigating Open Innovation under institutional influence: Lessons from China highspeed rail industry", <4th World Open InnovationOpen Innovation Conference Paper>

중국은 1990년대 후반부터 고속철도에 투자하기 시작했지만, 상업적으로 실행 가능한 설계는 하나도 없었다. 외국 기업들과 협업도 많이 했지만 단편적이었고 궁극적으로 그다지 생산적이지 않았다. 결국 외국기업, 특히 일본의 가와사키와 독일의 지멘스 등 기업이 상당한 기술적 우위를 점했다.

이 모든 것은 2004년, 중국 철도부가 산업발전 방향을 '도입, 흡수, 재혁신'으로 전환하면서 바뀌기 시작했다. 2004년 중국 철도부는 '4개의 세로축과 4개의 가로축(4종 4횡)' 고속철도망을 건설하기로 결정했다. 1만 2천 킬로미터에 달하는 여객 전용 고속철도망은 당시 전 세계에서 운행하던 모든 고속철도 노선을 다 합한 길이와 맞먹었다. 이것은 고속철도산업의 글로벌 수요가 엄청나게 증대되는 일이었다.

중국 철도부는 중국의 자체 기술만으로는 이 야심찬 목표를 달성할 수 없다는 것을 알았다. 따라서 중국 정부는 엄청나고 매력적인 기회를 잡을 수 있는 입찰절차를 만들어 외국기업에게 고속철도 시장을 개방했다. 철도부는 지멘스의 참여기한을 연장하는 등 외국기업의 참여를 장려하기 위해 상당한 노력을 기울였다. 그러나 중국 정부는 입찰의 결과로 국내 열차 제조업체들의 기술력이 향상되어 향후 중국에서 필요한 열차를 일부라도 생산할 수 있게 되기를 바랐다. 따라서 철도부는 중국 파트너와 공동 입찰하여 중국의 고속열차 시장에 진출하는 외국기업들에게 엄격한 원칙을 제시했다. 공동 입찰에 참가하는 외국기업은 중국 국영기업인 중국남방철도(CSR)와 중국북방철도(CNR)로 광범위한 기술을 이전할 것을 요구받았다. 기술 이전 및 입찰과정에 지멘스, 가와사키중공업, 알스톰, 봄바디어가 참여했다.

외국기업들은 기술 이전으로 인한 위험은 있겠지만, 거대한 시장으로 진출할 수 있으니 위험을 감수할만하다고 계산했을 것이다. 게다가 이들은 중국남방철도나 중국북방철도에 비해 상당히 기술 우위에 있다는 사실을 알고 있었다. 실제로 중국남방철도와 중국북방철도가 설계한 초기 고속열차는 서구의 우수한 설계에 비해 현저히 뒤떨어졌다. 이번 기회로 중국 국내기업이 이들 기업을 따라잡아 추월할 가능성은 매우 낮아 보였다. 그래서 이들은 4종 4횡 철도망 계획이 만들어 낼 새로운 수요를 흡수하길 바라며 모두 입찰에 참가했다.

그러나 공동 입찰 후 중국남방철도와 중국북방철도는 외국기업으로부터 새로운 기술을 놀라울 정도로 잘 흡수했다. 과거 이전 세대의 기술을 받아들이면서는 고군분투했던 두 기업이 어째서 이번에는 달라진 걸까? 이번 기술 이전에서 한 가지 차이점은 국영기업들이 의식적으로 대학, 연구기관, 정부 기관과 연계하여 4곳의 외국기업이 가진 기술우위를 전수받고, 이해하고, 이용한다는 것이었다. 즉, 이번에는 훨씬 더 개방적이었다. 동시에 중국 정부는 기술 이전을 위한 대학 연구자금을 늘리기 위해 많은 기관 투자를 단행했다.

최초의 입찰이 완료된 후 2~3년 만에 중국남방철도와 중국북방철도는 서구의 열차만큼 성능이 좋지만 가격은 더 낮은 CRH380A 열차를 만들게 되었다. 이후 조달과정에서 중앙 철도부는 중국남방철도와 중국북방철도로부터 독점적으로 열차를 구매했다. 중국은 신흥 경제국으로서 지위를 가지고 있었기 때문에 이러한 정부 지원은 WTO 규정에 따라 허용되었다. 중국 중앙정부는 세계적인 규모로 열차를 생산하고 글로벌 경쟁 우위를 갖춘 거대 국영기업을 만들기 위해 중국남방철도와 중국북방철도를 합병해 CRRC를 설립했다. 중국의 변혁적 노력은 이러한 중앙정부에 의해 더욱 촉진되었다 . 입찰 설계 경쟁에서 우승한 지멘스는 첫 번째 열차를 제공하고 기술 지식을 전수하는 계약을 맺었다. 하지만 중국기업이 워낙 빠르게 지식을 흡수해서 지멘스는 더 이상 중국에 열차를 팔지 못했다.

오늘날 중국 정부는 일대일로, 중국제조 2025 등과 같은 정책의 일환으로 매력적인 조건을 내걸어 CRRC와의 계약 체결을 추진한다. 이것은 많은 신규시장에 중국 고속철도 기술을 수출하는 강력한 견인력을 창출해낼 것이며, 현재 비용 선도업체일 뿐만 아니라 가공할만한 기술 기업이기도 한 CRRC가 누리는 주도권을 확대할 것이다. 그리고 기업의 전문성은 열차를 설계하는 것을 넘어 다리와 고가 철도를 설계하고 산악지형, 습지지형에 철도를 놓고 기차역을 만드는 일에까지 확장될 것이다.

고속철도산업은 중국공산당이 고속철도와 같은 최첨단 산업에서 기술 리더십을 달성하기 위해 자유시장방식과 협력할 수 있는 방법을 보여준다. 철도부는 오픈 이노베이션을 통해 기술 도입을 추진함으로써 중국 고속철도산업에서 국영기업들의 우위를 확보하는 조정자 역할을 수행했고, 이전보다 외부 지식과 기술에 더 개방적으로 된 중국 국내기업들이 고속철도 기술을 보급하고 흡수하도록 촉진했다. 이후 중국남방철도와 중국북방철도 두 국영기업을 CRRC로 합병함으로써 고속철도 분야는 물론 철도망과 철도용 교량 건설 등 보완적 역량 면에서도 기술 리더십과 엄청난 규모의 경제를 달성했다. 이제 중국 정부는 일대일로 프로젝트와 같은 외향형 오픈 이노베이션 활동을 통해 글로벌 경쟁력을 키우는데 더욱 집중하고 있다. 이를 통해 CRRC는 규모는 더욱 늘리고 국내·외에 고속철도를 공급하는 비용은 절감할 수 있게 될 것이다. 그리고 중국 주도 하에 설립된 아시아인프라투자은행(Asian Infrastructure Investment Bank)이 중국 고속철도 기술 구매 자금을 지원할 것이다.

고속철도산업 사례는 중국이 내향형 오픈 이노베이션과 외향형 오픈 이노베이션을 모두 활용해 산업 주도권을 확보하는 방법을 보여준다. 또한 당과 자유시장방식이 어떻게 협력할 수 있는지도 보여준다. 고속철도산업의 성공적인 결과는 그들의 혁신 방식과 당 행정과 자유시장방식의 독특한 결합에 중국이 어째서 점점 더 자신감을 갖게 되었는지를 알 수 있도록 해준다. 이 사례는 시진핑 사상의 승리를 대표하며 2017년 그가 했던 연설 속 생각을 뒷받침한다.

그러나 앞으로 살펴볼 다른 두 산업은 그리 장밋빛이 아니다.

2) 중국의 자동차산업

고속철도와 비슷한 방식으로 중국 정부는 1990년대에 중국 시장에 진출하는 대가로 외국 자동차기업들에게 중국 기업과의 합작투자를 통한 기술 이전을 요구했다.[9] 중국에서 자동차를 판매하고자 하는 모든 해외 자동차기업은 현지 중국 파트너와 함께 합작투자회사를 만들어야 했다. 외국기업은 중국 파트너에게 기술을 이전해야 했고 빠른 속도로 확장되는 중국 시장을 흡수하기 위해 많은 자동차 생산공장을 공동으로 건설해야 했다. 오늘날 중국 시장은 단위 물량 기준으로 세계에서 가장 큰 시장이다.

그러나 20여 년이 지난 현재 자동차업계의 시장 반응은 정부가 의도했던 것과는 다르다. 중국에서 생산되는 자동차 물량은 엄청나게 증가했고 그 과정에서 생산 관련 일자리는 많이 만들어졌지만, 중국 생산자들의 기술력은 여전히 외국기업에 비해 많이 뒤떨어져 있다.[10] 중국의 자동차 생산업체들이 외국 브랜드를 팔아 많은 돈을 벌면서 합작기업은 오히려 외국 파트너와 경쟁하려는 중국 기업들의 인센티브를 약화시켰다.[11] 외국 자동차기업은 중국 파트너에게 중요한 기술 지식을 이전해주었지만, 최신의 첨단기술은

9. 이 분야는 리 시엔쥔(Li Xianjun) 교수와 제자들이 수행한 연구가 큰 영향을 미쳤다. 리 교수는 칭화대학교 자동차공학과에 재직 중이며 그의 제자인 케 슈(Ke Xu)와 멩 동예(Meng Donghui)가 UC 버클리에 방문 연구원으로 있었기 때문에 필자는 그들과 직접 교류하며 연구할 수 있었다.

10. Xu, Ke, 와 Li, Xianjun (2014), "Technological innovation from imitation in latecomer firms: evidence from China's auto firms", <Innovation and Development>, 4.1, pp. 161-73.

11. M. Schuman, August 29, 2017, "China's Car Sector Needs a Shakeup", Bloomberg. https://www.bloomberg.com/view/articles/2017-08-29/china-s-car-sector-needsa-shakeup-not-buyouts

이전하지 않아 성공적으로 기술 우위를 유지했다.

중국 시장의 소비자들은 선호하는 차를 자유롭게 선택할 수 있다. 사회적으로 소득이 가파르게 증가하면서 자동차는 부와 성공의 상징이 되었다. 그래서 많은 중국인들이 합작기업이 중국에서 생산한 외국 브랜드 자동차를 구매한다. 외국 자동차 브랜드는 계속 시장을 지배하고 있을 뿐만 아니라 중국 기업이 디자인하고 생산한 자동차에 비해 기술적 우위도 유지하고 있다. 중국 국내 자동차 생산업체 중 가장 규모가 큰 기업은 세계 일류 기업들보다 아주 많이 뒤쳐져있는 반면 규모가 더 작은 기업들이 오히려 글로벌 경쟁력에 더 가까운 역량을 가지고 있다.[12] 고속철도와 달리 중국 자동차산업의 광범위한 중간 시장 소비자들은 '적당한' 기술에 만족하는 반면, 까다로운 고급 자동차 고객에게는 외국 자동차기업이 직접 자동차를 판매한다.

자동차산업에서 당의 지도적 역할과 시장의 결정적 역할은 서로 다른 방향을 가리켰다. 정부의 엄격한 관리는 혁신이 자라는 아이디어의 자유로운 흐름을 제한함으로써 혁신을 억제한다. 예를 들어, 현재 중국은 전기차에 수입품이 아닌 중국산 배터리를 장착하도록 요구하고 있다. 국내 배터리기술의 빠른 발전을 촉진하기 위한 의도이다. 그러나 지금까지의 정책 결과는 실망스러웠다.

12. Li Xianjun's research "Industrial Value Migration, Path Innovation and Competitive Advantage: Empirical Analysis Based on China's Automotive Firms", http://en.cnki.com.cn/Article_en/CJFDTOTAL-ZGRK201001013.htm (최종접속일 2019년 3월 1일). 리 교수의 연구는 중국 자동차기업의 규모가 클수록 혁신능력은 더 약하다는 것을 보여준다.

폴크스바겐 그룹 차이나의 대표 요킴 하이츠만(Jochem Heizmann)은 "결국 이 [정책]은 경쟁을 제한하고 혁신을 제한한다."고 말했다.[13] 중국 시장의 결정적 역할(수백만 소비자들의 개별적인 자동차 구매 결정으로 이루어짐)은 외국 자동차업체를 선호했고 정부 공무원들에게 실망을 안겼다.

자동차산업은 개방성 부족과 지역 보호주의 때문에 고도로 분열되고 초경쟁적인 양상을 지속하고 있다.[14] 중국에는 100개도 넘는 자동차기업이 등록되어 있다. 이는 세계 최대 자동차시장도 감당할 수 없는 수준이다. 분열된 생산 네트워크와 시장 때문에 어떠한 중국 기업도 대형 기업으로 부상하기가 어렵다. 실제 자동차섹터의 많은 제품 혁신이 일어나는 주요 부품 및 서브시스템 공급업체는 이보다도 훨씬 더 많다.

현재 중국공산당의 지도에서 가장 멀리 떨어져 있는 부분이 중국 자동차산업에서 가장 혁신적인 부분이 되었다. 중국의 민영기업과 해외 다국적기업들이 자동차산업 혁신의 주요 원천이다.[15] 그 결과 대부분의 판매와 고용은 안정적이지만 기술적으로 뒤처진 국영기업에서 나오고 이익과 혁신은 민영기업과 해외 다국적기업에서 나오는 시장 이원화가 발생했다. 민영기업과 해외 다국적기업은 당의 지도와 통제를 훨씬 더 자유롭지만 이들이 자동차산업을 미래로

13. K. Bradsher (2018), "China Is Opening Its Car Market: But Not Enough, Say Auto Companies", <New York Times>, https://www.nytimes.com/2018/04/25/business/china-auto-trade.html

14. D. Ma (2017), "Can Chinese Industrial Policy Determine Winners or Just Stir up Froth?", <Macro Polo>, https://macropolo.org/can-industrial-policy-propelchinas-ev-industry-just-stir-froth/, and also Schuman (op cit).

15. Xu and Li (2014), "Technological innovation from imitation in latecomer firms: evidence from China's auto firms"

이끈다.

여기서 당의 주도적 역할과 시장의 결정적 역할 사이에 모순된 긴장이 생긴다. 더 많은 혁신을 이루려면 자유시장방식(그리고 민영기업와 다국적기업)이 주도적인 역할을 해야 하고 당은 뒤로 물러서야 한다.

3) 중국의 반도체산업

중국의 반도체산업은 상이한 두 개의 부문[16]으로 혁신이 전개되며 자동차산업에서 나타났던 패턴이 그대로 되풀이된다.[17] 국영기업에서 반도체산업의 매출과 고용 대부분이 창출되며 사실상 국영기업의 생산량은 모두 국내 시장에서 소비된다. 그러나 국영기업의 기술은 2~3세대 정도 업계의 최신 기술에서 뒤처져있다.[18] 그 한 가지 척도는 칩 설계의 선폭(line-width)이다. 현재 중국 국영기업은 외국기업들이 3~5년 전 출하했던 선폭으로 제품을 생산해 출하하고 있다. 이런 제품들은 성장 중인 중국의 전자제품 시장에서는 받아들여질 수 있지만, 선진국의 최고 기술에는 너무 뒤떨어져서 중국 밖으로는 많이 수출할 수 없다.

하지만 중국의 반도체산업에는 글로벌 업체들과 똑같은 선폭으로 제품을 출하하는 두 번째 부문이 있다. 반도체산업

16. 데이비드 트리스(David Teece)와 필자의 공동 연구를 참고해라. Henry Chesbrough, and David Teece(2005), "The Globalization of R&D in the Semiconductor Industry, final report to the Alfred P. Sloan Foundation", New York, NY

17. Fu, Xiaolan, Li, Jizhen, Hongru Xiong, and Henry Chesbrough, 2014. "Open Innovation as a Response to Constraints and Risks: Evidence from China", Asian Economic Papers, 13.3, pp. 30-58

18. C. Ting-Fang (2018), "China's upstart chip companies aim to topple Samsung,Intel and TSMC", <Nikkei Asian Review>.

부문의 민영기업들이다. 민영기업의 생산량은 대부분 해외 고객에게 수출되며, 이들은 해외 고객이 사용하는 글로벌 공급망의 일부분이다. 민영기업들은 중국에 새로운 기술 혁신을 도입하는 주요 원천이었다.[19]

반도체산업은 칩을 설계하는 기업(디자인 하우스)과 칩을 제조하는 기업(생산업체 또는 '팹(fabs)') 사이에 세분화가 더 촘촘히 이루어져있다. 디자인 부문은 창의성이 주도하며 필요 자본이 적고 영리한 디자인과 빠른 제조공정에 프리미엄이 붙는다. 중국에는 이런 기업이 수백 개가 있는데 그 중 국영기업은 없다. 이와는 대조적으로 생산공장은 새로운 시설을 건설할 때마다 수십억 달러의 비용이 들기 때문에 상당히 자본집약적이다. 반도체 생산공장을 지으려면 자본 외에도 토지 이용, 에너지와 수자원 이용, 운송 물류 등을 위해 여러 가지 정부 허가를 받아야 한다. 여기에서는 국영기업이 정부와의 강력한 연계 덕분에 훨씬 더 효과적이다. 그러나 이 부문에서조차 민영기업이 시장을 잠식했고 최신 기술을 채택하는 것도 국영기업보다 빨랐다.[20]

최근 반도체산업은 중국과 서방 국가의 전략적 격전지가 되고 있다. 많은 나라가 국가 안보를 이유로 자국 기업들이 그들의 앞선 기술을 중국 기업과 공유하지 않도록 하려고 한다. 이런 흐름은

19. Henry Chesbrough 와 Liang, Feng Helen (2008), "Return to R&D Investment and Spillovers in the Chinese Semiconductor Industry: A Tale of Two Segments". 2008 Industry Studies Conference Paper. SSRN 사이트에서 볼 수 있다. https://ssrn.com/abstract=1120024

20. P. Clarke (2017), "Top ten Chinese chip companies ranked", EE News. http://www.eenewsanalog.com/news/top-ten-chinese-chip-companies-ranked

중국 정부와 국영기업이 내부 기술을 발전시키기 위해 내향형 오픈 이노베이션을 활용하기 어렵게 만들었다. 이에 중국은 글로벌 경쟁업체들에 맞서 기술력을 강화하기 위해 반도체 칩 개발을 중국제조 2025의 핵심강령으로 정했다.[21]

하지만 자동차산업처럼 중국의 반도체 수요 구조는 상당히 다양하게 나뉘어있다. 반도체는 가격, 제품 요건, 가용성에 따라 수만, 수십만 개의 제품으로 설계된다. 반도체는 세계적인 산업으로 여러 기술이 상호 운용될 수 있게 하는 기술 표준의 혜택을 받는다. 기술 표준을 따르면 특정 지역에 맞게 제품을 맞춤 제작하지 않아도 되므로 해당 제품이 세계 시장에 공급될 수 있다.

업계의 선두업체들은 대부분의 경제적 이익을 획득하지만, 다른 경쟁업체들은 손해를 본다. 중국 국영기업의 기술력 부족도 수출 능력을 제한했다. 반면 중국 민영기업은 생산량의 대부분을 중국 밖으로 수출한다. 당의 지도와 통제로부터 가장 멀리 떨어져 있는 민영기업과 다국적기업들이 새로운 기술의 주요 원천이며 중국 반도체산업의 가장 혁신적인 부분이다. 따라서 반도체산업은 더 많은 자본과 정부 허가, 토지와 수자원을 이용할 권리 등을 필요로 하는 반도체 생산공장의 부분적인 예외를 제외하고는 자동차산업의 상황과 매우 유사하다.

21. C. Cadell (2018), "Chips down: China aims to boost semiconductors as trade war looms", Reuters : https://www.reuters.com/article/us-usa-tradechina-chips/chips-down-china-aims-to-boost-semiconductors-as-trade-warlooms-idUSKBN1HR1DF

중국은 두 마리 토끼를 다 잡을 수 있을까?

중국은 분명히 지난 40년 동안의 경이로운 성장 궤도를 계속 이어나가려고 한다. 그 기간의 대부분은 서구 선두기업들의 기술을 모방함으로써 성장했다. 중국은 이제 많은 분야에서 선두기업들의 기술을 따라잡았다. 여러 산업 분야에서 기술적 최전선에 가까워짐에 따라 중국 기업들은 경제 성장을 유지하기 위해 더 혁신적인 제품과 서비스를 제공해야만 한다. 이를 위해서는 이 장의 앞부분에서 논의한 당과 시장의 긴장에 대한 자세한 검토가 필요하다.

시진핑의 사상은 고속철도 시장의 상황과 잘 부합한다. 고속철도산업은 인프라 개발에 의해 주도되는 시장으로 정부가 시스템을 승인하고, 자금을 조달하고, 때로는 운영에까지 중요한 역할을 한다. 정부 대 정부 사업이라고 생각할 수 있다. 여기에서는 시장 구성원들이 고속철도로 유익을 얻으려는 다른 정부들이기 때문에 당의 역할이 시장을 지도하기에 매우 적합하다. 게다가 중국 정부는 세계 다른 나라들의 고속철도를 합친 것보다 더 긴 고속철도를 건설했다.

일대일로 프로젝트에 포함된 대부분의 주 정부는 고속철도 기술 도입에 대한 비용을 지불하기 위해 재정적인 지원을 필요로 한다. 당은 중국 철도당국을 중국 재무부와 아시아인프라혁신은행에 연결해 고속철도 기술의 성공적 판매, 자금 조달, 수출, 설치, 운영을 위한 원활한 경로를 열어주고 재정문제 해결에 도움을 준다. 오늘날 CRRC는 판매량, 저렴한 비용, 경쟁업체와 비교한 기술력 향상의 측면에서 고속철도 혁신의 시장 리더이다.

고속철도산업의 성공에 도취된 시진핑 사상은 민영기업이 혁신에서 수행하는 역할에 대해 충분한 관심을 기울이지 않았을지도 모르겠다. 민영기업들은 자동차와 반도체산업을 포함한 많은 시장에서 중국의 혁신을 담당한 알려지지 않은 영웅들이다. 자동차산업에서 BYD 등 민영기업들은 고도로 발달된 기술을 개발하고 있으며, 워렌 버핏과 같은 서구의 투자자들을 끌어들이고 있다. 반도체산업에서는 SMIF와 같은 민영기업과 상하이와 심천의 여러 디자인 하우스가 국내 국영기업들을 크게 앞서고 있다.

우리가 살펴본 세 가지 산업 외의 다른 산업에서도 취약한 국영기업 보다 유능한 민영기업이 더 좋은 성과를 내는 패턴이 지속되고 있다.[22] 알리바바, 바이두, 화웨이, 텐센트홀딩스 등 완전 민영기업 또는 부분 민영기업들이 중국의 기술 부문을 장악하고 있다. 정부의 관여 수준은 기업마다 다르지만 주로 기업의 역량과 반비례하는 경우가 많다. 중국의 최대 민영 기술 기업들은 국가적 자부심의 상징이 됐다. 이들은 중국의 시장 규모와 자체 연구개발을 활용해 혁신 주도 성장을 이끌어내는데 향상된 기량을 보여주었다.[23]

22.야셍 후앙(Yasheng Huang)은 저서 <Capitalism with Chinese Characteristics: Entrepreneurship and the State> (Cambridge, UK: Cambridge University Press, 2008)에서 여러 중국 국영기업들의 저조한 성과에 대해 쓰고 있다.

23.조지 입(George Yip)과 브루스 맥컨(Bruce McKern)은 2016년 저서 <China's Next Strategic Advantage>(Cambridge, MA: MIT Press)에서 이러한 성과를 잘 포착하고 있다.

그러면서 경쟁 우위를 유지하기 위해 지속적으로 적응할 수 있는 능력을 개발했다. 예를 들어, 알리바바는 최근 KPMG의 조사에서 삼성전자를 제치고 세계에서 가장 혁신적인 기업 7위를 차지했다.[24]

당은 국영기업과는 잘 맞지만 민영기업과는 잘 맞지 않는다. 정치적으로 연계된 국영기업들은 가지고 있는 혁신능력에 비해 지나치게 많이 당의 관심과 자원을 받기가 쉽다. 그 결과 같은 산업에 속한 민영기업은 관심과 자원을 너무 적게 그리고 너무 늦게 받게 된다. 이것은 2017년 10월 당 대회에서 공언했던 정책 중 하나인 자체 혁신이 중국에서 출현하는 것을 억누른다. 또한 국영기업이 가지고 있는 정치적·재정적 근력이 가장 뛰어난 수출기업들에게는 부족해서 중국 밖으로의 수출이 감소하게 된다.

강력한 기술력을 보유한 다국적기업들을 상대하는 것에 당의 기회와 과제가 있다. 다국적기업은 중국 시장에 진출하길 열망하며 중국의 기술자와 연구자들의 재능을 활용하고 싶어 한다. 애플 같은 기업은 중국 내에 상당한 사업을 구축해왔다. 하지만 구글과 페이스북 등의 기업은 중국 시장에서의 경쟁에서 크게 배제되고 있다. 이것은 중국 시장(및 중국 소비자)에게서 강력한 대외경쟁에서 생겨나는 시장 규율을 빼앗는 것이다. 시장의 결정적인 역할은 소비자의 선택을 촉진하고, 생산자의 효과적인 전략을 보상하며, 생산자의 느슨하거나 약한 성과를 단련하기 위해 건전한 경쟁을

24.M. Bey (2017), "In China, Innovation Cuts Both Ways", Stratfor: https://worldview.stratfor.com/article/china-innovation-cuts-both-ways

전개하고 유지할 것을 요구한다. (이러한 속성들은 비록 다른 이유들 때문이지만 서구에서도 위협을 받고 있다는 점에 유의해야 한다. 대개는 디지털 거대 기업의 독점력 때문이다.)

중국의 주요 산업 전반에 걸쳐 혁신을 달성하고 유지하기 위해서는 단순히 국영기업을 활용해서 중국 경제를 주도하는 산업들을 장악하는 것 이상의 것이 필요하다. 만약 당이 매우 강력한 역할을 한다면 고속철도와 같은 집중 산업에는 도움이 될 수 있겠지만 중국의 더 많은 다른 산업들에는 불리하게 작용할 수 있다.

하지만 당은 또 다른 길을 선택할 수 있다. 국가 안팎에서 오픈 이노베이션을 더 완전하게 받아들이고 촉진하는 것이다. 이런 정책은 국내 민영기업 등 혁신적 조직에서 이용할 수 있는 유용한 지식의 원천을 증가시킬 것이다. 또한 능력 있는 민영기업들이 전문성을 높이고 글로벌 공급망에서 위치를 강화하며 규모의 경제를 실현하고 비용과 기술 면에서 지위를 향상해 해외 시장으로 수출을 증가시키는데 도움이 될 것이다. 그러나 이와 같은 결과를 실현하려면 당은 국영기업과의 견고한 관계를 넘어서야 한다.

당에게는 또 다른 역할이 있다. 혁신은 경제에서 승자와 패자를 모두 만들어낸다. 시장의 결정적인 역할은 승자가 된 기업을 더 강화하겠지만, 사회는 패자가 된 조직에서 일하는 근로자들을 지원하고 재교육해야 한다. 이 부분이 중국공산당이 안전망이 해체된 미국 등 국가들을 넘어설 수 있는 영역이다. 마찬가지로 중국공산당은 성공한 기업들에게 덜 발달된 지역에서 사업을 하도록 지시할 수 있고 산업 발전의 과실을 국내 여러 지역에 더 고르게 확산시킬 수 있다. 중국공산당은 나머지가 최고로부터 배울 수 있게 해 경제 생산성을 향상시킬 수 있다.

일단 중국이 WTO에서 선진국 지위를 획득하게 되면 시진핑 사상은 당의 주도적인 역할과 WTO 규정에 따라 자국 시장에서 활동하는 외국기업에 대한 의무를 지키는 것 사이에 더 큰 긴장에 직면할 것이다. 중국 내에서 오픈 이노베이션을 더 많이 활용함으로써 민영기업에게 경쟁자들과 겨루기 위해 필요한 자유를 주고 해외 다국적기업을 중국 경제에 받아들이는 것은 이런 긴장을 해소하는 효과적인 수단이 될 것이다.

우리는 시진핑 당 주석의 19차 당 대회 연설에서 이런 가능성을 엿볼 수 있다.

> "개방은 진보를 가져오지만 자기 고립은 낙오를 초래할 뿐입니다. 중국은 세계에 문을 닫지 않을 것입니다. 점점 더 개방할 것입니다."

중국공산당이 사회 전체의 이익을 위해 시진핑 사상 내부의 긴장을 관리할 수 있을지 확인하는 데는 시간이 걸릴 것이다. 중국의 3개 산업에 대한 이 장에서의 논의는 당이 정책적 접근방식에 융통성을 가지고 생각을 개방할 필요가 있음을 보여준다. 모든 중국 산업이 고속철도산업의 성공적인 길을 따를 것이라고 기대할 수는 없으며, 민영기업은 지금까지 받은 것보다 더 많은 관심과 지원을 받을 자격이 있다. 결국 국영기업은 너무 많은 지원을 받고 있는지도 모른다.

한 발 물러서서 이 책의 첫 장을 생각해보면 혁신은 더 큰 사회에 물질적 유익을 가져다주기 전에 먼저 창출되고, 보급되고, 흡수되어야 한다. 중국공산당은 지난 40년 동안 중국의 경제적 성공을 지속하기 위해 혁신의 세 가지 측면, 특히 보급과 흡수를 모두 지원해야 할 것이다. 일자리를 잃은 사람들을 재교육하고 개발이 덜 된 지역으로 혁신활동을 확산하는 정책은 혁신이 더 큰 사회에 제공할 수 있는 기회를 실현하는 데 도움이 될 것이다. 만약 당이 주로 신기술의 초기 창출에만 초점을 맞추고 국영기업을 과보호하면서 산업에서 가장 역동적이고 혁신적인 참여자를 무시한다면 향후 중국의 성장률은 악화될 가능성이 높다.

9장의 주요 내용이다.

1. 중국의 오픈 이노베이션은 중국공산당의 막강한 역할에 크게 영향을 받는다.
2. 시진핑 사상은 경제 전반에 걸쳐 자원을 배분하고 혁신을 촉진하는 '시장의 결정적 역할'과 가장 중요한 산업 분야에서 혁신 개발을 이끄는 '당의 주도적 역할' 사이에 긴장을 도입한다. 긴장은 중국의 산업마다 다르게 나타난다.
3. 고속철도산업에서는 긴장 관계를 영리하게 관리하여 일류 경쟁사들과 비슷한 세계적 수준의 혁신 역량을 가진 기업을 만들어냈다.
4. 그러나 자동차와 반도체산업에서 긴장 관계는 문제가 많았다. 국영기업은 당과 잘 어울리지만 혁신을 주도하는 것은 민영기업과 외국기업이기 때문이다.
5. 중국공산당은 새로운 기술 창출에는 덜 집중하고 신기술의 보급과 흡수에는 더 집중할 수 있는 선택권이 있다. 이것이 중국에서 혁신 역량을 지속하고 성장시킬 수 있는 가능성 높은 방법이다.

오픈 이노베이션 혁신을 추구하는 기업의 선택

초판 1쇄 발행 · 2021년 06월 04일
지은이 · 헨리 체스브로 Henry W. Chesbrough

발행처 · 주식회사 엠와이소셜컴퍼니(MYSC)
발행인 · 김정태
주소 · 서울시 성동구 뚝섬로1나길 5 헤이그라운드 G402호
홈페이지 · www.mysc.co.kr
문의 · 02) 532-1110 / info@mysc.co.kr

출판등록 · 제2015-000064호
한국어판 기획 및 감수 · 이예지
공동 기획 · 김정태, 정지연
번역 · 이주영
교정·교열 · 김경아
디자인 · 네모연구소 주은우, 전인영
인쇄 · 네모연구소 / www.nemolab.co.kr
ISBN · 979-11-967888-2-7

• 이 도서의 국립중앙도서관 출판예정도서목록(CIP)은 서지정보유통지원시스템 홈페이지(http://seoji.nl.go.kr)와 국가자료종합목록시스템(http://www.nl.go.kr/kolisnet)에서 이용하실 수 있습니다.

• 이 책은 환경 보호를 위해 친환경 재생용지를 사용했습니다.